suhrkamp taschenbuch
wissenschaft 595

»Moralität« und »Sittlichkeit« sind die Schlüsselbegriffe der Hegelschen Kritik an der Kantischen Ethik. Paradigmatisch formuliert dort Hegel vier Einwände gegen den Kantischen Typ der praktischen Philosophie: 1. Kants formalistische Prinzipienethik sei inhaltlich leer, 2. ihr ungeschichtlicher Universalismus mache das Anwendungsproblem unlösbar, 3. Kants Ethik bescheide sich beim »ohnmächtigen bloßen Sollen«, 4. als – dem Anspruch nach – philosophisch stark begründete Ethik reiner Gesinnung begünstige sie den »Terror der Tugend«. Hegel artikuliert damit ein Grundproblem der praktischen Philosophie, das die philosophische Ethik seither nicht mehr unberücksichtigt lassen kann.

Der Band enthält Beiträge zum Thema »Moralität und Sittlichkeit« von K.-O. Apel, M. Brumlik, R. Bubner, J. Habermas, V. Hösle, A. Honneth, F. Kambartel, W. Kuhlmann, H. Schnädelbach und Ch. Taylor. In den Beiträgen wird das Hegelsche Problem insbesondere im Hinblick auf die Diskursethik kontrovers diskutiert.

Moralität und Sittlichkeit

Das Problem Hegels
und die Diskursethik

Herausgegeben von
Wolfgang Kuhlmann

Suhrkamp

CIP-Kurztitelaufnahme der Deutschen Bibliothek
Moralität und Sittlichkeit :
d. Problem Hegels u. d. Diskursethik /
hrsg. von Wolfgang Kuhlmann. –
1. Aufl. – Frankfurt am Main :
Suhrkamp, 1986.
(Suhrkamp-Taschenbuch Wissenschaft ; 595)
ISBN 3-518-28195-X
NE: Kuhlmann, Wolfgang [Hrsg.]; GT

suhrkamp taschenbuch wissenschaft 595
Erste Auflage 1986
Suhrkamp Verlag Frankfurt am Main 1986
Suhrkamp Taschenbuch Verlag
Alle Rechte vorbehalten, insbesondere das
des öffentlichen Vortrags, der Übertragung
durch Rundfunk und Fernsehen
sowie der Übersetzung, auch einzelner Teile
Satz und Druck: Wagner GmbH, Nördlingen
Printed in Germany
Umschlag nach Entwürfen von
Willy Fleckhaus und Rolf Staudt

1 2 3 4 5 6 – 91 90 89 88 87 86

Inhalt

Vorbemerkung des Herausgebers

»Moralität« und »Sittlichkeit« sind die Schlüsselbegriffe der berühmten Hegelschen Kritik an Kants Ethik.[1] *»Moralität«* nennt
Hegel dort den Standpunkt, auf dem zwar das Individuum als
freies und zur vernünftigen Selbstgesetzgebung fähiges Subjekt
verstanden werde, aber dies nur um den Preis, daß strikt getrennt
werde zwischen dem auf die reine Innerlichkeit des Individuums
beschränkten vernünftigen »Sein der Subjektivität« einerseits und
der – dann als völlig vernunftlos angesetzten – bloß äußeren
Wirklichkeit andererseits, zu der nicht nur die natürliche und
soziale Umgebung des handelnden Individuums, sondern auch
dessen Handlungen selbst und deren Folgen zählen. Aus dieser
strikten Trennung folge *erstens* – so Hegel – ein unangemessener
Begriff von subjektiver praktischer Vernunft, ein Begriff nämlich
von einer ausschließlich innerlichen, gänzlich reinen und daher
ganz besonders radikalen, rigorosen, zugleich aber abstrakten,
leeren und insofern völlig ohnmächtigen praktischen Vernunft.
Es folge *zweitens* ein unangemessener Begriff von der äußeren
Wirklichkeit, der das Individuum angehöre und in der es zu
handeln habe; es sei der Begriff einer von aller Vernunft gereinig-
ten, ungeschichtlichen, gegenüber der Vernunft gleichgültigen
und von der Realisierung der Vernunftforderungen immer gleich
weit entfernten Wirklichkeit, ein die Wirklichkeit »unterbieten-
der« (Marquard) Begriff derselben. Es folge *drittens* ein unangemessener Begriff vom Verhältnis der beiden Seiten. Es sei ein
Begriff, der den Gedanken einer Realisierung des Vernünftigen in
der Wirklichkeit gar nicht erst zulasse, der die Kluft zwischen den
ohnmächtigen Forderungen der subjektiven Vernunft und der
gleichgültigen äußeren Objektivität, zwischen dem Sollen und
dem Sein, unüberbrückbar mache und somit den Gedanken
praktischer Vernunft letztlich zerstöre.
»Sittlichkeit« dagegen bezeichnet dort den Standpunkt, auf dem
praktische Vernunft gerade nicht als nur Subjektives, in die
Innerlichkeit des Individuums Eingesperrtes, ohnmächtig For-
derndes und der äußeren Wirklichkeit bloß Gegenüberstehendes
betrachtet werde, sondern als in der äußeren Wirklichkeit immer
schon geschichtlich realisierte Vernunft, als Prinzip also, das

tatsächlich eingegangen und wirksam geworden sei in Gewohnheiten, Sitten, Institutionen, Lebensformen und das damit allge-
mein(-gültig), objektiv, konkret und auf Dauer gestellt worden
sei, welches als solches die sonst bloß eigensinnige, private subjektive Reflexion der Individuen zu tragen imstande sei, und das
schließlich qua »objektives sittliches Sein« »dem Subjekt nicht ein
Fremdes (sei), ... sondern ... Zeugnis des Geistes ... als von
seinem eigenen Wesen, in welchem es sein Selbstgefühl (habe),
und darin als seinem von sich ununterschiedenen Elemente (lebe),
– ein Verhältnis, das unmittelbar noch identischer, als selbst
Glaube und Zutrauen (sei).«[2]

Hegels Kritik an Kants praktischer Philosophie zielt vor allem auf
die folgenden vier gewichtigen Punkte:[3] 1. Die inhaltliche Leere
der formalistischen Prinzipienethik, 2. ihr abstrakt ungeschichtlicher Universalismus und die daraus resultierenden Anwendungs-
probleme, 3. die »Ohnmacht des bloßen Sollens«, 4. die Gefahr
des Terrorismus der reinen Gesinnung. Mit diesen vier Einwänden artikuliert Hegel in klassisch verbindlicher Form eine Reihe
von Standardtopoi des praktischen Diskurses der Philosophie,
an denen ungestraft seither keiner mehr achtlos vorbeigehen kann,
der ernsthaft an der Grundlegung einer – ihren Namen wirklich
verdienenden – praktischen Philosophie interessiert ist.

Freilich ist Hegel nicht der erste, der derartiges geltend macht: In
gewissem Sinn wiederholt die Hegelsche Kritik an der abstrakt
ungeschichtlichen, formalen Prinzipienethik die Aristotelischen
Einwände gegen die Platonische Ethik, welche sich um den
Begriff des Guten an sich bzw. die Idee des Guten zentriert.
Wegen der engen Verwandtschaft zwischen der Hegelschen
Kantkritik und der ebenso berühmten Aristotelischen Platonkritik sowie der davon abhängigen auffälligen Übereinstimmung
zwischen Zügen der Hegelschen Konzeption von Sittlichkeit und
der Aristotelischen Konzeption von Ethik und politischer Philosophie werden gegenwärtige Verfechter oder Erneuerer der Hegelschen Bedenken gegen die abstrakte Moralität oft unter dem
Titel »Neoaristoteliker« zusammengefaßt.[4]

Der durch das Begriffspaar »Moralität« und »Sittlichkeit« ange-
zeigte Fragenkomplex stellt – wie gesagt – für jede Art normativer
Prinzipienethik zweifellos ein zentrales Problem dar. Aber es ist
ein typisches Problem der *zweiten Runde* normativ ethischer
Diskussion in der Philosophie.

Es gehört der Form nach in eine *Situation*, in der philosophische Vorschläge zur Grundlegung einer normativen Ethik schon vorliegen, Vorschläge, die sich sowohl hinsichtlich ihrer Übereinstimmung mit den in ihnen zu rekonstruierenden moralischen Alltagsintuitionen als auch im Hinblick auf ihre Begründungsfähigkeit wenigstens soweit bewährt haben, daß sie als ernsthafte Kandidaten gelten können, und die nun – eben in einer zweiten Runde – im Hinblick auf das Problem der Anwendung, der Realisierbarkeit und Durchsetzung und – da eine normative Ethik ganz ohne Chancen auf praktische Wirksamkeit nur als überflüssige akademische Spielerei gelten kann – insofern noch einmal ganz grundsätzlich auf ihren Sinn hin geprüft werden sollen. Das Problem gehört ferner in einen Zusammenhang bzw. eine *Tendenz*, in der als Reaktion auf den vorangehenden Gesprächsverlauf der Philosophie eine gewisse Sensibilität für die Gefahren einer allzu reinen, selbstgenügsamen, rücksichtslos verstiegenen (Schul-)Philosophie der Experten entwickelt wurde und in der dann die Philosophie an die sie umgebende und tragende Wirklichkeit, insbesondere soziale Wirklichkeit, ebenso erinnert wird wie an die inhaltlichen praktischen Aufgaben, die ihr daraus erwachsen.

Anzeichen dafür, daß nun tatsächlich gegenwärtig in der Philosophie derartige Tendenzen vordringen und die Führung übernehmen, gibt es genug. Die Expertenfragen etwa nach einem scharfen Kriterium für die Gesetzesartigkeit von Aussagen in der Physik oder nach der genauen Funktion von singulären Termini stellen nicht mehr unbestritten das Zentrum zeitgenössischer philosophischer Diskussion dar. Das allgemeine Interesse scheint sich langsam von den reinen, formalen Kerndisziplinen: Allgemeine Sprachphilosophie, allgemeine Epistemologie und Wissenschaftstheorie auf eher inhaltliche Probleme, auf die praktische Philosophie, die Sozialphilosophie, auf die Ästhetik, ja sogar auf die großen Sinnfragen (Nietzsche und Heidegger haben wieder stark an Boden gewonnen[5]) zu verlagern. Es ist nicht mehr die neutrale Metaethik, die das Feld in der praktischen Philosophie beherrscht. Vorrangig diskutiert werden nun vielmehr substantielle Probleme der normativen Ethik und Sozialphilosophie und dies besonders im Anschluß an die Konzeptionen von Rawls, Dworkin, Lorenzen, Tugendhat, Apel und Habermas. Ja im Zuge dieser allgemeinen Tendenz ist es inzwischen immer mehr zu einer Situation von der eben angedeuteten Art gekommen, einer Situation, in der die Diskussion im Anschluß an die wichtigsten der gegenwärtig vorliegenden Konzeptionen normativer praktischer Philosophie sich zunehmend auf Fragen der Anwendbarkeit, Konkretisierbarkeit, Realisierbarkeit konzentriert, insofern auf Fragen ihres Sinnes qua praktischer Philosophie überhaupt, auf Fragen also aus dem Umkreis des Topos »Moralität und Sittlichkeit«.

Dabei kristallisierten sich mit Bezug auf die von Karl-Otto Apel und Jürgen Habermas in verschiedenen Varianten vertretene Diskursethik neben dem nach wie vor entscheidenden Begründungsproblem[6] allmählich vor allem die folgenden Fragen als die wichtigsten heraus:

– Ob die Bemühung um so etwas wie eine philosophisch begründete Prinzipienethik überhaupt sinnvoll sei, ob dergleichen im Hinblick auf die wirklich in der Praxis anstehenden Probleme tatsächlich nötig und erforderlich sei oder ob es sich hier nicht vielmehr um eine an sich überflüssige, rein akademische Pflichtübung handle[7];

– ob das Problem der Anwendung, das Problem der Vermittlung also zwischen abstraktem, allgemeinem Moralprinzip einerseits und der konkreten historischen Situation andererseits überhaupt zufriedenstellend gelöst werden könne, nämlich so, daß nicht entweder die allgemeinen Prinzipien einer allzu starken (orientierungslosen) Phronesis oder umgekehrt die Phronesis ganz den allgemeinen Prinzipien aufgeopfert werden[8]; und schließlich

– ob nicht die Bemühung um eine starke philosophische Begründung oder gar Letztbegründung abstrakter normativer Prinzipien den Dogmatismus begünstige oder gar den »Terror der Tugend«, von dem schon Hegel gehandelt hatte.[9]

In dieser Situation luden Karl-Otto Apel und Jürgen Habermas zu einer Konferenz mit dem Thema »Moralität und Sittlichkeit« ein (Frankfurt vom 18. 3.-21. 3. 1985), einer Konferenz, die getragen wurde durch das Istituto Italiano per gli Studi Filosofici, Neapel. Die dort vorgetragenen Referate werden hier – mit Ausnahme der Beiträge von Bernhard Waldenfels und Albrecht Wellmer, welche schon für andere Publikationen vorgesehen waren und dort inzwischen bequem zugänglich sind[10] – in leicht überarbeiteter Fassung vorgelegt. Die Beiträge sind – wie der Leser leicht bemerken wird – sehr genau auf das Thema bezogen, ja der weitaus größte Teil fokussiert das Thema noch spezifischer: Er dient, und das rechtfertigt den Untertitel des Bandes, der – kontroversen – Diskussion des Problems »Moralität und Sittlichkeit« mit Bezug besonders auf die Diskursethik.

Es bleibt dem Herausgeber die Aufgabe zu danken, den Teilnehmern der Konferenz für die freundliche Überlassung der Manuskripte, vor allem aber dem Istituto Italiano per gli Studi Filosofici und ihrem Präsidenten Gerardo Marotta für die überaus großzügige Finanzierung der Konferenz, ohne die sie nicht hätte stattfinden können.[11]

Anmerkungen

1 Vgl. dazu vor allem: J. Ritter, Moralität und Sittlichkeit. Zu Hegels Auseinandersetzung mit der Kantischen Ethik, in: ders., Metaphysik und Politik. Studien zu Aristoteles und Hegel, Ffm. 1969, 281-309; ferner: O. Marquard, Hegel und das Sollen, in: ders., Schwierigkeiten mit der Geschichtsphilosophie, Ffm. 1973, 37-51.

2 G. W. F. Hegel, Grundlinien der Philosophie des Rechts, § 141.

3 Vgl. den Beitrag von J. Habermas in diesem Band, S. 16 ff.

4 Vgl. den Beitrag von H. Schnädelbach in diesem Band, S. 38 ff.

5 Vgl. das neue Buch von J. Habermas: Der philosophische Diskurs der Moderne, Ffm. 1985.

6 Dazu jetzt vor allem: J. Habermas, Diskursethik – Notizen zu einem Begründungsprogramm, in: ders., Moralbewußtsein und kommunikatives Handeln, Ffm. 1983, 86-108; ferner: H. Keuth, Fallibilismus versus transzendentalpragmatische Letztbegründung, in: Zeitschrift für allgemeine Wissenschaftstheorie 14, 1983; dazu: W. Kuhlmann, Reflexive Letztbegründung versus radikaler Fallibilismus, in: Zeitschrift für allgemeine Wissenschaftstheorie XV/2 (1985), 357-374.

7 Repräsentativ: H. Lübbe, Sind Normen methodisch begründbar? Rekonstruktion der Antwort M. Webers, in: W. Oelmüller (Hg.), Transzendentalphilosophische Normenbegründungen, Paderborn 1978, 38-49.

6 Vgl. z. B. R. Bubner, Rationalität, Lebensform und Geschichte, in: H. Schnädelbach (Hg.), Rationalität. Philosophische Beiträge, Ffm. 1984, 198-217.

9 Vgl. H. Lübbe, Freiheit und Terror, in: W. Oelmüller (Hg.), Normenbegründung – Normendurchsetzung, Paderborn 1978, 126-139;

ferner: O. Marquard, Über die Unvermeidlichkeit von Üblichkeiten, in: W. Oelmüller (Hg.), Normen und Geschichte, Paderborn 1979, 332-342, ferner: ders., Das Über-Wir. Bemerkungen zur Diskursethik, in: Karlheinz Stierle und Rainer Warning (Hg.), Das Gespräch (Poetik und Hermeneutik XI), München 1984, 29-44.

10 Bernhard Waldenfels, Die Herkunft der Normen aus der Lebenswelt, in: ders., In den Netzen der Lebenswelt, Ffm. 1985, 129-149.

A. Wellmer, Zur Kritik der Diskursethik, in: ders., Ethik und Dialog, Ffm. 1986, 51-113.

11 Zu den zahlreichen Aktivitäten dieses großartigen Instituts vgl. die folgenden Seiten.

Antonio Gargano
Das Istituto Italiano per gli Studi Filosofici, Neapel

Das Istituto Italiano per gli Studi Filosofici wurde 1975 von dem Rechtsanwalt Gerardo Marotta in Neapel gegründet. Mit seiner humanistischen Bibliothek, die heute mehr als 110 000 Bände umfaßt, wurde das Istituto in kurzer Zeit ein Ort intensiver Forschung und ein wichtiger Treffpunkt der philosophischen Diskussion. Auf das erste Seminar von Norberto Bobbio über »La teoria delle forme di governo e Giambattista Vico« folgten unzählige Vorträge namhafter Wissenschaftler von europäischen und amerikanischen Universitäten und Kulturinstitutionen: von Paul Oskar Kristeller bis Ernst Gombrich, von Henri Gouhier bis Jacques d'Hondt, von Charles B. Schmitt bis Karl Popper, von Luigi Pareyson bis Remo Bodei, Claudio Cesa, Vittorio Mathieu und Valerio Verra, und, unter den deutschen Akademikern, Karl-Otto Apel, Kurt Flasch, Ferdinand Fellmann, Dieter Henrich, Hans-Georg Gadamer (der Mitglied des wissenschaftlichen Beirats des Instituts ist), Konrad Gaiser, Karl-Heinz Ilting, Hans-Joachim Krämer, Karl Egon Lönne, Otto Pöggeler, Paul Raabe, Manfred Riedel, Dieter Wandschneider.

Im Jahre 1980 wurde dem Institut mit der »Scuola di Studi Superiori in Napoli« eine »Hohe Schule« nach dem Vorbild der französischen »Hautes Ecoles« angegliedert. Die Kurse der Schule wurden bisher jedes Jahr mit einer Reihe von Vorlesungen von Hans-Georg Gadamer angefangen. Dabei haben Kurse gehalten: Karl-Otto Apel, Yvon Belaval, Olivier René Bloch, Bernhard Cohen, Norberto Bobbio, Gustavo Costa, Pierre Costabel, Mario Dal Pra, Charles Davis, Paul Dibon, Luigi Firpo, Konrad Gaiser, Eugenio Garin, Hans-Joachim Krämer, Paul Oskar Kristeller, Reinhard Lauth, Henri-Jean Martin, Wolfhart Pannenberg, Adriaan Peperzak, Otto Pöggeler, Paul Ricoeur, Jacques Roger, René Roques, Robert Shackleton, Charles B. Schmitt, Jean Starobinski, Xavier Tilliette, Daniel P. Walker.

Das »Istituto Italiano per gli Studi Filosofici« hat für seine zahlreichen Stipendiaten Seminare im Ausland organisiert, und zwar in Verbindung mit der »Ecole Pratique des Hautes Etudes« in Paris, mit dem »Warburg Institute« in London, mit dem »Platon-Archiv« in Tübingen, mit der »Herzog August Bibliothek« von Wolfenbüttel, mit den Universitäten Erlangen-Nürnberg, Hamburg, München, Oxford, Poitiers, Tübingen, Rotterdam. In Tübingen wurde 1982 unter der Leitung von Konrad Gaiser eine Konferenz zum Thema *Hauptaspekte der platonischen Philosophie* veranstaltet (Referenten: Günther Bien, Rüdiger Bubner, Hans-Joachim Krämer, Jürgen Mittelstraß und Thomas Szlezak) und im Jahre 1983 unter der Leitung von Dieter Wandschneider eine Konferenz zum Thema *Hegel und die Naturwissenschaften* (Referenten: Luuk Fleischhacker, Vittorio Hösle, Konrad Gaiser, Manfred Gies, Karl-Heinz Ilting, Michael John Petry, Imre Tóth, Dietrich von Engelhardt. Die entsprechenden Berichte werden gerade von dem Verlag Frommann-Holzboog veröffentlicht). 1984 wurde in Wolfenbüttel unter der Leitung von Paul Raabe eine Tagung über das Thema: *Aspekte der deutschen Aufklärung. Forschungsprobleme im europäischen Kontext* veranstaltet (Referenten: Martin Boghardt, Gotthard Frühsorge, Gunter Gawlick, Walter Killy, Franklin Kopitzsch, Günter Patzig, Werner Schneiders, Albrecht Schöne, Walter Sparn, Ingrid Strohschneider-Kohrs, Rudolf Vierhaus, Erdmann Weyrauch). Ebenfalls 1984 fand in München unter der Leitung von Dieter Henrich eine Tagung zum Thema: *Probleme des Deutschen Idealismus in Geschichtsforschung und im philosophischen Denken der Gegenwart* statt (Referenten: Reinhard Brandt, Klaus Düsing, Hans Friedrich Fulda, Hermann Krings, Reinhard Lauth, Wolfhart Pannenberg).

Seit einigen Jahren veranstaltet das Istituto Italiano per gli Studi Filosofici auch eine Reihe von Seminaren und Kongressen über die wichtigsten Themen der Naturwissenschaften unter der Teilnahme von verschiedenen Nobelpreisträgern.

Wissenschaftlich produktiv ist das Institut durch Publikationen von kritischen Ausgaben, Neudrucken von klassischen Texten, wichtigen philosophischen Zeitschriften und Essays. Zur Platonischen Akademie und zur Schule Epikurs sind mehrere Textausgaben und Kommentare schon erschienen und andere sind geplant: Marcello Gigante und Giovanni Pugliese Carratelli, Direktor des Instituts, sind für diese Reihen wissenschaftlich verantwortlich. Der Text von zwei der Berliner Vorlesungen Hegels (*Religions-*

philosophie von 1821, *Naturphilosophie* von 1819-20) wurde von Karl-Heinz Ilting herausgegeben. Mit der Gesamtausgabe der Werke von Tommaso Campanella wurde Luigi Firpo beauftragt, mit der der Werke von Giordano Bruno ein Team unter der Leitung von Luigi Firpo und Eugenio Garin. Den Reihen »Memorie dell'Istituto Italiano per gli Studi Filosofici«, die die Texte der Seminare enthalten, und »Lezioni della Scuola di Studi Superiori«, in der die Vorlesungen der Schule gedruckt werden, hat sich jüngst die Reihe »Elea« (die auf Deutsch bei dem Verlag Frommann-Holzboog erscheint) zugesellt; der erste Band der Reihe: *Wahrheit und Geschichte. Studien zur Struktur der Philosophiegeschichte unter paradigmatischer Analyse der Entwicklung von Parmenides bis Plato*, von Vittorio Hösle, ist soeben erschienen. Die fünfsprachige Zeitschrift des Instituts (die Texte und Quellen zur Ideengeschichte von der Renaissance zur Aufklärung veröffentlicht) *Nouvelles de la République des Lettres* wird von Paul Dibon und Tullio Gregory herausgegeben.

Im Leben des Gründers Gerardo Marotta wie im Leben des Instituts selbst ist nach dem Vorbilde Benedetto Croces die Wahrheitssuche des Wissenschaftlers mit dem Ethos der politischen und menschlichen Verantwortung verbunden. Konrad Gaiser schrieb über das Institut (F. A. Z., 11. 8. 82): »Wie das Neapeler Institut in alten Traditionen verwurzelt ist, so ist es andererseits auf Ziele gerichtet, die in der Zukunft liegen. Man sucht hier, bei allem Patriotismus, die internationale Zusammenarbeit und die geistige Erneuerung Europas. Der idealistische *Elan* des Instituts stammt aus der Überzeugung, daß es der Anstrengung aller schöpferischen Kräfte bedarf, wenn die europäische Kultur die gegenwärtigen Krisen überstehen soll. Die Philosophie – dies hat man in Neapel klar vor Augen – war von den Ursprüngen an eine wesensbestimmende Komponente in der Geschichte Europas; und so beruht die Hoffnung, daß dieses Europa sich zu neuer Gemeinsamkeit aufrafft, nicht nur auf den Möglichkeiten der Politik und der Wirtschaft, sondern auch auf den Kräften von Philosophie und Wissenschaft.«

Jürgen Habermas
Moralität und Sittlichkeit

Treffen Hegels Einwände
gegen Kant auch auf die Diskursethik zu?

K.-O. Apel und ich haben in den letzten Jahren den Versuch unternommen, die Kantische Moraltheorie im Hinblick auf die Frage der Normenbegründung mit kommunikationstheoretischen Mitteln neu zu formulieren.[1] Ich will heute den Grundgedanken der Diskursethik erläutern und einige der Einwände aufnehmen, die seinerzeit Hegel gegen Kants Ethik erhoben hat. Im ersten Teil meines Vortrages behandele ich zwei Fragen:
(1) Was heißt Diskursethik?
(2) Welche moralischen Intuitionen bringt die Diskursethik auf den Begriff?
Dabei werde ich die komplizierte Frage nach der Begründung der Diskursethik nur im Vorbeigehen berühren. Im zweiten Teil möchte ich die im Titel genannte Frage behandeln. Ich beschränke mich dabei auf die vier wichtigsten Einwände, die Hegel gegen Kants Moralphilosophie erhoben hat, und zwar:
1) Hegels Einwand gegen den *Formalismus* der Kantischen Ethik: Weil der Kategorische Imperativ verlangt, von allen bestimmten Inhalten der Handlungsmaximen und der Pflichten zu abstrahieren, muß die Anwendung dieses Moralprinzips zu tautologischen Urteilen führen.[2]
2) Hegels Einwand gegen den *abstrakten Universalismus* der Kantischen Ethik: Weil der Kategorische Imperativ verlangt, das Allgemeine vom Besonderen zu trennen, müssen die nach diesem Prinzip gültigen Urteile für die besondere Natur und den Kontext des jeweils lösungsbedürftigen Problems unempfindlich und dem Einzelfall äußerlich bleiben.[3]
3) Hegels Einwand gegen die *Ohnmacht des bloßen Sollens*: Weil der Kategorische Imperativ verlangt, das Sollen vom Sein streng zu trennen, muß dieses Moralprinzip jede Auskunft darüber schuldig bleiben, wie moralische Einsichten in die Praxis umgesetzt werden können.[4]
4) Hegels Einwand gegen den Terrorismus der *reinen Gesinnung*:

Weil der Kategorische Imperativ die reinen Forderungen der praktischen Vernunft vom Bildungsprozeß des Geistes und von dessen geschichtlichen Konkretionen abtrennt, legt er den Anwälten der moralischen Weltanschauung eine Politik nahe, die sich die Verwirklichung der Vernunft zum Ziel setzt und um höherer Zwecke willen unmoralische Handlungen billigend in Kauf nimmt.[5]

I

ad (1): Was heißt Diskursethik?

Lassen Sie mich vorweg den deontologischen, kognitivistischen, formalistischen und universalistischen Charakter der Kantischen Ethik erklären. Weil sich Kant auf die Menge begründbarer normativer Urteile beschränken will, muß er einen engen Moralbegriff zugrundelegen. Die klassischen Ethiken hatten sich auf *alle* Fragen des »guten Lebens« bezogen; Kants Ethik bezieht sich nur noch auf Probleme richtigen oder gerechten Handelns. Moralische Urteile erklären, wie Handlungskonflikte auf der Grundlage eines rational motivierten Einverständnisses beigelegt werden können. Im weiteren Sinne dienen sie dazu, Handlungen im Lichte gültiger Normen oder die Gültigkeit der Normen im Lichte anerkennungswürdiger Prinzipien zu rechtfertigen. Das moraltheoretisch erklärungsbedürftige Grundphänomen ist nämlich die Sollgeltung von Geboten oder Handlungsnormen. In dieser Hinsicht sprechen wir von einer *deontologischen* Ethik. Diese versteht die Richtigkeit von Normen oder Geboten in Analogie zur Wahrheit eines assertorischen Satzes. Allerdings darf die moralische »Wahrheit« von Sollsätzen nicht – wie im Intuitionismus oder in der Wertethik – an die assertorische Geltung von Aussagesätzen assimiliert werden. Kant wirft die theoretische mit der praktischen Vernunft nicht zusammen. Normative Richtigkeit begreife ich als wahrheitsanalogen Geltungsanspruch. In diesem Sinne sprechen wir auch von einer *kognitivistischen* Ethik. Diese muß die Frage beantworten können, wie sich normative Aussagen begründen lassen. Obwohl Kant die Imperativform wählt (»Handle nur nach derjenigen Maxime, durch die Du zugleich wollen kannst, daß sie ein allgemeines Gesetz werde!«), übernimmt der kategorische Imperativ die Rolle eines Rechtfertigungsprinzips, welches verallgemeinerungsfähige

Handlungsnormen als gültig auszeichnet: was im moralischen Sinne gerechtfertigt ist, müssen alle vernünftigen Wesen wollen können. In dieser Hinsicht sprechen wir von einer *formalistischen Ethik*. In der Diskursethik tritt an die Stelle des Kategorischen Imperativs das Verfahren der moralischen Argumentation. Sie stellt den Grundsatz ›D‹ auf:

– daß nur diejenigen Normen Geltung beanspruchen dürfen, die die Zustimmung aller Betroffenen als Teilnehmer eines praktischen Diskurses finden könnten.[6]

Zugleich wird der Kategorische Imperativ zu einem Universalisierungsgrundsatz ›U‹ herabgestuft, der in praktischen Diskursen die Rolle einer Argumentationsregel übernimmt:

– bei gültigen Normen müssen Ergebnisse und Nebenfolgen, die sich aus einer allgemeinen Befolgung für die Befriedigung der Interessen eines jeden ergeben, von allen zwanglos akzeptiert werden können.

Universalistisch nennen wir schließlich eine Ethik, die behauptet, daß dieses (oder ein ähnliches) Moralprinzip nicht nur die Intuitionen einer bestimmten Kultur oder einer bestimmten Epoche ausdrückt, sondern allgemein gilt. Nur eine Begründung des Moralprinzips, die ja nicht schon durch den Hinweis auf ein Faktum der Vernunft geleistet wird, kann den Verdacht auf einen ethnozentrischen Fehlschluß entkräften. Man muß nachweisen können, daß unser Moralprinzip nicht nur die Vorurteile des erwachsenen, weißen, männlichen, bürgerlich erzogenen Mitteleuropäers von heute widerspiegelt. Auf diesen schwierigsten Teil der Ethik werde ich nicht eingehen, sondern nur die These in Erinnerung bringen, die die Diskursethik in diesem Zusammenhang aufstellt: Jeder, der ernsthaft den Versuch unternimmt, an einer Argumentation teilzunehmen, läßt sich implizit auf allgemeine pragmatische Voraussetzungen ein, die einen normativen Gehalt haben; das Moralprinzip läßt sich dann aus dem Gehalt dieser Argumentationsvoraussetzungen ableiten, sofern man nur weiß, was es heißt, eine Handlungsnorm zu rechtfertigen.[7]

Soviel zu den deontologischen, kognitivistischen, formalistischen und universalistischen Grundannahmen, die alle Ethiken des Kantischen Typs gemeinsam vertreten. Kurz erläutern möchte ich noch das in ›D‹ genannte Verfahren des praktischen Diskurses.

Den Standpunkt, von dem aus moralische Fragen *unparteilich* beurteilt werden können, nennen wir den »moralischen Gesichtspunkt« (moral point of view). Formalistische Ethiken geben eine Regel an, die erklärt, wie man etwas unter dem moralischen Gesichtspunkt betrachtet. John Rawls empfiehlt bekanntlich einen Urzustand, in dem alle Beteiligten einander als rational entscheidende, gleichberechtigte Vertragspartner, freilich in Unkenntnis über ihren tatsächlich eingenommenen gesellschaftlichen Status gegenübertreten, als »den angemessenen Ausgangszustand, der gewährleistet, daß die in ihm erzielten Grundvereinbarungen fair sind«.[8] G. H. Mead empfiehlt statt dessen eine ideale Rollenübernahme, die verlangt, daß sich das moralisch urteilende Subjekt in die Lage all derer versetzt, die von der Ausführung einer problematischen Handlung oder von der Inkraftsetzung einer fraglichen Norm betroffen wären. Das Verfahren des praktischen Diskurses hat Vorzüge gegenüber beiden Konstruktionen. In Argumentationen müssen die Teilnehmer davon ausgehen, daß im Prinzip alle Betroffenen als Freie und Gleiche an einer kooperativen Wahrheitssuche teilnehmen, bei der einzig der Zwang des besseren Arguments zum Zuge kommen darf. Der praktische Diskurs gilt als eine anspruchsvolle Form der argumentativen Willensbildung, die (wie der Rawlssche Urzustand) allein aufgrund allgemeiner Kommunikationsvoraussetzungen die Richtigkeit (oder Fairness) jedes unter diesen Bedingungen möglichen normativen Einverständnisses garantieren soll. Diese Rolle kann der Diskurs kraft der idealisierenden Unterstellungen spielen, die die Teilnehmer in ihrer Argumentationspraxis tatsächlich vornehmen müssen; deshalb entfällt der fiktive Charakter des Urzustandes einschließlich des Arrangements künstlicher Unwissenheit. Auf der anderen Seite läßt sich der praktische Diskurs als ein Verständigungsprozeß begreifen, der seiner Form nach *alle* Beteiligten *gleichzeitig* zur idealen Rollenübernahme anhält. Er transformiert also die (bei Mead) von jedem *einzeln* und *privatim* vorgenommene ideale Rollenübernahme in eine *öffentliche*, von allen intersubjektiv gemeinsam praktizierte Veranstaltung.[9]

ad (2): Welche moralischen Intuitionen bringt die Diskursethik auf den Begriff?

Offen ist die Frage, warum die diskursethische Erklärung des moralischen Gesichtspunktes bzw. der Unparteilichkeit des moralischen Urteils mithilfe eines *Verfahrens* unsere moralischen

Intuitionen, die doch etwas *Substantielles* sind, angemessen sollte ausdrücken können.

»Moralisch« möchte ich alle die Intuitionen nennen, die uns darüber informieren, wie wir uns am besten verhalten sollen, um durch Schonung und Rücksichtnahme der *extremen Verletzbarkeit* von Personen entgegenzuwirken. Unter anthropologischen Gesichtspunkten läßt sich nämlich Moral als eine Schutzvorrichtung verstehen, die eine in soziokulturelle Lebensformen strukturell eingebaute Verletzbarkeit kompensiert. In diesem Sinne versehrbar und moralisch schonungsbedürftig sind Lebewesen, die allein auf dem Wege der Vergesellschaftung individuiert werden. Die raumzeitliche Individuierung der Menschengattung in die einzelnen Exemplare wird nicht schon durch eine genetische Anlage reguliert, die unvermittelt von der Art auf den individuellen Organismus durchgreift. Sprach- und handlungsfähige Subjekte werden vielmehr als Individuen allein dadurch konstituiert, daß sie als Mitglieder einer jeweils besonderen Sprachgemeinschaft in eine intersubjektiv geteilte Lebenswelt hineinwachsen. In kommunikativen Bildungsprozessen formen und erhalten sich die Identität des Einzelnen und die des Kollektivs *gleichursprünglich*. Mit dem System der Personalpronomina ist nämlich in den verständigungsorientierten Sprachgebrauch der sozialisatorischen Interaktion ein unnachgiebiger Zwang zur Individuierung eingebaut; über dasselbe Medium der Alltagssprache kommt aber zugleich die vergesellschaftende Intersubjektivität zum Zuge.[10] Je weiter sich die Strukturen einer Lebenswelt ausdifferenzieren, um so klarer sieht man, wie die wachsende Selbstbestimmung des individuierten Einzelnen mit der zunehmenden Integration in vervielfältigte soziale Abhängigkeiten verschränkt ist. Je weiter die Individuierung fortschreitet, um so weiter verstrickt sich das einzelne Subjekt in ein immer dichteres und zugleich subtileres Netz reziproker Schutzlosigkeiten und exponierter Schutzbedürftigkeiten. Die Person bildet ein inneres Zentrum nur in dem Maße, wie sie sich zugleich an die kommunikativ hergestellten interpersonalen Beziehungen entäußert. Daraus erklärt sich eine gleichsam konstitutionelle Gefährdung und chronische Anfälligkeit der Identität, die der handgreiflichen Versehrbarkeit der Integrität von Leib und Leben noch vorausliegt.

Die Mitleidsethiken haben erkannt, daß diese tiefe Verletzbarkeit eine Garantie gegenseitiger Schonung erforderlich macht.[11] Freilich muß diese Schonung gleichzeitig auf beides gerichtet sein – auf die Integrität der einzelnen Person wie auf die des lebensnotwendigen Geflechts reziproker Anerkennungsverhältnisse, in denen die Personen ihre zerbrechliche Identität nur *wechselseitig* stabilisieren können. Keine Person kann ihre Identität *für sich alleine* behaupten. Das gelingt nicht einmal im verzweifelten Akt des Selbstmordes, den die Stoa als Zeichen der souveränen Selbstbestimmung des vereinzelten Einzelnen gewürdigt hat. Die nächste Umgebung verspürt es an den untrüglichen Reaktionen des Gewissens, daß sich in diesem scheinbar einsamsten Akt noch ein gemeinsam zu verantwortendes Schicksal des Ausschlusses aus einer intersubjektiv geteilten Lebenswelt vollzieht.

Weil Moralen auf die Versehrbarkeit von Lebewesen zugeschnitten sind, die durch Vergesellschaftung individuiert werden, müssen sie stets *zwei* Aufgaben in *einem* lösen: Sie bringen die Unantastbarkeit der Individuen zur Geltung, indem sie gleichmäßige Achtung vor der Würde eines Jeden fordern; im selben Maße schützen sie aber auch die intersubjektiven Beziehungen reziproker Anerkennung, durch die sich die Individuen als Angehörige einer Gemeinschaft erhalten. Den beiden komplementären Aspekten entsprechen die Prinzipien der Gerechtigkeit und der Solidarität. Während das eine gleichmäßige Achtung und gleiche Rechte für jeden Einzelnen postuliert, fordert das andere Empathie und Fürsorge für das Wohlergehen des Nächsten. Gerechtigkeit im modernen Sinne bezieht sich auf die subjektive Freiheit unvertretbarer Individuen; hingegen bezieht sich Solidarität auf das Wohl der in einer intersubjektiv geteilten Lebensform verschwisterten Genossen. Frankena spricht vom principle of justice, dem Prinzip der Gleichbehandlung, und dem principle of benevolence, das uns gebietet, das allgemeine Wohl zu fördern, Schaden abzuwenden und Gutes zu tun.[12] Die Diskursethik erklärt aber, warum beide Prinzipien auf ein und dieselbe Wurzel der Moral zurückgehen – eben auf die kompensationsbedürftige Verletzbarkeit von Lebewesen, die sich nur durch Vergesellschaftung zu Individuen vereinzeln, so daß die Moral das eine nicht ohne das andere schützen kann: die Rechte des Individuums nicht ohne das Wohl der Gemeinschaft, der es angehört.

Das Grundmotiv der Mitleidsethiken läßt sich so weit entwickkeln, daß der innere Zusammenhang der beiden Moralprinzipien klar wird, die bisher in der Moralphilosophie stets die Anknüpfungspunkte für entgegengesetzte Traditionen geboten haben. Die Pflichtethiken haben sich aufs Gerechtigkeitsprinzip, die Güterethiken aufs allgemeine Wohl spezialisiert. Schon Hegel hat freilich erkannt, daß die Einheit des moralischen Grundphänomens verfehlt wird, wenn wir beide Aspekte voneinander isolieren und ein Prinzip dem anderen entgegenstellen. Hegels Konzept der Sittlichkeit geht deshalb von einer Kritik an zwei spiegelbildlichen Vereinseitigungen aus. Hegel wendet sich gegen den abstrakten Universalismus der Gerechtigkeit, wie er in den individualistischen Ansätzen der Neuzeit, im rationalen Naturrecht ebenso wie in der Kantischen Ethik zum Ausdruck kommt; ebenso entschieden lehnt er den konkreten Partikularismus des Allgemeinwohls ab, wie er sich in der Polisethik des Aristoteles oder in der thomistischen Güterethik ausspricht. Diese Grundintention Hegels nimmt die Diskursethik auf, um sie mit Kantischen Mitteln einzulösen.

Diese These ist weniger überraschend, wenn man sich klar macht, daß Diskurse, in denen ja problematische Geltungsansprüche als Hypothesen behandelt werden, eine Art reflexiv gewordenen kommunikativen Handelns darstellen. So ist der normative Gehalt von Argumentationsvoraussetzungen den Präsuppositionen des verständigungsorientierten Handelns, auf denen Diskurse gleichsam aufsitzen, bloß entlehnt. Der wahre Kern des Naturrechts läßt sich deshalb mit der These retten, daß alle Moralen in einem übereinstimmen: sie entnehmen demselben Medium sprachlich vermittelter Interaktion, dem die vergesellschafteten Subjekte ihre Verletzbarkeit verdanken, auch die zentralen Gesichtspunkte für eine Kompensation dieser Schwäche. Alle Moralen kreisen um Gleichbehandlung, Solidarität und allgemeines Wohl; das sind aber Grundvorstellungen, die sich auf die Symmetriebedingungen und Reziprozitätserwartungen des kommunikativen Handelns zurückführen, d. h. in den wechselseitigen Zuschreibungen und gemeinsamen Unterstellungen einer verständigungsorientierten Alltagspraxis auffinden lassen.[13] Allerdings haben diese Präsuppositionen des verständigungsorientierten Sprachgebrauchs innerhalb der Alltagspraxis nur eine begrenzte Reichweite. In der reziproken Anerkennung zurechnungsfähiger Subjekte, die ihr Handeln an Geltungsansprüchen orientieren, sind Gleichbehandlung und Solidarität zwar angelegt; aber diese normativen Verpflichtungen reichen nicht über die Grenzen der konkreten Lebenswelt eines Stammes, einer Stadt oder eines Staates hinaus. Die diskursethische Strategie, die Gehalte einer universalistischen Moral aus den allgemeinen Argumentationsvoraussetzungen zu gewinnen, ist gerade darum aussichtsreich, weil der Diskurs eine anspruchsvollere, über konkrete Lebensformen hinausgreifende Kommunikationsform darstellt, in der die Präsuppositionen verständigungsorientierten Handelns verallgemeinert, abstrahiert und entschränkt, nämlich auf eine ideale, alle sprach- und handlungsfähigen Subjekte einbeziehende Kommunikationsgemeinschaft ausgedehnt werden.

Diese Überlegungen sollen nur erläutern, warum wir überhaupt erwarten dürfen, daß die Diskursethik mit Hilfe eines Verfahrensbegriffs etwas Substantielles treffen und sogar den inneren Zusammenhang der in Pflicht- und Güterethiken getrennt behandelten Aspekte der Gerechtigkeit und des allgemeinen Wohls zur Geltung bringen kann. Der praktische Diskurs kann nämlich aufgrund seiner unwahrscheinlichen pragmatischen Eigenschaften eine einsichtsvolle Willensbildung von der Art garantieren, daß die Interessen eines jeden Einzelnen zum Zuge kommen, ohne das soziale Band zu zerreißen, das jeden mit allen objektiv verknüpft.[14]

Als Argumentationsteilnehmer wird nämlich jeder auf sich gestellt und bleibt doch in einen universalen Zusammenhang eingebettet – das will Apel mit dem Ausdruck der »idealen Kommunikationsgemeinschaft« sagen. Im Diskurs reißt das soziale Band der Zusammengehörigkeit nicht, obwohl die Übereinkunft, die allen abverlangt wird, die Grenzen jeder konkreten Gemeinschaft transzendiert. Das diskursiv erzielte Einverständnis hängt gleichzeitig ab von dem nicht-substituierbaren »Ja« oder »Nein« eines jeden Einzelnen wie auch von der Überwindung seiner egozentrischen Perspektive. Ohne die uneingeschränkte individuelle Freiheit der Stellungnahme zu kritisierbaren Geltungsansprüchen kann eine faktisch erzielte Zustimmung nicht wahrhaft allgemein sein; ohne die solidarische Einfühlung eines jeden in die Lage aller anderen wird es zu einer Lösung, die allgemeine Zustimmung verdient, gar nicht erst kommen können. Das Verfahren diskursiver Willensbildung trägt dem inneren Zusammenhang beider Aspekte Rechnung – der Autonomie unvertretbarer Individuen und ihrer Einbettung in intersubjektiv geteilte Lebensformen. Die gleichen Rechte der Individuen und die gleichmäßige

Achtung ihrer persönlichen Würde werden von einem Netz interpersonaler Beziehungen und reziproker Anerkennungsverhältnisse getragen. Andererseits bemißt sich die Qualität des Zusammenlebens nicht nur am Grad der Solidarität und dem Stand der Wohlfahrt, sondern auch daran, wie weit die Interessen eines jeden Einzelnen im allgemeinen Interesse *gleichmäßig* berücksichtigt werden. Die Diskursethik erweitert gegenüber Kant den deontologischen Begriff der Gerechtigkeit um jene strukturellen Aspekte des guten Lebens, die sich unter allgemeinen Gesichtspunkten kommunikativer Vergesellschaftung überhaupt von der konkreten Totalität jeweils besonderer Lebensformen abheben lassen – ohne dabei in die metaphysischen Zwickmühlen des Neoaristotelismus zu geraten.

II

Bevor ich auf Hegels Einwände gegen Kant eingehe, möchte ich auf drei Differenzen hinweisen, die die Diskursethik von Kant, trotz aller Gemeinsamkeiten trennt. Erstens gibt die Diskursethik die Zwei-Reiche-Lehre auf; sie verzichtet auf die kategoriale Unterscheidung zwischen dem Reich des *Intelligiblen*, dem Pflicht und freier Wille angehören, und dem Reich des *Phänomenalen*, das u. a. die Neigungen, die bloß subjektiven Motive, auch die Institutionen des Staates und der Gesellschaft umfaßt.[15] Eine gleichsam transzendentale Nötigung, unter der sich verständigungsorientiert eingestellte Subjekte an Geltungsansprüchen orientieren, macht sich nur in dem *Zwang* bemerkbar, unter idealisierenden Voraussetzungen zu sprechen und zu handeln. Der Hiatus zwischen Intelligiblem und Empirischem wird zu einer Spannung abgemildert, die sich in der faktischen Kraft kontrafaktischer Unterstellungen *innerhalb* der *kommunikativen Alltagspraxis* selber bemerkbar macht. Zweitens überwindet die Diskursethik den bloß innerlichen, monologischen Ansatz Kants, der damit rechnet, daß jeder Einzelne in foro interno (»im einsamen Seelenleben«, wie Husserl sagte) die Prüfung seiner Handlungsmaximen vornimmt. Im Singular des transzendentalen Bewußtseins sind die empirischen Iche vorverständigt und im vorhinein harmonisiert. Dagegen erwartet die Diskursethik eine Verständigung über die Verallgemeinerungsfähigkeit von Interessen nur als *Ergebnis* eines intersubjektiv veranstalteten *öffentli-*

chen Diskurses. Einzig die Universalien des Sprachgebrauchs bilden eine den Individuen vorgängig gemeinsame Struktur. Drittens erhebt die Diskursethik den Anspruch, jenes Begründungsproblem, dem Kant letztlich durch den Hinweis auf ein Faktum der Vernunft – auf die Erfahrung des Genötigtseins durchs Sollen – ausweicht, mit der Ableitung von ›U‹ aus allgemeinen Argumentationsvoraussetzungen gelöst zu haben.

ad 1): Zum Formalismus des Moralprinzips
a) Weder Kant noch die Diskursethik setzen sich dem Einwand aus, daß sie wegen der formalen bzw. prozeduralen Bestimmung des Moralprinzips nur tautologische Aussagen erlauben. Diese Prinzipien fordern nämlich nicht nur, wie Hegel fälschlich unterstellt, logische oder semantische Konsistenz, sondern die Anwendung eines substantiell gehaltvollen moralischen Gesichtspunktes: Es geht nicht um die grammatische Form von normativen Allsätzen, sondern darum, ob wir *alle* wollen können, daß eine strittige Norm unter den jeweils gegebenen Umständen allgemeine Verbindlichkeit (Gesetzeskraft) erlangt.[16] Dabei werden die Inhalte, die im Lichte eines Moralprinzips geprüft werden, nicht vom Philosophen, sondern vom Leben erzeugt. Die Handlungskonflikte, die moralisch beurteilt und konsensuell gelöst werden sollen, entstehen aus der kommunikativen Alltagspraxis, sie werden von der maximenprüfenden Vernunft oder den Argumentationsteilnehmern *vorgefunden* – nicht hervorgebracht.[17]
b) In einem anderen Sinne hat Hegel mit seinem Formalismuseinwand freilich recht. Jede Verfahrensethik muß zwischen der Struktur und den Inhalten des moralischen Urteils trennen. Mit ihrer deontologischen Abstraktion hebt sie aus der Menge aller praktischen Fragen genau diejenigen heraus, die einer rationalen Erörterung zugänglich sind, und unterwirft diese einem Begründungstest. Dabei werden normative Aussagen über präsumtiv »gerechte« Handlungen oder Normen unterschieden von evaluativen Aussagen über Aspekte dessen, was wir als »gutes« Leben im Rahmen unserer jeweiligen kulturellen Überlieferung bloß präferieren. Hegel war nun der Meinung, daß mit dieser Abstraktion vom guten Leben die Moral ihre Zuständigkeit für die substantiell wichtigen Probleme des täglichen Zusammenlebens aufgibt. Damit schießt er aber übers Ziel hinaus. Menschenrechte z. B. verkörpern offensichtlich verallgemeinerbare Interessen und

25

lassen sich unter dem Gesichtspunkt, was alle wollen könnten, moralisch rechtfertigen – und doch würde niemand behaupten, daß diese Rechte, die die moralische Substanz unserer Rechtsordnung bilden, für die Sittlichkeit moderner Lebensverhältnisse nicht relevant seien.

Schwieriger zu beantworten ist die prinzipielle Frage, die Hegel darüber hinaus im Sinn hat: ob es überhaupt möglich ist, Begriffe wie universale Gerechtigkeit, normative Richtigkeit, moralischer Gesichtspunkt usw. unabhängig von der *Vision eines guten Lebens*, vom intuitiven Entwurf einer ausgezeichneten, aber eben konkreten Lebensform zu formulieren. Nun mag die kontextunabhängige Bestimmung eines Moralprinzips bisher nicht befriedigend gelungen sein; Aussicht auf Erfolg haben aber indirekte Fassungen des Moralprinzips, die das Bilderverbot beachten, sich aller positiven Beschreibungen enthalten und, wie z. B. der diskursethische Grundsatz, negatorisch auf das beschädigte Leben beziehen, statt affirmativ aufs gute.[18]

ad 2): Zum abstrakten Universalismus begründeter moralischer Urteile

a) Weder Kant noch die Diskursethik setzen sich dem Einwand aus, daß der moralische Gesichtspunkt der Verallgemeinerungsfähigkeit von Normen zur Nichtbeachtung oder gar Unterdrükkung der pluralistischen Struktur bestehender Lebensverhältnisse und Interessenlagen führen müsse. Je mehr sich in modernen Gesellschaften besondere Interessen und Wertorientierungen ausdifferenzieren, um so allgemeiner und abstrakter sind eben die moralisch gerechtfertigten Normen, die die Handlungsspielräume der Individuen im allgemeinen Interesse regeln. In modernen Gesellschaften wächst auch der Umfang regelungsbedürftiger Materien, die *nur* noch partikulare Interessen berühren und daher auf die Aushandlung von Kompromissen, nicht auf diskursiv erzielte Konsense angewiesen sind. Dabei sollten wir nicht vergessen, daß faire Kompromisse ihrerseits moralisch gerechtfertigte Verfahren der Kompromißbildung erfordern.

In einer anderen Variante richtet sich Hegels Einwand freilich gegen den Rigorismus der starren, weil monologisch praktizierten Verfahrensethik, die die Folgen und Nebenwirkungen der generellen Befolgung einer gerechtfertigten Norm nicht berücksichtigen kann. Max Weber hat dieses Bedenken zum Anlaß genommen, der Kantischen Gesinnungsethik eine konsequenzen-orientierte Verantwortungsethik entgegenzusetzen. Dieser Einwand trifft auf Kant zu, aber nicht auf eine Diskursethik, die mit dem Kantischen Idealismus und Monologismus bricht. Wie die Formulierung des Universalisierungsgrundsatzes, die auf die Ergebnisse und Folgen der allgemeinen Normbefolgung für das Wohl jedes Einzelnen abstellt, zeigt, hat die Diskursethik die Folgenorientierung von vornherein in ihre Prozedur eingebaut.

b) In einem anderen Sinne behält Hegel auch recht. Ethiken des Kantischen Typs sind auf Fragen der *Rechtfertigung* spezialisiert; Fragen der *Anwendung* lassen sie unbeantwortet. Es bedarf einer zusätzlichen Anstrengung, um die im Begründungsprozeß zunächst unvermeidliche Abstraktion von jeweils besonderen Situationen und einzelnen Fällen *rückgängig* zu machen. Keine Norm enthält die Regeln ihrer eigenen Anwendung. Moralische Begründungen helfen nichts, wenn nicht die Dekontextualisierung der zur Begründug herangezogenen allgemeinen Normen im Anwendungsprozeß wieder wettgemacht werden kann. Auch die Diskursethik muß sich dem schwierigen Problem stellen, ob nicht die Applikation von Regeln auf besondere Fälle eine Art von *Klugheit* oder reflektierender Urteilskraft erfordert, die an die lokalen Übereinkünfte der hermeneutischen Ausgangssituation gebunden ist und somit den universalistischen Anspruch der begründenden Vernunft unterläuft. Der Neoaristotelismus zieht daraus die Konsequenz, daß eine an den jeweiligen Kontext gebundene Urteilskraft den Platz der praktischen Vernunft einnehmen müßte.[19] Weil sich die Urteilskraft nur innerhalb des Horizonts einer im ganzen bereits akzeptierten Lebensform bewegt, kann sie sich auf einen evaluativen Kontext stützen, der zwischen Fragen der Motivation, Tatsachenfragen und normativen Fragen ein *Kontinuum* herstellt.

Demgegenüber beharrt die Diskursethik darauf, daß wir hinter das von Kant erreichte Niveau der Ausdifferenzierung der Begründungsproblematik von der Problematik sowohl der Anwendung wie der Verwirklichung moralischer Einsichten nicht zurückfallen dürfen. Sie kann zeigen, daß sich auch in der klugen Anwendung von Normen allgemeine Grundsätze der praktischen Vernunft durchsetzen. In dieser Dimension sind es ganz unverächtliche Topoi, z. B. die von der juristischen Topik entwickelten Grundsätze der Beachtung aller relevanten Aspekte eines Falles oder der Verhältnismäßigkeit der Mittel, welche dem moralischen Gesichtspunkt einer *unparteilichen Applikation* Geltung verschaffen.

ad 3): Zur Ohnmacht des Sollens
a) Kant muß sich den Vorwurf machen lassen, daß eine Ethik, die Pflicht und Neigung, Vernunft und Sinnlichkeit kategorial trennt, praktisch folgenlos bleibt. Nicht in derselben Weise wird von diesem Einwand eine Diskursethik getroffen, die die Zwei-Reiche-Lehre preisgegeben hat. Der praktische Diskurs erfordert die Einbeziehung aller jeweils berührten Interessen und erstreckt sich sogar auf eine kritische Prüfung der Interpretationen, unter denen wir bestimmte Bedürfnisse als eigene Interessen allererst erkennen. Die Diskursethik gibt auch den bewußtseinsphilosophischen Begriff von Autonomie preis, der Freiheit unter selbstgegebenen Gesetzen nicht ohne die objektivierende Unterwerfung der eigenen subjektiven Natur zu denken erlaubt. Der intersubjektivistische Begriff von Autonomie trägt der Tatsache Rechnung, daß die freie Entfaltung der Persönlichkeit eines jeden von der Realisierung der Freiheit aller Personen abhängt.
b) In anderer Hinsicht behält Hegel freilich auch gegenüber der Diskursethik recht. Auch im praktischen Diskurs lösen wir die problematischen Handlungen und Normen aus lebensweltlichen Zusammenhängen substantieller Sittlichkeit heraus, um sie ohne Rücksicht auf vorhandene Motive oder bestehende Institutionen einer hypothetischen Beurteilung zu unterwerfen. Auch die Diskursethik muß sich dem Problem stellen, wie dieser für die Begründungsleistung unvermeidliche Schritt zur Entweltlichung der Normen rückgängig gemacht werden kann. Moralische Einsichten müßten für die Praxis in der Tat folgenlos bleiben, wenn sie sich nicht auf die Schubkraft von Motiven und auf die anerkannte soziale Geltung von Institutionen stützen könnten. Sie müssen, wie Hegel sagt, in die konkreten Pflichten des Alltags umgesetzt werden. Soviel also ist richtig: jede universalistische Moral ist auf *entgegenkommende* Lebensformen angewiesen. Sie bedarf einer gewissen Übereinstimmung mit Sozialisations- und Erziehungspraktiken, welche in den Heranwachsenden stark internalisierte Gewissenskontrollen anlegen und verhältnismäßig abstrakte Ich-Identitäten fördern. Eine universalistische Moral bedarf auch einer gewissen Übereinstimmung mit solchen politi-

schen und gesellschaftlichen Institutionen, in denen postkonventionelle Rechts- und Moralvorstellungen bereits verkörpert sind.

Tatsächlich ist ja der moralische Universalismus durch Rousseau und Kant erst im Kontext einer Gesellschaft *entstanden*, die solche *korrespondierenden* Züge aufweist. Heute leben wir glücklicherweise in westlichen Gesellschaften, in denen sich seit zwei bis drei Jahrhunderten ein zwar fallibler, immer wieder fehlschlagender und zurückgeworfener, gleichwohl *gerichteter* Prozeß der Verwirklichung von Grundrechten, der Prozeß einer, sagen wir: immer weniger selektiven Ausschöpfung der universalistischen Gehalte von Grundrechtsnormen durchgesetzt hat. Ohne solche Zeugnisse einer in Fragmenten und Splittern immerhin »existierenden Vernunft« hätten sich die moralischen Intuitionen, die die Diskursethik bloß auf den Begriff bringt, jedenfalls nicht in ganzer Breite ausbilden können. Andererseits ist die schrittweise Verkörperung von moralischen Grundsätzen in konkreten Lebensformen nicht eine Sache, die man wie Hegel dem Gang des absoluten Geistes anvertrauen dürfte. Sie verdankt sich in erster Linie den kollektiven Anstrengungen und Opfern sozialer und politischer Bewegungen. Der geschichtlichen Dimension, der diese Bewegungen angehören, darf sich auch die Philosophie nicht enthoben fühlen.

ad 4): Zum Thema: Die Tugend und der Weltlauf
a) Weder Kant noch die Diskursethik setzen sich dem heute von neokonservativer Seite erneuerten Vorwurf aus, totalitäre Handlungsweisen zu rechtfertigen – oder auch nur indirekt zu ermutigen. Die Maxime, daß der Zweck die Mittel heilige, ist auch und gerade dann, wenn es um die politische Verwirklichung von universalistischen Rechts- und Verfassungsprinzipien geht, mit dem Wortlaut und dem Geist des moralischen Universalismus unvereinbar. Eine problematische Rolle spielen in diesem Zusammenhang freilich Konstruktionen geschichtsphilosophischer Herkunft, die dem revolutionären Handeln einer Avantgarde Stellvertreterfunktionen für die ins Stocken geratene oder gelähmte Praxis eines gesellschaftlichen Makrosubjekts einräumen. Der Fehler des geschichtsphilosophischen Denkens liegt darin, die Gesellschaft als ein Subjekt im großen vorzustellen, um dann das moralisch zurechnungsfähige Handeln einer Avantgarde mit

der moralischen Maßstäben entwachsenen Praxis dieses höherstufigen Subjekts der Gesellschaft zu identifizieren. Der intersubjektivitätstheoretische Ansatz der Diskursethik bricht mit den Prämissen der Bewußtseinsphilosophie; er rechnet allenfalls mit der höherstufigen Intersubjektivität von Öffentlichkeiten, in denen sich Kommunikationen zu gesamtgesellschaftlichen Selbstverständigungsprozessen verdichten.

b) Hegel unterscheidet zurecht zwischen einem Handeln *unter* moralischen Gesetzen und einer Praxis, die auf die Verwirklichung moralischer Gesetze abzielt. Kann die Verwirklichung der Vernunft in der Geschichte überhaupt ein sinnvolles Ziel möglichen Handelns sein? Wir haben soeben gesehen, daß die diskursive Begründung von Normen nicht zugleich die Verwirklichung moralischer Einsichten sicherstellen kann. Dieses Problem des Gefälles zwischen Urteil und Handeln, das sich (im Computer-Jargon) an der Ausgabe-Seite des praktischen Diskurses stellt, wiederholt sich an dessen Eingabe-Seite:

Vom Diskurs selbst können die Bedingungen nicht erfüllt werden, die notwendig sind, damit alle jeweils Betroffenen für eine regelrechte Teilnahme an praktischen Diskursen instandgesetzt werden. Oft fehlen Institutionen, die für bestimmte Themen an bestimmten Orten die diskursive Willensbildung sozial erwartbar machen; oft fehlen die Sozialisationsprozesse, in denen die erforderlichen Dispositionen und Fähigkeiten zur Teilnahme an moralischen Argumentationen erworben werden – beispielsweise das, was Kohlberg ein postkonventionelles moralisches Bewußtsein nennt. Noch häufiger sind die materiellen Lebensverhältnisse und die gesellschaftlichen Strukturen so beschaffen, daß die moralischen Fragen vor aller Augen liegen und durch die nackten Fakten der Verelendung, Beleidigung und Entwürdigung eine hinreichende Antwort längst gefunden haben. Überall wo die bestehenden Verhältnisse für Forderungen einer universalistischen Moral der pure Hohn sind, verwandeln sich moralische Fragen in Fragen der politischen Ethik. Wie läßt sich reflexives moralisches Handeln, also eine Praxis, die auf die Realisierung notwendiger Bedingungen für ein menschenwürdiges Dasein abzielt, moralisch rechtfertigen? Darauf kann man eine wenn auch nur prozedurale Antwort finden.[20]

Es handelt sich um Fragen einer Politik, die sich die Transformation von Lebensformen unter moralischen Gesichtspunkten zum

Ziel setzt, obgleich sie nicht reformistisch, d. h. gemäß schon bestehenden und für legitim gehaltenen Gesetzen verfahren kann. In unseren Breiten sind diese Fragen einer revolutionären Moral, die auch innerhalb des *westlichen* Marxismus niemals befriedigend beanwortet worden sind, glücklicherweise nicht aktuell; aktuell sind allenfalls Fragen des zivilen Ungehorsams, die ich an anderem Orte diskutiert habe.[21]

III

Zusammenfassend läßt sich sagen, daß sich Hegels Einwände weniger gegen die reformulierte Kantische Ethik selber richten als vielmehr gegen einige, auch von der Diskursethik nicht auf Anhieb gelöste *Folgeprobleme*. Jede deontologische, zugleich kognitivistische, formalistische und universalistische Ethik verdankt ihren relativ engen Moralbegriff energischen Abstraktionen. Deshalb stellt sich zunächst das Problem, ob sich Fragen der Gerechtigkeit überhaupt von den jeweils besonderen Kontexten des guten Lebens isolieren lassen. Wenn dieses Problem, wie ich glaube, gelöst werden kann, stellt sich die weitere Frage, ob nicht die praktische Vernunft spätestens bei der Anwendung gerechtfertigter Normen auf einzelne Fälle abdanken muß zugunsten eines ihrem jeweiligen Kontext verhafteten Vermögens bloßer Klugheit. Selbst wenn dieses Problem, wie ich denke, gelöst werden kann, taucht die weitere Frage auf, ob die Einsichten einer universalistischen Moral überhaupt Aussichten haben, in die Praxis umgesetzt zu werden. Sie ist in der Tat auf »entgegenkommende« Lebensform angewiesen. Damit ist die Liste der Folgeprobleme nicht erschöpft. Wie steht es, das war unser letzter Punkt, mit der moralischen Rechtfertigung eines politischen Handelns, das darauf aus ist, die gesellschaftlichen Verhältnisse erst zu schaffen, in denen praktische Diskurse geführt, also moralische Einsichten diskursiv gewonnen und praktisch wirksam werden können? Nicht eingegangen bin ich auf zwei weitere Probleme, die sich aus der Selbstbegrenzung jeder nichtmetaphysischen Auffassung ergeben.

Die Diskursethik kann nicht auf eine objektive Teleologie, insbesondere nicht auf eine Gewalt zurückgreifen, die die Irreversibilität der Folge geschichtlicher Ereignisse aufhebt. Wie können wir aber dem diskursethischen Grundsatz, der jeweils die Zustimmung *aller* fordert, genügen, wenn wir nicht in der Lage sind, das Unrecht und den Schmerz, den frühere Generationen um unseretwillen erlitten haben, wieder gutzumachen – oder wenigstens ein Äquivalent für die erlösende Kraft des Jüngsten Gerichtes in Aussicht zu stellen? Ist es nicht obszön, daß die nachgeborenen Nutznießer für Normen, die im Lichte ihrer erwartbaren Zukunft gerechtfertigt erscheinen mögen, posthum von den Erschlagenen und Entwürdigten eine kontrafaktische Zustimmung erwarten?[22] Ebenso schwer läßt sich die Grundfrage der ökologischen Ethik beantworten: wie hält es eine Theorie, die sich auf den Adressatenkreis sprach- und handlungsfähiger Subjekte beschränkt, mit der Verletzbarkeit der stummen Kreatur? Im Mitleid mit dem gequälten Tier, im Schmerz über zerstörte Biotope regen sich moralische Intuitionen, die durch den kollektiven Narzißmus einer letztlich anthropologisch zentrierten Betrachtungsweise nicht ernstlich befriedigt werden können.

An dieser Stelle möchte ich aus den Zweifeln nur *einen* Schluß ziehen. Dem engen Begriff der Moral muß ein bescheidenes Selbstverständnis der Moraltheorie entsprechen. Ihr fällt die Aufgabe zu, den moral point of view zu erklären und zu begründen. Der Moraltheorie kann zugemutet und zugetraut werden, daß sie den universellen Kern unserer moralischen Intuitionen aufklärt und damit den Wertskeptizismus widerlegt. Darüberhinaus muß sie aber auf eigene substantielle Beiträge verzichten. Indem sie eine Prozedur der Willensbildung auszeichnet, macht sie Platz für die Betroffenen, die in eigener Regie Antworten auf moralisch-praktische Fragen finden müssen, welche mit geschichtlicher Objektivität auf sie zukommen. Der Moralphilosoph verfügt nicht über einen privilegierten Zugang zu moralischen Wahrheiten. Angesichts der vier großen moralisch-politischen Belastungen unserer eigenen Existenz – angesichts des Hungers und des Elends in der Dritten Welt; angesichts der Folter und der fortgesetzten Verletzung menschlicher Würde in den Unrechtsstaaten; angesichts wachsender Arbeitslosigkeit und der disparitären Verteilung des gesellschaftlichen Reichtums in den westlichen Industrienationen; angesichts schließlich des selbstzerstörerischen Risikos, das das atomare Wettrüsten für das Leben auf dieser Erde bedeutet – angesichts provokativer Tatbestände dieser Art ist meine restriktive Auffassung von der Leistungsfähigkeit der philosophischen Ethik vielleicht eine Enttäuschung; auf jeden Fall ist sie auch ein Stachel: die Philosophie nimmt niemandem die praktische Verantwortung ab. Übrigens auch nicht den Philosophen, die sich, wie alle anderen, moralisch-praktischen Fragen von großer Komplikation gegenübersehen und gut daran tun, sich zunächst einmal ein klares Bild von ihrer Situation zu verschaffen. Dazu können die Geschichts- und Sozialwissenschaften mehr beitragen als die Philosophie. Deshalb lassen Sie mich mit einem Satz von Horkheimer aus dem Jahre 1933 schließen: »Um den utopischen Charakter der Kantischen Vorstellung von einer vollkommenen Verfassung aufzuheben, bedarf es der materialistischen Theorie der Gesellschaft.«[23]

Anmerkungen

1 Vgl. die Beiträge von K.-O. Apel zu: K.-O. Apel, D. Böhler, G. Kadelbach (Hg.), *Praktische Philosophie/Ethik*, Ffm. 1984; J. Habermas, »Diskursethik – Notizen zu einem Begründungsprogramm«, in: ders., *Moralbewußtsein und kommunikatives Handeln*, Ffm. 1983.

2 »Die Materie der Maxime bleibt, was sie ist, eine Bestimmtheit oder Einzelheit; und die Allgemeinheit, welche ihr die Aufnahme in die Form erteilt, ist also eine schlechthin analytische Einheit, und wenn die ihr erteilte Einheit rein in einem Satz ausgesprochen wird, so ist der Satz ein analytischer und eine Tautologie«. Über die wissenschaftlichen Behandlungsarten des Naturrechts, in: G. W. F. Hegel, *Werke* in 20 Bänden, Ffm. 1969 ff. (Suhrkamp), Bd. 2, 460. Der Formalismus zeigt sich auch darin, daß jede beliebig Maxime in die Form eines allgemeinen Gesetzes gebracht werden kann – »und es gibt gar nichts, was nicht auf diese Weise zu einem sittlichen Gesetz gemacht werden könnte« (Hegel, Werke Bd. 2, 461).

3 »Das moralische Bewußtsein ist als das einfache Wissen und Wollen der reinen Pflicht ... auf die Wirklichkeit des mannigfaltigen Falles bezogen und hat dadurch ein mannigfaltiges moralisches Verhältnis ... Was (nun) die vielen Pflichten betrifft, so gilt dem moralischen Bewußtsein überhaupt nur die reine Pflicht in ihnen; die vielen Pflichten als viele sind bestimmte und daher für das moralische Bewußtsein nichts Heiliges« (Hegel, Phänomenologie des Geistes, Werke Bd. 3, 448). Die Kehrseite der Abstraktion vom Besonderen ist die Verabsolutierung des Besonderen, das in der Form des Allgemeinen unkenntlich wird: »durch Vermischung der absoluten Form aber mit der bedingten Materie wird unversehens dem Unreellen, Beding-

ten des Inhalts die Absolutheit der Form untergeschoben, und in dieser Verkehrung und Taschenspielerei liegt der Nerv dieser praktischen Gesetzgebung der Vernunft (Hegel, Werke Bd. 2, 464).

4 »Das moralische Bewußtsein ... erfährt, daß die Natur unbekümmert darum ist, ihm das Bewußtsein der Einheit seiner Wirklichkeit mit der ihrigen zu geben ... Das unmoralische Bewußtsein findet vielleicht zufälligerweise seine Verwirklichung, wo das moralische nur Veranlassung zum Handeln, aber durch dasselbe nicht das Glück der Ausführung und des Genusses der Vollbringung ihm zuteil werden sieht. Es findet daher vielmehr Grund zu Klagen über solchen Zustand der Unangemessenheit seiner und des Daseins und der Ungerechtigkeit, die es darauf einschränkt, seinen Gegenstand nur als reine Pflicht zu haben, aber ihm denselben und sich verwirklicht zu sehen versagt« (Hegel, Werke Bd. 2, 444).

5 Hegel widmet dem jakobinischen Gesinnungsterror ein berühmtes Kapitel unter dem Titel »Die Tugend und der Weltlauf«, in dem er zeigt, wie die Moral zum Mittel wird, um »durch Aufopferung der Individualität das Gute zur Wirklichkeit zu bringen« (Hegel, Werke Bd. 2, 289).

6 K. H. Ilting scheint nicht gesehen zu haben, daß die allgemeine »Zustimmungsfähigkeit« lediglich operationalisiert, was er selbst die »Zumutbarkeit« von Normen nennt. Zumutbar sind nur diejenigen Normen, für die im Kreise der Betroffenen Einverständnis *diskursiv* erzielt werden kann. Vgl. K. H. Ilting, »Der Geltungsgrund moralischer Normen«, in: W. Kuhlmann, D. Böhler (Hg.), *Kommunikation und Reflexion*, Ffm. 1982, 629 ff.

7 Allerdings darf die Idee der Rechtfertigung von Normen nicht zu stark sein und nicht schon in die Prämisse einführen, worauf doch erst geschlossen werden soll: daß gerechtfertigte Normen die Zustimmung aller Betroffenen müßten finden können. Dieser Fehler ist mir unterlaufen in J. Habermas (1983), 102 f.; er wurde in der zweiten Auflage (1985) korrigiert.

8 J. Rawls, *Eine Theorie der Gerechtigkeit*, Ffm. 1975, 341. Dieselbe Intuition bringt G. H. Mead auf den Begriff der idealen Rollenübernahme (ideal roletaking), den auch L. Kohlberg seiner Theorie der Entwicklung des moralischen Bewußtseins zugrundelegt (G. H. Mead, »Fragmente über Ethik«, in: ders., *Geist, Identität und Gesellschaft*, Ffm. 1968, 429 ff.). Vgl. auch H. Joas, *Praktische Intersubjektivität*, Ffm. 1980, Kap. 6, 120 ff.

9 Allerdings kann der praktische Diskurs andere als kritische Funktionen nur dann erfüllen, wenn die regelungsbedürftige Materie verallgemeinerbare Interessen berührt. Solange ausschließlich besondere Interessen im Spiele sind, muß die praktische Willensbildung die Form des Kompromisses annehmen. Vgl. dazu J. Habermas, *Legitimationsprobleme im Spätkapitalismus*, Ffm. 1973, 154 ff.

10 J. Habermas, *Theorie des kommunikativen Handelns*, Ffm. 1981, Bd. 2, 92 ff.

11 Vgl. meine Kritik an Gehlen: »Nicht in den biologischen Schwächen des Menschen, in den Mängeln der organischen Ausstattung des Neugeborenen und in den Gefährdungen einer überproportional langen Aufzuchtperiode, sondern in dem kompensatorisch aufgebauten kulturellen System selbst ist jene tiefe Verletzbarkeit angelegt, die als Gegenhalt eine ethische Verhaltensregulierung nötig macht. Das ethische Grundproblem ist die verhaltenswirksame Garantie der gegenseitigen Schonung und des Respekts; das ist der wahre Kern der Mitleidsethiken« (J. Habermas, *Philosophisch-politische Profile*, Ffm. 1981, 118).

12 W. Frankena, *Analytische Ethik*, München 1972, 62 ff.

13 Das ist ein altes Thema der Handlungstheorie: A. Gouldner, *Reziprozität und Autonomie*, Ffm. 1984, 79 ff.

14 Michael Sandel hat mit Recht kritisiert, daß Rawls' Konstruktion des Urzustandes mit dem vertragstheoretischen Erbe des Atomismus belastet ist. Rawls rechnet mit vereinzelten, unabhängigen Personen, die vor aller Vergesellschaftung über Fähigkeiten zur zweckrationalen Wahrnehmung ihrer Interessen verfügen und, in diesem monologischen Rahmen, ihre Ziele autonom setzen. Deshalb muß Rawls die Grundvereinbarungen eher als einen Akt freien Willens, weniger als argumentativ erzieltes Einverständnis deuten und die Vision der gerechten Gesellschaft auf das Kantische Problem der Vereinbarkeit der Willkürfreiheit eines jeden mit der Willkürfreiheit aller zuschneiden. Sandel selbst setzt dieser individualistischen Auffassung allerdings eine Konzeption entgegen, die die Trennung zwischen Pflicht- und Güterethiken noch einmal vertieft. Er stellt dem vorgesellschaftlichen Individuum den Einzelnen als Produkt seiner Gemeinschaft gegenüber, der rationalen Vereinbarung autonomer Einzelner die reflexive Vergegenwärtigung vorgängiger sozialer Bindungen, der Idee der gleichen Rechte das Ideal der gegenseitigen Solidarität und dem gleichmäßigen Respekt für die Würde eines jeden die Förderung des allgemeinen Wohls. Mit dieser traditionellen Gegenüberstellung verbaut er sich den Weg zu einer *intersubjektivistisch erweiterten* Gerechtigkeitsethik. Er lehnt den deontologischen Ansatz in Bausch und Bogen ab und kehrt zu einer teleologischen Konzeption zurück, die einen objektiven Begriff von Gemeinschaft erfordert: »For a society to be a community in the strong sense, community must be constitutive of the shared self-understandings of the participants and embodied in their institutional arrangements, not simply an attribute of certain of the participants' plans of life« (M. J. Sandel, *Liberalism and the Limits of Justice*, Cambridge, Mass. 1982, 173). Nun dürfen totalitäre, d. h. zwanghaft integrierte Gesellschaften ersichtlich nicht unter dieselbe

Beschreibung fallen; deshalb müßte der normative Gehalt zentraler Begriffe wie Gemeinschaft, institutionelle Verkörperung, intersubjektives Selbstverständnis usw. sorgfältig expliziert werden. Wenn sich Sandel dieser Aufgabe unterziehen würde, würde ihm (wie schon im Falle von A. MacIntyre, *After Virtue*, London 1981) die nicht einlösbare Beweislast klar werden, die alle neoaristotelischen Ansätze übernehmen. Sie müssen zeigen, wie sich eine objektive moralische Ordnung ohne Rückgriff auf metaphysische Prämissen begründen läßt.

15 K.-O. Apel, »Kant, Hegel und das aktuelle Problem der normativen Grundlagen von Moral und Recht«, in: D. Henrich, *Kant oder Hegel?*, Stuttgart 1983, 597 ff.

16 G. Patzig, »Der Kategorische Imperativ in der Ethikdiskussion der Gegenwart«, in: ders., *Tatsachen, Normen, Sätze*, Stuttgart 1980, 155 ff.

17 Wenn man erkennt, daß die strittigen Materien, nämlich die ständisch differenzierten »Handlungsmaximen« der frühbürgerlichen Gesellschaft, die Kant vor Augen hatte, nicht von der gesetzgebenden Vernunft erzeugt, sondern von der gesetzeprüfenden Vernunft empirisch aufgenommen werden, wird auch Hegels bekannter Einwand gegen Kants Depositum-Beispiel (Hegel, Werke Bd. 2, 401 f.) gegenstandslos.

18 Man sollte umgekehrt die Frage stellen, woher denn der Verdacht stammt, daß sich das Allgemeine *unauflöslich* mit dem Besonderen verschränken *müsse*. Wir haben gesehen, daß praktische Diskurse nicht nur in Handlungszusammenhänge eingebettet sind, sondern verständigungsorientiertes Handeln auf einer höheren Stufe der Reflexion fortsetzen. Beide weisen dieselben strukturellen Merkmale auf. Nur besteht im kommunikativen Handeln keine Notwendigkeit, die Symmetrie- und Reziprozitätsunterstellungen auf Aktoren auszudehnen, die *nicht* dem eigenen Kollektiv, *nicht* der eigenen Lebenswelt angehören. Erst in Argumentationen wird dieser Zwang zur Universalisierung unabweislich. Deshalb müssen Ethiken, die von der Sittlichkeit konkreter Lebensformen, sei es der Polis, des Staates, der Religionsgemeinschaft oder der Nation ausgehen, Schwierigkeiten haben, aus Handlungszusammenhängen derart partikularer Lebensform ein allgemeines Prinzip der Gerechtigkeit zu gewinnen. Dieses Problem stellt sich nicht in gleicher Weise für eine Ethik, die sich anheischig macht, die Allgemeingültigkeit des Moralprinzips mit Bezugnahme auf den normativen Gehalt der Kommunikationsvoraussetzungen von *Argumentation* überhaupt zu begründen.

19 E. Vollrath, *Die Rekonstruktion der politischen Urteilskraft*, Stuttgart 1977.

20 J. Habermas, *Theorie und Praxis*, Ffm. 1971, Einleitung zur Neuausgabe, 37 ff.

21 J. Habermas, *Die Neue Unübersichtlichkeit*, Ffm. 1985, 79 ff. und 100 ff. Ich begnüge mich hier mit dem Hinweis, daß Probleme dieser Art nicht auf dem gleichen Komplexitätsniveau behandelt werden können wie die vorangehenden Einwände. Zunächst muß das Verhältnis von Moral, Recht und Politik geklärt werden. Diese Diskursuniversen hängen gewiß zusammen und überlappen sich, aber sie dürfen nicht miteinander identifiziert werden. Unter dem Aspekt der Begründung weisen posttraditionale Rechts- und Moralvorstellungen die gleichen strukturellen Merkmale auf. Den Kernbereich moderner Rechtsordnungen bilden moralische Grundnormen, die Rechtskraft erlangt haben. Andererseits unterscheidet sich Recht von Moral unter anderem dadurch, daß es die Adressaten, denen die Befolgung der Normen angesonnen wird, von den auf staatliche Organe übertragenen Problemen der Begründung, Anwendung und Durchsetzung der Normen entlastet. Auch die Politik steht in engen Beziehungen zu Moral und Recht. Politische Grundsatzfragen sind moralischer Natur. Und politische Macht kann nur in Form rechtlich bindender Entscheidungen ausgeübt werden, während das Rechtssystem seinerseits über die Gesetzgebung an die Politik rückgebunden ist. Aber selbst im Bereich der öffentlichen Willensbildung richtet sich die Politik eher auf kollektive Zielsetzungen im Rahmen konsentierter Regeln als auf diesen normativen Rahmen von Recht und Moral selber.

22 H. Peukert, *Wissenschaftstheorie, Handlungstheorie, Fundamentale Theologie*, Düsseldorf 1976, 273 ff.

23 M. Horkheimer, »Materialismus und Moral«, in: *Zeitschrift für Sozialforschung*, Jg. 2, 1933, 175.

Herbert Schnädelbach
Was ist Neoaristotelismus?

Daß Klassiker Renaissancen erleben, gehört zu den Paradoxien
der Moderne. Was nicht stirbt, kann auch nicht wiedergeboren
werden, und als man im 18. Jahrhundert begann, von dem »Klassischen« zu sprechen, meinte man damit das ewig Vorbildhafte:
unsterblich wie die Platonischen Ideen, und eben nur zeitweilig
abwesend, weil aus dem Blick geraten. Erst das historische Bewußtsein des 19. Jahrhunderts machte die Erfahrung, daß auch
das Klassische sterblich ist und daß seine Wiedergeburt der
Geburtshilfe bedarf. Was danach als das Klassische erscheint, ist
eigentümlich gebrochen; es ist durch die Reflexion hindurchgegangen und darum genau mit der Subjektivität behaftet, die es als
das vermeintlich Objektive und Substantielle in die Schranken
weisen sollte. Gemessen am Mythos des Phönix oder der stoischen Figur der »ewigen Wiederkehr« haben veranstaltete Wiedergeburten etwas Widersinniges, und dies besonders dann, wenn
das zur Welt Gebrachte einem naturhaft oder historisch Gewachsenen so gar nicht ähneln will. Das Gemachte, Artifizielle aller
Renaissancen seit der Renaissance tragen gerade die philosophischen Klassiker-Renaissancen unmittelbar im Gesicht. Seit 150
Jahren werden immer wieder Namen von »großen« Philosophen
zwischen das Präfix »Neu-« oder »Neo-« und einer Variation von
»-ismus« eingeschlossen – Neukantianismus, Neuthomismus,
Neufichteanismus, Neuhegelianismus, Neomarxismus usf. – und
gleichgültig, ob es sich dabei um Selbst- oder Fremdbezeichnun-
gen handelt: das damit Gemeinte soll nicht einfach das Alte,
schon Dagewesene sein, sondern etwas Neues, Modernes, aber
im Geiste des Alten. (Das Vorbild für diese Wortbildungen, die
sich manchmal auch auf historische Positionen beziehen – Neopositivismus, Neorealismus, Neoliberalismus etc. –, ist wohl das
im späten 18. Jahrhundert aufkommende Wort »Neuplatonismus«, das dort aber rein philosophiegeschichtlich gemeint ist.[1])
Wesentlich ist, daß sich die Orthodoxie solcher Neo-Positionen
immer *methodologisch* definiert.[2] Dies hat den Vorteil, daß man
Ellbogenfreiheit gewinnt für die Bewältigung der neuen Inhalte
und Erfahrungen, mit denen man als historisch Aufgeklärter stets

rechnen muß. Die Idee freilich, das Alte und Klassische der Methode und das Neue und Moderne der Sache zuzuordnen, wird besonders dort prekär, wo man (wie im Neuhegelianismus und Neomarxismus) aus methodologischen Gründen gerade die Einheit von Methode und Sache vertreten muß; insgesamt vermag sie nur oberflächlich das Dilemma zu verdecken, in dem alle als Wiedergeburten präsentierten aktiven Wiederherstellungsversuche von historisch Vergangenem notwendig enden. Das Terrain zwischen dem bloßen Traditionalismus, der auf dem Überlieferten beharrt, und dem ideenpolitischen Dezisionismus, der festsetzen möchte, was und wie jetzt zu denken sei, ist ein unwegsames Gelände.

Dem Aristoteles ist der Neoaristotelismus schon früh widerfahren. Sieht man einmal vom Aristotelismus der Hochscholastik, aber auch von Leibniz und Hegel ab – es handelt sich dabei nicht um Klassikerrenaissancen im angedeuteten Sinne –, so ist Trendelenburg der erste Neoaristoteliker. Der bewußte, methodisch reflektierte Rückgriff auf Aristoteles in systematischer Absicht, meist verbunden mit einer polemischen Zielrichtung, hat sich seitdem wiederholt ereignet: Trendelenburgs Logik richtete sich gegen Hegel, die Ontologie Nicolai Hartmanns gegen den Neukantianismus und die neuere teleologische Naturinterpretation bei Hans Jonas und Robert Spaemann gegen den neuzeitlichen Mechanismus und das ethische Vakuum, das er hinterläßt. Wenn heute von Neoaristotelismus die Rede ist, ist meist etwas anderes gemeint: die Renaissance aristotelischen Denkens in der *praktischen* Philosophie, die sich selbst als eine Rehabilitierung praktischer Philosophie überhaupt versteht, und dann die These, daß diese Aristoteles-Renaissance ursächlich oder verstärkend mit dem neuesten *Neokonservatismus* seit der »Tendenzwende« zusammenhängt.[3] Gleichwohl ist es schwierig, diesen Neoaristotelismus eindeutig zu identifizieren. An der gut dokumentierten ›Rehabilitierung der praktischen Philosophie‹[4] haben viele mitgewirkt, die Aristoteles und dem Aristotelismus ziemlich fernstehen. Wären all diejenigen Neoaristoteliker, die wesentliche Gedankenmotive der aristotelischen Überlieferung für aktuell und unentbehrlich halten, dann könnte man nicht ausschließen, daß alle Philosophierenden letztlich Neoaristoteliker wären, und das bedeutete, daß es »den« Neoaristotelismus als identifizierbare Position gar nicht gäbe. Müssen wir also mit Marx formulieren:

Ein Gespenst geht um in der philosophischen Landschaft – ein *bloßes* Gespenst?

Ich behaupte, der Neoaristotelismus ist mehr als der Traum eines Geistersehers. Zwar trifft es zu, daß wichtige Festlegungen und Unterscheidungen der praktischen Philosophie des Aristoteles in vielen konträren Denkansätzen bis heute fortwirken, und dies gilt auch – wie zu zeigen ist – für Theorien, die den Neoaristotelismus insgesamt kritisieren. Trotzdem ist es nicht aussichtslos, seiner Imago Konturen geben zu wollen: wenn man sich nämlich fragt, welche Elemente der neuesten Aristoteles-Rezeption es sind, die den Neokonservatismus unserer Tage, so weit der sich überhaupt *philosophisch* bestimmen läßt, philosophisch *bestimmen*. Umgekehrt ist dann zu vermuten, daß die Aristoteles-Interpretation, die dem zugrunde liegt, selbst schon staats- und kulturpolitisch konservativ motiviert war. Das Wort »konservativ« ist dabei nicht als Schimpfwort gemeint; man kann in Ehren konservativ sein, auch wenn wir Deutschen damit immer noch Schwierigkeiten haben dürften.

Den *Konservatismus* definierend festzulegen, dürfte noch schwieriger sein, als das Profil des Neoaristotelismus nachzuzeichnen, wie die umfängliche Literatur zeigt; der Hinweis auf zwei in unserem Zusammenhang wichtige Merkmale muß hier genügen. Konservatismus ist eine *reaktive* und eine *reflektierte* Position oder Grundhaltung. Die Geburtsstunde des modernen Konservatismus ist die Französische Revolution: er entsteht als Reaktion auf sie, und zwar als Versuch, die Ansprüche des Liberalismus und Rationalismus der Aufklärungsbewegung, die soziale, politische und kulturelle Welt auf ganz neue Grundlagen zu stellen, zurückzuweisen. (Der neueste Neokonservatismus in Deutschland versteht sich als notwendige Gegenreaktion gegen eine vermeintliche linke Kulturrevolution.)[5] Dieses reaktive Grundmuster ist auch der Grund dafür, daß sich konservatives Denken selbst stets als ideologie*frei* versteht: die Ideologen sind angeblich immer die anderen, die das Bestehende an überzogenen Maßstäben messen und dadurch zerstören. Dies unterscheidet den Konservativen vom Traditionalisten oder blind Reaktionären, daß er *Realist* sein möchte; er gesteht zu, daß das, was ist – auch die Tradition –, der Fortbildung und Erneuerung bedarf, und darum kann er sich durchaus für einen modernen Menschen halten. Nur wird er nicht selbst die Initiative bei der Modernisierung ergreifen; er wird die Beweislast immer den Innovatoren zuschieben und dann, wenn er das Neue schon nicht verhindern kann, die ›Schäden‹ oder das, was er dafür hält, zu begrenzen suchen.[6] Freilich fällt es dem Konservatismus immer schwer anzugeben, wieviel an Konservierung des Bestehenden möglich und tunlich sei, denn abstraktes Prinzipien- und Kriteriendenken lastet er ja immer der Gegenseite an. Daß er dies stets dem *common sense* und der klugen Situationseinschätzung überlassen möchte, ist auch der Grund für theoretische Unsicherheit der Konservativen, die ihnen auf der einen Seite ein Maß an Uneinigkeit untereinander beschert, das in der Außenperspektive häufig unterschätzt wird; sie verführt die Konservativen andererseits dazu, sich allzu schnell den Kopf der Etablierten zu zerbrechen und sich mit der jeweiligen Macht zu identifizieren, d. h. mit dem, was sich gegen den Angriff der problematisierenden und destabilisierenden Kräfte letztlich durchgesetzt hat. Das Wappentier der Konservativen ist die Eule der Minerva; reaktives Denken kann immer nur im nachhinein begreifen und legitimieren, was ist oder geschah.

Auch der Reaktionär reagiert, aber der Konservative reagiert nicht blind, sondern *reflektiert*; er reagiert konservativ *mit Bedacht*. Konkret bedeutet dies: Seit der Aufklärung sind alle Konservativen über die Aufklärung aufgeklärt, und heute verstehen sie das Aufgeklärtsein über das Ende der Aufklärung als das Aufgeklärteste überhaupt.[7] Nicht die Aufklärung zu vertreten, sondern in der Reaktion auf sie die Aufklärung aufgeklärt zu *denunzieren* – dieses Grundmuster konservativen Denkens von Burke bis Gehlen führt notwendig in die Schwierigkeit, die wiederholt als das ›Dilemma des Konservatismus‹[8] beschrieben wurde. Philosophisch gesehen besteht es darin, daß der Konservative *argumentieren* muß, und daß ihm damit keine anderen Denkmittel zur Verfügung stehen als die der Aufklärung selber: also genau der Macht, die einzugrenzen und zu bändigen er angetreten ist. Nicht die Aufklärung über sich selbst aufzuklären, was deren eigene Sache wäre, sondern *sie mit ihren eigenen Waffen zu schlagen* – dies ist die konservative Grundintention. Was dabei herauskommt, entspricht den modernen Klassiker-Renaissancen, von denen oben die Rede war: es ist »nachgeahmte Substantialität«[9], artifizieller Traditionsersatz.

Die Verklammerung von Neoaristotelismus und Neokonservatismus allein ist aber noch kein hinreichendes Abgrenzungskriterium. Einmal dürfte es schwierig, ja unmöglich sein, den Neoaristotelismus vom Neuhegelianismus in der politischen Philosophie abzugrenzen; der Grund dafür ist, daß Hegel selbst bereits Neoaristoteliker in einem bestimmten Sinne war, so daß die moderne konservative Rezeption der Rechtsphilosophie Hegels mit der der aristotelischen Politik nahtlos verbunden werden konnte.[10] – Ferner war die deutsche Politikwissenschaft, die nach dem Zweiten Weltkrieg in Reaktion auf die Ideologie des ›Dritten Reiches‹ entstand, stark aristotelisch bestimmt, ohne deswegen durchgängig konservativ zu sein; sie gehört wie die spätere ›Rehabilitierung der praktischen Philosophie‹ in die Reihe der Versuche, im Rückgriff auf verschüttete Denktraditionen der praktischen Philosophie wieder einen Platz neben (oder über) der normativen Ethik und der empirischen Sozialwissenschaft anzuweisen.[11] Wo dies vor allem im Rekurs auf die Antike geschieht und dann besonders häufig von Aristoteles zustimmend die Rede ist – wie z. B. bei Hannah Arendt –, kann man allein deswegen noch nicht von Neoaristotelismus sprechen, weil man sich dort meist an Dinge erinnert, die Gemeingut der Antike oder zumindest ihrer dominierenden Traditionen waren: an den normativen Bezug des ethischen und politischen Denkens im Kontrast zur neuzeitlichen wertfreien Logik der Selbsterhaltung; oder an die Ontologie des Menschenwesens und der *conditio humana* im Gegensatz zur Selbstbestimmung oder gar Selbstproduktion des modernen autonomen Subjekts; schließlich an die These vom Primat der Polis vor dem Individuum, in dessen Wesen die gesellschaftliche und staatliche Existenz teleologisch vorgezeichnet sei, und dies in Opposition gegen den Individualismus und subjektiven Utilitarismus der Vertragstheorien. Es bleibt darum bei der Beantwortung der Frage, was Neoaristotelismus sei, nur ein *idealtypisches* Verfahren übrig. Es empfiehlt sich, dabei an die Punkte anzuknüpfen, die zwischen Platon und Aristoteles, d. h. in der dominierenden praktisch-philosophischen Tradition selbst kontrovers waren. Drei Begriffspaare sind besonders geeignet, jene historische Kontroverse zu vergegenwärtigen und eine nähere Charakterisierung des Aristotelismus in der praktischen Philosophie insgesamt zu erleichtern: (1) *Theorie und Praxis,* (2) *Praxis und Poiesis* und (3) *Ethik und Ethos.*[12] Meine These ist, daß nur das mit dem *dritten* Begriffspaar Gemeinte den Neoaristotelismus im engeren Sinne ausmacht.

Die Platon-Kritik des Aristoteles in seiner ›Nikomachischen Ethik‹ mündet in den Satz: »Auch wenn ein Gutes existiert, das eines ist und allgemein ausgesagt wird, oder das abgetrennt und an und für sich besteht, so ist es doch klar, daß dieses Gute für den Menschen weder zu verwirklichen noch zu erwerben ist. Nun ist es aber ein solches, was wir suchen.«[13] Dann heißt es: »Man sieht auch nicht ein, was ein Weber oder Schreiner für einen Nutzen in seiner eigenen Kunst haben soll, daß er das Gute an sich kennt, oder wie einer ein besserer Arzt oder Feldherr wird, ›wenn er die Idee des Guten betrachtet hat‹.«[14] Da die Idee des Guten dasjenige ist, zu dem man sich ausschließlich theoretisch verhalten kann, folgt aus den Argumenten des Aristoteles die These von der *begrenzten Praxisbedeutung der Theorie*, die ihrerseits in der *begrenzten Theoriefähigkeit der Praxis* selbst gründet. Die reine Theorie des Guten ist nutzlos, wenn es um das praktische Gute geht, das Menschen tätig verwirklichen oder erwerben können. Der Grund hierfür ist ein ontologischer: die Gegenstände der Theorie und der Praxis befinden sich auf verschiedenen ontischen Ebenen. Erkennen kann man nur, was allgemein und »an sich« ist; Handeln aber findet immer am Einzelnen und im einzelnen statt, und es steht in unserer Macht. Das bedeutet für Aristoteles nicht, daß die Praxis gänzlich theorielos oder eine Theorie der Praxis ganz unmöglich wäre. Er konzipiert seine praktische Philosophie durchaus in praktischer Absicht – »denn wir fragen nicht, um zu wissen, was die Tugend sei, sondern damit wir tugendhaft werden, da wir anders keinen Nutzen von ihr hätten«[15] –, aber er warnt vor der Erwartung, die Theorie der Praxis könnte die Praxis in allen Einzelheiten anleiten, denn »wir werden uns … mit demjenigen Grade von Bestimmtheit begnügen müssen, der dem gegebenen Stoffe entspricht.«[16] Die Pointe dieses Hinweises ist, daß überzogene Ansprüche an die Praxisbedeutung von Theorie genau die Theoriefähigkeit der Praxis *zerstören* müßten. Als wissenschaftliche könnte die Theorie immer nur das Allgemeine der einzelnen Praxissituationen ins Auge fassen und verfehlte damit notwendig das Spezifische der Praxis; so würde die Theorie der Praxis praktisch irrelevant – so wie es nach Aristoteles dem Arzt oder Feldherrn erginge, wollte er sich bei der Operation oder in der Schlacht praktisch folgenreich an seine Schau der Idee des Guten selbst erinnern. Daß die Theorie der Praxis – gemessen an Standards der Wissenschaftlichkeit – hinter der Theorie des Kosmos zurücksteht, ist somit nach Aristoteles in praktischer Absicht gerade ein *Vorteil.* Die praktische Irrelevanz eines reinen Prinzipienwissens für die Praxis bedeutet zwar, daß die praktische Philosophie ihre Ansprüche auf Wissenschaftlichkeit ermäßigen muß, dafür gewinnt sie jedoch an Praxisnähe.

Fragt man nach den *politischen* Konsequenzen dieses aristotelischen Theorie-Praxis-Modells, kann man wieder unmittelbar bei Aristoteles anknüpfen: es entfallen die Philosophenkönige und ihre Theoriediktatur. Der Besitz theoretischer Einsicht ist für Aristoteles deswegen noch keine hinreichende Grundlage legitimer Herrschaftsausübung, weil der wissenschaftlichen Erkenntnisfähigkeit *(epistéme)* genau der Sinn für das Kontingente und Situationsbedingte abgeht, dessen es in der Praxis bedarf; dieser Sinn aber ist die Klugheit *(phrónesis),* die durch wissenschaftliche Erkenntnis geschärft, aber eben nicht ersetzt werden kann. Die aristotelische Philosophie der *phrónesis* gibt somit der ›gesunden Vernunft‹ *(órthos lógos),* d. h. dem gesunden Menschenverstand und dem *common sense* eine Chance gegen das elitäre Expertenwissen. So ist sie die Fundamentaltheorie unseres Verständnisses von liberaler Demokratie, in der die Zustimmungsfähigkeit politischer Argumente und Entscheidungen sich nicht ausschließlich, ja nicht einmal primär an theoriedefiniter Wahrheit bemißt. Aristotelisch ist es, auf die Öffentlichkeit mehr zu setzen als auf die Autorität der Wissenschaft, oder auf den Konsens oder die Mehrheitsentscheidungen erfahrener, aufrechter Bürger mit einem gesunden Sinn für die Dinge vor allem zu bauen und die Technokraten und Intellektuellen in die Schranken zu verweisen. Dabei ist es doch ganz unplausibel, warum diejenigen, die es besser wissen, nicht auch entscheiden sollten; auch heute noch ist dies vielen Menschen nur schwer zu erklären, und Aristoteles bleibt dabei eine wichtige Hilfe.

Bestünde der Neoaristotelismus nur in der Erinnerung an dieses Theorie-Praxis-Konzept, wäre eine Verbindung zum Neokonservatismus nur schwer herzustellen. Daß unsere Neoaristoteliker mit den Philosophenkönigen heute vor allem die Linken meinen, läßt sie übersehen, daß die Neue Linke mehrheitlich radikaldemokratisch und nicht stalinistisch orientiert war; somit stand sie

Aristoteles näher als Platon. Jenes Konzept wirkt nur indirekt konservativ. Die Besinnung auf die Grenzen der Theoriefähigkeit von Praxis und der Praxisrelevanz von Theorie ist seit dem letzten Jahrhundert ein Grundmotiv der Theorie der *Geisteswissenschaften*. Sie stand in einer doppelten Frontstellung: einmal gegen Hegels Geschichtsphilosophie und ihre logischen Deduktionen des Historischen aus dem Abstrakt-Vernünftigen, zum anderen gegen die Idee einer »sozialen Physik«, d. h. das Konzept einer naturwissenschaftlich konzipierten Wissenschaft der Menschenwelt. Hegel und Newton galten in dieser Opposition als Vertreter der ›reinen‹ Theorie, vor der die Praxis und die *phrónesis* in Schutz zu nehmen sei. (Heute nehmen der orthodoxe Marxismus und die Systemtheorie diese Stelle ein.) Gleichzeitig verstanden sich im 19. Jahrhundert die Geisteswissenschaften – vor allem die Geschichte – als die einzigen wirklich praxisorientierenden Disziplinen; daß sie später selbst ›rein theoretisch‹ wurden, ist eine Verfallsform ihres ursprünglichen Ethos. Der Grund für diesen Verfall ist in der Tatsache zu suchen, daß der geisteswissenschaftliche Aristotelismus historisch mit dem *Historismus* zusammenfiel. Die Historisierung auch des ontologischen und psychologischen Bezugsrahmens der aristotelischen praktischen Philosophie[17], d. h. seine Interpretation als einer bloß *relativ* gültigen Basis von Ethik und Politik, führt dazu, daß selbst *das* Maß an Theoriefähigkeit von Praxis und von Praxisrelevanz der Theorie, das Aristoteles wegen seiner allgemein-theoretischen Aussagen über den Menschen und seine Welt noch zugestanden hatte, noch weiter reduziert wird. Das Ergebnis ist die Wertfreiheit auch noch der Geisteswissenschaften: eine Forderung, gegen die sich vor allem die politisierenden Historiker am nachhaltigsten und längsten gewehrt haben. Diese Historisierung der aristotelischen Anthropologie läuft allerdings objektiv auf theoretische Verstärkung des Konservatismus hinaus. Womit man keine starken normativen Ansprüche mehr verbinden kann, damit kann man auch keine radikale Kritik begründen. Theoretische Skepsis kommt der Macht des Bestehenden allemal zugute; so ist nicht zufällig Descartes auch der Erfinder der provisorischen Moral. Der historistisch aufgeklärte Neoaristoteliker kann eigentlich nur *Skeptiker* sein, und dies bedeutet, daß er nach dem »Abschied vom Prinzipiellen« (Marquard) in gleichmäßiger Distanz sowohl zur Kantischen Sollensethik wie zu den platonisierenden Wertethiken und den theoretischen Sozialwissenschaften die Praxis der praktischen Klugheit überläßt und damit sich und uns von normativen Zumutungen weitgehend entlastet.

II

Die Unterscheidung zwischen *prâxis* und *poíesis* ist die Grundlage des *handlungstheoretischen* Aristotelismus. Historisch läßt sich zeigen, daß die aristotelische Tradition in der praktischen Philosophie ziemlich genau in dem Maße in den Hintergrund trat, in dem man für die begriffliche Unterscheidung zwischen Handeln und Herstellen, Tun und Machen keine Verwendung mehr hatte. Bei Aristoteles selbst empfiehlt es sich, bei der Erklärung jenes Unterschieds wieder von seiner Platonkritik auszugehen. Er wendet sich nicht nur dagegen, das handlungleitende Wissen für ein rein theoretisches zu halten, sondern auch gegen die Vorstellung, es sei ein allgemeines und überall anwendbares technologisches Wissen – wir nennen das heute »knowhow«. Nach Aristoteles ist die *phrónesis* als das Vermögen praktischer Erkenntnis sowohl von der *epistéme* (Wissenschaft) wie von der *téchne* (Kunst) fundamental verschieden, und der Grund dafür ist für ihn wieder ein ontologischer: weil Handeln und Herstellen verschieden sind, muß dies auch für die zugehörigen dianoetischen Tüchtigkeiten *phrónesis* und *téchne* gelten.[18] Die Unterschiede zwischen *prâxis* und *poíesis* ergeben sich ihrerseits daraus, daß beide Arten menschlicher Tätigkeit die beiden Arten möglicher Bewegung exemplifizieren: die vollkommene und die unvollkommene.[19] In der teleologischen Weltauffassung des Aristoteles ist die Bewegung vollkommen, die ihr *télos* in sich selbst hat, während der unvollkommenen ihr *télos* äußerlich ist. Übersetzt in die Redeweise von Mitteln und Zwecken, die unserem praktischen Alltagsdiskurs ganz naheliegt, bedeutet dies, daß das Handeln selbst Zweck – *nicht*: Selbstzweck – ist, während das Herstellen um eines Zweckes willen als Mittel geschieht, der nicht in ihm selbst präsent ist. Diese strukturelle Unterscheidung hat dann erhebliche Konsequenzen für die normativen Stellungnahmen zur menschlichen Tätigkeit überhaupt. Gelingendes Handeln und erfolgreiches Herstellen können schon deswegen nicht denselben Kriterien unterliegen, weil das Handeln, das sich selbst Zweck ist, die Bedingungen und Maßstäbe seines Gelingens jeweils in sich selbst enthalten muß; nur das Herstellen kann man an externen Erfolgsgesichtspunkten messen. Für Aristoteles ist Handeln Leben[20], nicht bloßes Lebensmittel wie das Herstellen; darum steht es ontisch und werthaft höher.

Es ist erstaunlich, wie hartnäckig sich die Erinnerung an die *prâxis-poíesis*-Unterscheidung auch dort erhielt, wo man sich längst von der aristotelischen Ontologie verabschiedet hatte: Kants Differenz zwischen dem Technisch-Praktischen und dem Moralisch-Praktischen, Hegels Differenzierung zwischen Arbeiten und Handeln und Max Webers idealtypische Festlegungen von Wert- und Zweckrationalität mögen hier als Belege genügen. (Daß Hannah Arendt dann noch zwischen Arbeiten und Herstellen unterscheidet, kann man als eine systematische Fortentwicklung des handlungstheoretischen Aristotelismus ansehen.) Daraus ergibt sich, daß der *prâxis-poíesis*-Unterschied offenbar unabhängig von der Frage ist, ob es sich bei der jeweiligen Handlungstheorie um eine *teleologische* oder *kausalistische* handelt. Für Kant wie für Max Weber sind Handlungen kausale Ereignisse in der Welt, die sich von anderen Ereignissen dadurch unterscheiden, daß der Handelnde mit ihnen subjektive Orientierungsvorstellungen verbindet.[21] Ob dieser »subjektive Sinn« als der Handlungszweck die Handlung dann auch kausal verursacht, ist eine empirische Frage, die man offen lassen muß. Gleichwohl rechnen Kant wie Weber mit Handlungen, die ohne externe Zweckorientierung es wert sind, getan zu werden – sei es als spezifisch moralische oder wertrationale Handlungen. Offenbar hatte bereits Aristoteles den intuitiv einleuchtenden Unterschied zwischen dem, was wir um seiner selbst willen tun, und dem, was zu einem bestimmten Zweck zu tun ist, theoretisch so deutlich gefaßt, daß er in der praktischen Philosophie seitdem nie mehr ganz verloren gehen konnte.

Die auffälligste theoretische Konsequenz der *prâxis-poíesis*-Unterscheidung liegt nicht in der Ethik, sondern in der Theorie der *Politik*. Ist Politik Handeln und nicht Herstellen, dann gibt es nicht nur keine Philosophenkönige, die über ein technologisches Herrschaftswissen verfügen und gleichzeitig politisch erfolgreich sein können, sondern das *technische* Politikverständnis überhaupt muß dann in der Praxis notwendig zur *Zerstörung des Handelns* und damit des menschlichen Lebens im politisch-gesellschaftlichen Maßstab führen. Im politischen Raum ist *poíesis* Gewalt, denn um Ziele zu erreichen, die außerhalb des Tuns selbst liegen, muß man die Bedingungen des Tuns konstant und kontrollierbar halten; die anderen Menschen können dann nur Material – »Menschenmaterial« – sein und dürfen nicht selbst zu handeln beginnen, um nicht den Erfolg des politischen Herstellens zu gefährden.[22] Bei Aristoteles selbst ist freilich die Freiheitsgefährdung nicht das primäre Argument gegen ein technisches Politikverständnis; auch bei ihm wird die *téchne* der Polisgründung oder Verfassungsreform durchaus zu den Vorzügen großer politischer Figuren gezählt. Entscheidend ist für ihn, daß menschliches Leben wegen des ursprünglich politischen und sprachlichen Charakters des Menschenwesens nur in einem intersubjektiven Lebenszusammenhang gelingen kann; wer nicht seinesgleichen bedarf, ist entweder Gott oder ein Tier.[23] Handeln kann niemand allein, nur herstellen, und darum wäre reine *poíesis*-Politik nur als Tyrannis eines monologisierenden, übermenschlichen Souveräns denkbar, während die *prâxis*-Politik auf die Utopie eines sich selbst genügenden und regulierenden, vielstimmigen und multidimensionalen Konzerts von Interessen und Initiativen verweist. Nicht nur der politische, sondern auch der ökonomisch-soziale *Liberalismus* ist aristotelisch, und ehe man den Aristoteles für den Schutzpatron der »Tendenzwende« hält, sollte man sich vergegenwärtigen, daß zunächst einmal der *Anarchismus* als die radikalste Form liberalen Denkens aus aristotelischem Geiste geboren wurde.

Herstellen und Handeln, das Technisch-Praktische und das Moralisch-Praktische, Zweckrationalität und Wertrationalität, instrumentelle und dialektische Vernunft, Arbeit und Interaktion, instrumentelles und kommunikatives Handeln, System und Lebenswelt – all diese Unterscheidungen laufen, sofern sie kritisch gewandt werden, auf die Kritik am *homo faber* als dem Archetyp der Neuzeit hinaus. Sein Bild ist mit der Umkehrung der Rangordnung zwischen *prâxis* und *poíesis* verknüpft, die metaphysikgeschichtlich aus dem Verlust der objektiven Teleologie folgt. Beruhen nämlich alle Zwecke, denen der Mensch handelnd folgen kann, auf seiner freien Selbstbestimmung, und gerät selbst noch sein eigenes Wesen in den Bereich dessen, worüber er verfügen kann, dann ist der objektive Sinnzusammenhang aufgesprengt, in dem menschliches Handeln selbst Zweck sein kann: die *poíesis* wird praktisch total. Darum ist es nach jener Revolution des Denkens so schwer anzugeben, worin das *Gelingen* der Praxis, d. h. das *gute* Leben bestehen soll, wenn nicht im Erreichen selbstgesteckter Ziele. Unter Bedingungen der Neuzeit ist das *gute Leben* nicht mehr abtrennbar von dem, was Menschen mit einem freien Willen *für das gute Leben halten.* Die ältere Kritische Theorie verdeutlicht diese Schwierigkeit besonders eindrucksvoll: Die aristotelisch inspirierte Kritik an der reinen Zweckrationalität allein vermag die Wertrationalität nicht zu restaurieren, denn niemand kann zugleich individuelle Autonomie des Willens und eine für alle gleichermaßen verbindliche, oberste Wertordnung unterstellen.[24] Zu den Wertorientierungen der Menschen kann man, wie schon Hobbes demonstriert, eben nur eine *deskriptive* Beobachterhaltung einnehmen, wenn man ihnen theoretisch ihren freien Willen läßt. Das bloße reflexive Eingedenken an die Naturgeschichte des *homo faber* schließt nicht das normative Vakuum, das die Emanzipation der *poiesis* von der aristotelischen *prâxis* hinterließ. – Seitdem gibt es verschiedene Versuche von Neoaristotelikern und anderen, auf der Grundlage eines modifizierten Praxiskonzepts Kriterien für das gute Leben zu rekonstruieren. Dabei hat man es mit zwei Schwierigkeiten zu tun. Einmal bedürfte es einer Begründung für die *Höherwertigkeit* des Handelns gegenüber dem Herstellen, denn der »endgültig entfesselte Prometheus«[25] soll ja in die praktische Lebenswelt hineinresozialisiert werden; die Ontologie der vollkommenen und unvollkommenen Bewegung dürfte dazu schwerlich ausreichen. Dann bräuchte man ein *Kriterium* für das Gelingen oder Mißlingen des Handelns selber, und es dürfte nicht nur funktionalistisch sein, weil es sich sonst auf beliebige Kontexte sozialen Funktionierens anwenden ließe: was funktioniert, ist deswegen noch nicht gut.[26] Externe normative Gesichtspunkte kann der handlungstheoretische Aristoteliker deswegen nicht zulassen, weil normative Orientierungen, die dem Handeln äußerlich sind, das *prâxis*-Modell des Handelns wieder der *poiesis* annäherten. Vorerst also liefert die Erinnerung an die *prâxis-poiesis*-Unterscheidung nur ein begriffliches Konzept mit außerordentlich *schwachen* normativen Konsequenzen, und genau dies läuft wieder auf eine den Konservatismus verstärkende, vorläufige Entlastung der Praxis von starken normativen Ansprüchen hinaus.

III

Diese Bemerkungen zum Theorie-Praxis-Verhältnis und zur *prá-xis-poíesis*-Unterscheidung sollten zeigen, daß hier die Anknüpfung an Aristoteles, trotz der den Konservatismus verstärkenden Folgen, die sie haben mag, den Neoaristotelismus im engeren Sinne noch *nicht* hervorbringt; dies ist erst dann der Fall, wenn das aristotelische Modell des Verhältnisses von *Ethik und Ethos* hinzutritt. Aristoteles sagt: »Jeder beurteilt dasjenige richtig, was er kennt, und ist darin ein guter Richter ... Darum ist ein junger Mensch kein geeigneter Hörer für die politische Wissenschaft. Denn er ist unerfahren in der Praxis des Lebens; die Untersuchung geht aber gerade von dieser aus und behandelt diese.«[27] Das antiplatonische Argument, daß es keine ›reine‹ Theorie der Praxis geben könne, zeigt hier seine Kehrseite: ist die Theorie der Praxis *nicht* ›rein‹, kann sie diese nur behandeln, indem sie von ihr *ausgeht*; sie wird *empirisch* in dem Sinne, daß selbst noch ihre Rezeption vorwissenschaftliche, ja praktisch gelebte Erfahrung ihres Gegenstandes voraussetzt. Aus der *práxis-poíesis*-Unterscheidung folgt zudem, daß auch das theoretische Handlungswissen niemals den Grad von Präzision annehmen kann wie das Herstellungswissen, das als ein Verfügen über allgemeine Bedingungen erfolgreicher *poíesis* auf derselben theoretischen Ebene liegt wie die *epistéme*. Zwar ist die *phrónesis* nicht selbst das Medium praktischer Philosophie, denn auch die kennt nur Allgemeines, während die *phrónesis* sich auch im Einzelnen auskennt; aber die Theorie der *práxis* könnte nie die *phrónesis* selber anleiten, wenn sie nicht die Dimension des Einzelnen *frei* ließe, die auszufüllen gerade die Tüchtigkeit der *phrónesis* ausmacht. Das Wissen vom Einzelnen aber ist wieder die *Erfahrung*, die weder theoretisch produziert noch durch Theorie ersetzt werden kann.

Der wesentliche Rückbezug der praktischen Philosophie des Aristoteles auf die lebenspraktische Erfahrung bedeutet für jede aristotelische oder neoaristotelische Position die systematische *Rückbindung der Ethik an ein jeweils je schon gelebtes Ethos*. Methodologisch ist dies das Konzept ›Hermeneutik als praktische Philosophie‹[28]. Im Unterschied zum Empiristen, der die aristotelische *empeiría* der Praxis objektivistisch umdeutet, versteht der neoaristotelische Ethiker den Rekurs auf die Erfahrung als reflektierende Vergewisserung der lebenspraktischen Kontexte, denen auch das ethische Raisonnement immer schon angehört. Zudem interpretiert er diesen Vorgang selbst als einen lebenspraktischen und rechnet darum als historisch Aufgeklärter immer auch mit einer Um- und Fortbildung des Ethos durch die Ethik. Zugleich glaubt er stets, die Platoniker aller Spielarten vor der systematischen Unterschätzung der wirklichen Praxis in deren Ethiken warnen zu müssen, ja er mißtraut ›reinen‹ Theorien der Praxis auch deswegen, weil er sie für Produkte einer vom gelebten Ethos entfremdeten, »freischwebenden« Intelligenz halten muß. Der Fundamentalkonservatismus dieses Ethikkonzepts zeigt sich an den beiden wichtigsten polemischen Konsequenzen, die es notwendig zeitigt: an der *Kritik der Utopie* und an der *Zurückweisung ethischer Letztbegründungen.*

Die Kritik am praktischen »Jenseits«, d. h. an der Orientierung an einem idealen Leitbild des Guten oder einem reinen Sollen gründet sich in der aristotelischen Tradition nicht primär auf bloß wissenschaftstheoretische Argumente gegen die Möglichkeit eines reinen *theoría*- oder *poíesis*-Wissens über die Praxis. Die Grundprämisse drückt sich in der Überzeugung aus, *daß das Gute schon in der Welt ist* und nicht darauf wartet, von uns aus einem abstrakten Ideenhimmel in sie erst hineingebracht zu werden. Daß wir das Gute in der Welt auch handelnd realisieren müssen, ist für den Neoaristoteliker deswegen kein Einwand, weil für ihn Handeln und Herstellen verschieden sind; das Handeln kann deshalb niemals als Durchsetzung eines Jenseitigen im Diesseits verstanden werden, sondern nur als ein Verwirklichen von realen Möglichkeiten. Dieses antiutopische Motiv bleibt im Aristotelismus auch nach der historistischen Aufklärung[29] erhalten, denn das historistische Geschichtsverständnis grenzt ebenfalls Utopien aus: als »unhistorisch« müssen sie ihm erscheinen, und dies auch dann, wenn sie geschichtsphilosophisch als Leitbilder oder Endziele der Geschichte selbst präsentiert werden. An die Stelle des bei Aristoteles wesentlich statisch gedachten gelebten Ethos tritt beim modernen Neoaristoteliker die ›*Vernunft in der Geschichte*‹; sie in ihrer praktischen Wirklichkeit auszulegen, hält er für die zentrale Aufgabe philosophischer Ethik. Von Hegel unterscheidet ihn der Verzicht auf alle geschichtsphilosophischen Garantien, aber genau dies nötigt ihn, der schon akkumulierten praktischen Erfahrung, d. h. der Tradition mehr zu vertrauen, als es ein vom ›Ziel der Geschichte‹ überzeugter Hegelianer nötig hätte. Gerade wenn die Geschichte offen ist, ist die ›Vernunft in der Geschichte‹ wesentlich *die Vernunft in der Tradition*; so ist für den Neoaristoteliker der Traditionalismus fast unvermeidbar.

Der Utopie-Kritik entspricht im Neoaristotelismus die Zurückweisung eines von der praktischen Wirklichkeit *unabhängigen* normativen Fundaments des Handelns; gegenüber einem platonischen oder kantischen Apriorismus bleibt der Neoaristoteliker auch hier »Empirist«. Er wird nicht alle Begründungsansprüche zurückweisen, so wenig wie Aristoteles darauf verzichtet, eine Ethik zu schreiben, aber »Begründung« wird dabei etwas anderes heißen als in der Philosophie der Neuzeit üblich: *Begründungen können in seinem Konzept nichts anderes sein als hermeneutisch angeleitete Hinweise und Argumente, die vor allem das individuelle Einverständnis mit den Grundlagen des jeweils je schon gelebten Ethos nahelegen sollen.* Kritik im einzelnen ist damit durchaus vereinbar, aber nicht Distanzierung im ganzen. Hegel nennt dies »Versöhnung mit der Wirklichkeit«, die allerdings auch die Erfahrung einschließt, daß die »Rose im Kreuze der Gegenwart« Stacheln besitzt. Die Ausgrenzung von voraussetzungsloser Ethik bedeutet notwendig den prinzipiellen Ausschluß ethischer Letztbegründungen; darin sind sich Neoaristoteliker und Neuhegelianer einig.[30] Wenn die Ethik selbst wesentlich und ihrem Gehalt nach an das Ethos gebunden ist, dann ist eine ethische Letztbegründung, die auch noch dieses Ethos zu hinterfragen sucht, nicht bloß ungebildet; sie kann letztlich selbst nur etwas Unmoralisches sein.

Die neoaristotelische Rückstufung starker Begründungsansprüche in der Ethik läßt freilich auch deren *Inhalt* nicht unbeeinflußt; es bleibt nicht dabei, daß dann die Grundsätze aprioristischer Entwürfe nur mit schwächeren Geltungsansprüchen ausgestattet würden. Sieht man einmal auf Kant, so ist deutlich, daß hermeneutische Ethos-Ethiken Imperative, die *kategorisches* Sollen meinen, *niemals* begründen können: ja sie können dies nicht einmal *wollen*, weil dies die formulierbaren Sollensansprüche ja genau von den Bedingungen ablöste, unter denen sie für den Neoaristoteliker überhaupt ethisch relevant sind, d. h. von den Bedingungen des jeweils je schon gelebten Ethos. Die Ethos-Ethik bringt es nur zu *hypothetischen* Imperativen, wenn überhaupt, und die sind nichts anderes als situationsspezifische Klugheitsregeln, die Kant oder Fichte niemals moralisch genannt hätten. Die oft bemerkte Amoralität der Ethik des Aristoteles hat hier ihre Wurzel; so wie er die praktische Philosophie insgesamt ganz unbefangen dem Nutzen unterstellt, den wir von ihr haben, so ist auch seine Tugendlehre mehr eine Anweisung zum glücklichen Leben als zu einer moralischen Existenz. Darum ist es nicht verwunderlich, daß der Neoaristoteliker immer ein tiefsitzendes *Mißtrauen gegen die Moralität* hegt. Wenn Hegel über die wahre Moralität sagt, sie sei »subjektive Gesinnung, aber des an sich seienden Rechts« und sie dann »das Sittliche« nennt, liegt in dem »aber« genau der Einwand gegen das moralische Bewußtsein, das sich von seinem Ethos-Hintergrund abgelöst hat und deswegen notwendig zur Inkorporation des Bösen wird.[31]

Damit ist angedeutet, was in der neoaristotelischen Ethik mit der *Autonomie des Individuums* geschieht. Von Aristoteles unterscheidet sie sich dadurch, daß sie Autonomie im Grundsatz anerkennt, aber sie stuft sie herab *von einem Prinzip der Moralität zum bloßen Moment der Sittlichkeit*; wieder ist Hegel das Vorbild. So wie kategorisches Sollen ist auch ein unbedingtes *Gewissen* in der Ethos-Ethik systematisch ortlos: der Neoaristoteliker wird es letztlich als etwas Unsittliches ansehen müssen. Das bringt ihn leicht dazu, zwar zu behaupten, daß in unserer »sittlichen Welt« die individuelle Autonomie gesichert sei, dann aber denjenigen, der im Ernst von ihr Gebrauch zu machen versucht, aus der »sittlichen Welt« auszugrenzen. Für den konservativ gewordenen Neoaristotelismus ist *Autonomie dasselbe wie Fundamentalopposition*.[32] Erinnern wir uns an Kant, dessen Moralphilosophie die Herleitung eines kategorischen Sollens gerade unter Bedingungen individueller Autonomie zu leisten unternommen hatte, dann wird deutlich, wie teuer die hermeneutische Ermäßigung starker Begründungsansprüche bezahlt werden muß, denn für Kant war es ausgemacht, daß Autonomie und kategorisches Sollen zusammengehören und unabhängig voneinander nicht zu haben sind.

Die neoaristotelische Klugheitsethik mit ihren schwachen Begründungsangeboten und ihrer gebildeten Relativierung des Autonomieprinzips ist im Ergebnis eine eminent *politische* Ethik. Die hermeneutische Rückbindung der Ethik an das Ethos erzeugt nicht nur ein geradezu habituelles Vorurteil zugunsten des Bestehenden; sie erzeugt auch ein systematisches Mißtrauen gegen das Individuum, das ein Ethos ja nur *exemplifizieren*, aber niemals *selbst tragen* kann. Darum neigen die Neoaristoteliker zur Reduktion der Ethik auf die Politik; denn was ist das Ethos anderes als die politische Wirklichkeit im weiteren Sinne? Diese Wirklichkeit des Ethos ist die der *Institutionen* der »sittlichen Welt«. Hegels Kritik der Vertragstheorien und seine Apotheose des Staates erscheinen bei den modernen Neoaristotelikern wieder als deren Institutionalismus, in dem sie mit unseren neueren »Hobbisten« übereinkommen, und dies alles läßt sich sehr gut mit *funktionalistischem* Denken verbinden.[33] Der rein funktionalistische Institutionalismus stellt sich freilich erst dann her, wenn man das hermeneutische Vorurteil, das gelebte Ethos sei selbst etwas ethisch Werthaftes, auch noch hinter sich gelassen hat.

So läuft *die neoaristotelische Ethos-Ethik* letztlich auf eine *politische Institutionenethik* hinaus, die die Moralität nicht leugnet, aber auf subjektive Privatmoral reduzieren möchte. Weil das im Politischen je schon realisierte Ethos dem moralischen Individuum je schon vorgeordnet sein soll, erklärt sich die Neigung der Neoaristoteliker, die *Differenz zwischen Politik und Moral von der Politik her einzuziehen* und im übrigen *vor der Moralisierung der Politik zu warnen*. Dabei geht es nicht nur um die »Grenzen der Machbarkeit« des Ethos selber, wie sie sich aus der *práxis-poíesis*-Unterscheidung ergibt; dem Individuum wird gesagt, daß seine Subjektivität ihren Ort habe im »sittlichen Ganzen« der Institutionen, daß es aber diese Institutionen zerstöre und damit auch sich selbst, wenn es nicht an diesem Ort verharre und auf weitergehende Ansprüche verzichte. Im *historistisch-aufgeklärten politischen Eudämonismus der Neoaristoteliker*, die das *gelebte Ethos institutionalistisch* interpretieren, wird so ein *hermeneutischer Hinweis* unmittelbar zum *politischen Argument*.

IV

Nimmt man die Thesen über das Theorie-Praxis-Verhältnis, über die Differenz zwischen Handeln und Herstellen und über die Beziehungen zwischen Ethik und Ethos einmal zusammen, so nähert sich der Neoaristotelismus dem an, was ich die ›Ideologie der phrónesis‹ nennen möchte. Die *phrónesis* ist die spezifisch aristotelische Stellung des Gedankens zur praktischen Objektivi-

tät; sie ist der Grund sowohl für die systematische Abschwächung aller Theorie- und Begründungsansprüche zugunsten der
gelebten Praxis wie für die hermeneutische Selbsteinbindung der
Theorie in diese Praxis, die damit auch in der Theorie dominiert.
Zur Kritik dieser Ideologie sei hier nur ein historisches und ein
systematisches Argument angeführt.

Zunächst ist zu fragen, was *phrónesis* in einer technisch und
wissenschaftlich durchrationalisierten Welt sein könnte. Daß wir
nicht mehr in der wesentlich statischen und in ihren Grundstruk-
turen unveränderlichen sozialen Welt leben, auf die hin Aristoteles die *phrónesis* konzipiert hatte, gesteht der Neoaristoteliker zu
und hält sich an die ›Vernunft in der Geschichte‹. Was er aber
schwerlich zeigen kann, ist die Angemessenheit der *phrónesis* an
die Vernunft, die unsere Geschichte in der Moderne bestimmt;
um an ihr festhalten zu können, muß er die »Kolonialisierung der
Lebenswelt« im Zeichen der Zweckrationalität systematisch un-
terschätzen. Die neuzeitliche Dominanz der *poíesis* und des *homo
faber* beruhen nicht nur auf dem Vergessen einer wichtigen
begrifflichen Unterscheidung, sondern die *téchne* ist die *Signatur
des Zeitalters*. So läuft der Neoaristoteliker mit seiner Beschwö-
rung der *phrónesis* Gefahr, ohnmächtig ein bloßes *Gegenbild* zur
zweckrational durchgeformten Lebenswelt zu beschwören und
den komplementären Traditionalismus zu verstärken, den uns die
Neokonservativen als Heilmittel gegen die unerwünschten Nebenfolgen der technisch-wissenschaftlichen Modernisierung
empfehlen. Damit sei nichts gegen die Erinnerung an die *phrónesis* und nichts zugunsten eines ungetrübten *téchne*-Glaubens gesagt. Vielleicht ist es heute altmodisch, hier an das Konzept der
Reflexion zu erinnern: »Der Speer nur schließt die Wunde, der sie
schlug«, pflegte Adorno zu zitieren. *Phrónesis*, Klugheit in der
Theorie können wir heute nicht dadurch beweisen, daß wir die
Idee der *phrónesis* gegen die *téchne* ausspielen, sondern nur
dadurch, daß wir die *Grenzen* der *téchne* mit ihren eigenen
Mitteln übersteigen.

Systematisch bedeutet dies, daß wir in der praktischen Philosophie nicht von den Begründungsansprüchen ablassen dürfen, die
bei Aristoteles der *epistéme* und *téchne* und in der Moderne
einem starken Konzept von Rationalität allein angemessen sind;
zentral ist hier der Anspruch auf *Allgemeinheit*. Für den Ethos-
Ethiker ist das praktische und sittliche Allgemeine, von dem er

ausgeht, immer nur ein konkret-historischer Handlungszusammenhang: ein bloß *pragmatisches* Allgemeines. Schon bei Aristoteles ist das allgemeine Wissen, das in der *phrónesis* implementiert ist, ebenfalls nur ein pragmatisch-allgemeines Wissen; wäre dies nicht der Fall, könnte es durch theoretisches Wissen ersetzt werden, was unmöglich ist. Der Neoaristoteliker hält daran fest, indem er bestreitet, daß das Allgemeine des Ethos, in das die praktische Philosophie selbst immer schon eingelassen ist, eine abstrakte Prinzipienmenge sei, und er warnt davor, es so zu interpretieren. Methodologisch bedeutet dies, daß er die *phrónesis* noch *unterhalb* dessen ansiedeln muß, was Kant ›*Urteilskraft*‹ nannte. In der Urteilskraft – ob bestimmend oder reflektierend – spielen nach Kant Gesichtspunkte von nicht bloß pragmatischer, sondern *prinzipieller* Allgemeinheit eine unentbehrliche Rolle. *Prinzipien* aber und nicht nur pragmatische Universalien sind dasjenige, was in einer durchrationalisierten Lebenswelt allein individuelle Autonomie zu garantieren vermag, was man an den Grundrechten exemplifizieren könnte. Die Philosophie der *phrónesis* wird nur dann der Gefahr entgehen, eine bloß konservative Ideologie zu sein, wenn sie die *phrónesis selbst* als *praktische* Urteilskraft im Sinne Kants rekonstruiert, und dies schließt logisch den Fortgang von einem bloß pragmatisch-allgemeinen Ethos zum Prinzipiell-Allgemeinen der praktischen Vernunft ein.

Der Streit über Moralität und Sittlichkeit, den Kantianer und Hegelianer seit langem miteinander austragen, wird letztlich wohl nur zu schlichten sein, wenn man sich über den *Freiheits*begriff einigt. Faßt man Freiheit als *subjektive Selbstbestimmung* wie Kant, können Ethos und Sittlichkeit nur als *Heteronomie* erscheinen; versteht man mit Hegel Freiheit hingegen als *Beisichsein im Anderssein*, ist subjektive Autonomie ein irreführendes Ziel. Wichtig ist aber, daß die Differenz zwischen *phrónesis* und Urteilskraft von dieser Kontroverse *unabhängig* ist: man muß nicht die *phrónesis* beschwören, um auch lebenspraktisch im Anderen bei sich sein zu können; die Alternative ›Kant oder Hegel‹ stellt sich hier gar nicht. Eine Lebenswelt, in der *universelle*, die individuelle Freiheit garantierende Prinzipien institutionalisiert sind, verkörpert nicht nur ein *historisch-kontingentes*, sondern ein *rational-universalistisches* Ethos, und mit ihm kann man auch als ein rationales und auf seiner rationalen Autonomie bestehendes Individuum »versöhnt« sein.[34] Die Diskursethiker[35] freilich seien an dieser Stelle aufgefordert, das Thema ›Institutionen‹ nicht den »Institutionalisten« zu überlassen und ihr Konzept endlich um eine entsprechende Institutionenethik zu ergänzen; dies wird nur möglich sein, wenn unter ihnen nicht mehr bloß von Moralität und Sittlichkeit, sondern auch von der *Legalität* die Rede ist. Legalität – prinzipiell oder idealtypisch genommen – betrifft die Bedingungen der Freiheit im *äußeren* Verhältnis der Menschen zueinander. Gerade dieses Moment der Äußerlichkeit, das der Traditionalist beklagt, erfahren wir subjektiv als *Basisbedingung für unsere individuelle Freiheit in der modernen Lebenswelt*; Legalität ist das wichtigste *nicht*aristotelische Element dessen, was wir als unser Ethos auffassen könnten.

V

Es bleibt an ein weiteres aristotelisches Motiv von unverminderter Aktualität zu erinnern, das wohl unabhängig von dem ist, was hier als Neoaristotelismus beschrieben wurde: die Kritik am *ethischen Intellektualismus*. Gemeint ist damit die Kritik an der von Aristoteles dem Sokrates zugeschriebenen Überzeugung, daß Tugend Wissen und nichts sonst sei. Die Diskursethiker müssen an diese Kritik erinnert werden, denn sie scheinen aus verständlichen Berührungsängsten mit dem Dezisionismus den Kognitivismus in der Normenbegründung zu weit getrieben zu haben. Rein kognitivistisch vermag man immer nur den propositionalen Gehalt von Normen zu rekonstruieren und dessen *theoretische* Geltung; die *praktische* Gültigkeit, d. h. die normative Kraft der Normen bekommt man so nicht in den Blick.[36] Dies gelingt nur, wenn man sich an die aristotelische *prohaíresis* erinnert; als »überlegtes Streben nach dem, was in unserer Macht steht«, ist sie nach Aristoteles die Wirkursache der Handlung.[37] Aus der Interaktion von Vernunft und Streben wird bei Kant die zwischen Vernunft und Willen, und wenn Kant in der ›Metaphysik der Sitten‹ schließlich formuliert, daß der Wille in einem nachdrücklichen Sinne »die praktische Vernunft selbst«[38] sei, dann kann man den kantischen Kognitivismus in der Ethik nicht so verstehen, daß er dem Voluntarismus bloß entgegengesetzt sei: praktische Vernunft schließt das Wollen ausdrücklich *ein*. Für die Normenbegründung bedeutet dies, daß man ohne Berücksichtigung dieses voluntativen Elements immer nur zu einem formal-intellektualistischen Verallgemeinerungsprinzip gelangt: man kommt nur zu einem Schema vernünftiger Willens*bildung*, während vernünftige Normen Schemata vernünftiger Willens*bindung* sind, die aber nur dann nicht Prinzipien der Heteronomie bleiben, wenn sie als Schemata *vernünftiger Willensbindung durch den vernünftigen Willen selbst* dargestellt werden können. Dies ist der Kern des Hobbesschen und Rousseauschen Gedankens, daß alle vernünftig legitimierbare Verpflichtung, die nicht auf äußerer Gewalt beruht, letztlich Selbstverpflichtung, d. h. *autonome* Selbstbindung des Willens ist. Man sollte das Dezisionismus-Gespenst auf sich beruhen lassen und die Willens- und Entscheidungselemente in der praktischen Vernunft selbst nicht länger verleugnen, auch wenn bestimmte Neoaristoteliker sie gern dramatisieren. Normen normieren nur dort ohne Heteronomie, wo sie nicht nur *kognitiv*, sondern auch *praktisch* aus freien Stücken *anerkannt* werden. Diese praktische Anerkennung enthält immer auch ein *Entscheidungs*element, das auf die kognitive Zur-Kenntnisnahme nicht reduzierbar ist. Darauf hinzuweisen ist so lange kein Dezisionismus, wie man zeigen kann, daß das Entscheidungselement in Rationalität kontextuell eingebunden ist, ja man sollte an dieser Stelle nicht einmal von ›Rest-Dezisionismus‹[39] sprechen, weil dies die Vorstellung nahelegen könnte, die Entscheidungselemente in der praktischen Vernunft seien kontextfreie »Reste« absolutspontaner Entscheidungen. Es ist nicht einzusehen, warum der Hinweis auf die Unentbehrlichkeit von Entscheidungen ein Einwand gegen das Konzept praktischer Vernunft sein soll, wenn die praktische Vernunft die Kraft hat, die Entscheidungen ebenso anzuleiten wie das aristotelische *logistikón*, auf das das *oretikón* zu hören im Stande und auch bereit ist.[40]

Der ethische Intellektualismus der Diskursethiker scheint mir auf einer Inkonsistenz des tranzendental- oder formalpragmatischen Ansatzes insgesamt zu beruhen. Es ist mir unverständlich, wie man zugleich die Sprechakttheorie rezipieren und in der Normenbegründung einen reinen Kognitivismus vertreten kann. Versteht man Rationalität nicht nur akzidentell, sondern *strukturell* von kommunikativem Handeln her, dann sind alle Fälle der *Wirklichkeit von Vernunft* immer auch Fälle *wirklichen Handelns*. Damit ist in *wirklicher Vernunft* stets auch *Wollen* und *Entscheiden* im Spiel. Der diskursethische Kognitivist kann seinen Kognitivismus nur um den Preis einer Ausgrenzung aller illokutionären und perlokutionären Elemente aus der Diskurswirklichkeit durchhalten, und dies bedeutete die Abstraktion von genau den Bestimmungen und Elementen, die seine Theorie zu einer transzendental- oder formal*pragmatischen* machen. Gerade die Sprechakttheorie nötigt die Ethik zur Erinnerung an die *prohaíresis*; sie ist so eine Gestalt des Neoaristotelismus, von dem in diesem Vortrag noch gar nicht die Rede war.

Anmerkungen

1 Vgl. Art. »Neuplatonismus« in: *Historisches Wörterbuch der Philosophie* (Hg. J. Ritter et al.), Band 6, Sp. 754-756.

2 Für den Neukantianismus vgl. Otto Liebmann, *Kant und die Epigonen* (1865). – Für den Neomarxismus ist die Schrift von G. Lukàcs »Was ist orthodoxer Marxismus?« repräsentativ (in: ders., *Geschichte und Klassenbewußtsein*, Berlin 1923). – Im Neopositivismus stiftete das empiristische Sinnkriterium die methodologische Identität der Richtung (vgl. dazu: C. G. Hempel, »Empiricist Criteria of Cognitive Significance: Problems and Changes«, in: ders., *Aspects of Scientific Explanation and other Essays*, New York/London 1965 (Dt. von W. Lenzen, Berlin 1974). – Zur methodologischen Identität des »politischen Aristotelismus« vgl. Günther Bien, *Die Grundlegung der politischen Philosophie bei Aristoteles*, Freiburg/München 1973, 364 ff. – Es gibt bereits eine Orthodoxie der sogenannten Frankfurter Schule, die sich in gleicher Weise definiert: vgl. M. Löbig/G. Schweppenhäuser (Hg.), *Hamburger Adorno-Symposion*, Lüneburg 1984.

3 Hier beziehe ich mich vor allem auf die politischen Schriften von Jürgen Habermas, jetzt in: ders., *Die Neue Unübersichtlichkeit*, Frankfurt 1985; vgl. auch die Einleitung zu Jürgen Habermas (Hg.), *Stichworte zur ›Geistigen Situation der Zeit‹*, Frankfurt 1979.

4 Vgl. Manfred Riedel (Hg.), *Rehabilitierung der praktischen Philosophie*, 2 Bände, Freiburg 1972/74.

5 Vgl. Hermann Lübbe, »›Neo-Konservative‹ in der Kritik. Eine Metakritik«, in: *Merkur* (1983), 622-632; dieser Aufsatz ist eine Entgegnung auf Jürgen Habermas, »Die Kulturkritik der Neokonservativen in den USA und in der Bundesrepublik«, jetzt in: Jürgen Habermas, *Die Neue Unübersichtlichkeit*, a.a.O., 30 ff.

6 Hermann Lübbe hat die konservative Beweislastverteilung begründet in: *Fortschritt als Orientierungsproblem*, Freiburg 1975; zum Konservatismus als Kompensationsprogramm der unerwünschten Nebenfolgen der technologisch-ökonomischen Modernisierung vgl.

Jürgen Habermas, »Die Kulturkritik der Neokonservativen...«, a.a.O.

7 Vgl. Hermann Lübbe, *Philosophie nach der Aufklärung*, Düsseldorf 1980.

8 Vgl. Martin Greiffenhagen, »Das Dilemma des Konservatismus«, in: Hans-Gerd Schumann (Hg.), *Konservatismus*, Köln 1974, 156 ff.

9 Vgl. Jürgen Habermas, »Nachgeahmte Substantialität. Eine Auseinandersetzung mit Arnold Gehlens Ethik«, jetzt in: *Philosophisch-politische Profile*, Frankfurt 1971, 200 ff.

10 Vgl. hierzu insbes. die Arbeiten von Joachim Ritter, vor allem: *Metaphysik und Politik. Studien zu Aristoteles und Hegel*, Frankfurt 1969/77.

11 Vgl. hierzu Wilhelm Hennis, *Politik und praktische Philosophie. Eine Studie zur Rekonstruktion der politischen Wissenschaft*, Neuwied 1963.

12 Vgl. dazu Jürgen Habermas, »Die klassische Lehre von der Politik in ihrem Verhältnis zur Sozialphilosophie«, in: ders., *Theorie und Praxis* (1963), Frankfurt 1971, 48 ff.; Manfred Riedel, »Über einige Aporien in der praktischen Philosophie des Aristoteles«, in: ders., *Metaphysik und Metapolitik*, Frankfurt 1975, 85 ff. Beide Arbeiten verwenden diese drei Begriffspaare zur Strukturierung der klassischen aristotelischen Überlieferung. (Aus Gründen des idealtypischen Verfahrens verzichte ich im folgenden weitgehend auf Einzelnachweise.)

13 Aristoteles, *Nikomachische Ethik*, 1096 b 32-34 (Übers. von O. Gigon).

14 1097 a 7 ff.

15 1103 b 26 ff.

16 1194 b 12.

17 Vgl. hierzu Günther Bien, a.a.O., insbes. II. Teil.

18 Vgl. Aristoteles, *Nikomachische Ethik*, 1140 a 1 ff.

19 Vgl. *Metaphysik*, 1048 b ff.

20 Vgl. *Politik*, 1254 a 7 f.

21 Kant sagt: »Der Wille, als Begehrungsvermögen, ist ... eine von den mancherlei Naturursachen in der Welt, nämlich diejenige, welche nach Begriffen wirkt; und alles, was als durch einen Willen möglich (oder notwendig) vorgestellt wird, heißt praktisch-möglich (oder notwendig)« *(Kritik der Urteilskraft*, B XII). Diese Charakterisierung des Praktischen gilt unabhängig von der Frage, ob der Wille selbst frei ist oder nicht. Max Weber setzt dann an die Stelle der Wirkung »nach Begriffen« den »subjektiven Sinn«: vgl. *Soziologische Grundbegriffe*, § 1.

22 Vgl. die nähere Ausführung dieses Gedankens bei Hannah Arendt, *Vita activa*, Stuttgart 1960, §§ 27 ff.

23 Vgl. Aristoteles, *Politik*, 1253 a ff.

24 Vgl. Max Horkheimer, *Zur Kritik der instrumentellen Vernunft* (a. d. Engl. v. A. Schmidt), Frankfurt 1967, insbes. 63 ff.

25 Hans Jonas, *Das Prinzip Verantwortung*, Frankfurt 1979, 7.

26 Vgl. hierzu die Diskussion zwischen Rüdiger Bubner und Jürgen Habermas, in: H. Schnädelbach (Hg.), *Rationalität. Philosophische Beiträge*, Frankfurt 1984, 198 ff., insbes. 227.

27 Aristoteles, *Nikomachische Ethik*, 1095 a 1 ff.; zum folgenden vgl. Günther Bien, a.a.O., 124 ff.

28 Vgl. Hans-Georg Gadamer, »Hermeneutik als praktische Philosophie«, in: Manfred Riedel (Hg.), *Rehabilitierung der praktischen Philosophie*, Band 1, a.a.O., 325 ff.; eine differenzierte Fortbildung dieses Konzepts vertritt Rüdiger Bubner: vgl. seinen Beitrag in: H. Schnädelbach (Hg.), *Rationalität*, a.a.O., 198 ff.; ferner: *Geschichtsprozesse und Handlungsnormen*, Frankfurt 1984, vor allem 173 ff.; zur neuhegelianischen Variante hermeneutischer Ethos-Ethik vgl. insbes. die Arbeiten von Joachim Ritter, a.a.O.; zum folgenden vgl. auch die bereits zitierte Debatte zwischen Bubner und Habermas.

29 Vgl. H. Schnädelbach, »Über historistische Aufklärung«, in: *Allgemeine Zeitschrift für Philosophie* (1979), 17-36.

30 Da Hegel in der Frage des Verhältnisses von Ethik und Ethos, Moralität und Sittlichkeit selbst eine modifizierte aristotelische Position einnimmt, können die modernen Neoaristoteliker immer ohne große Schwierigkeiten Hegel zitieren; darum unterscheide ich im weiteren nicht mehr zwischen Neoaristotelikern und Neuhegelianern.

31 Zum Übergang der Moralität in die Sittlichkeit vgl. die §§ 139-141 der *Rechtsphilosophie*; die zitierte Stelle steht in § 141 Anm. – Hegel zufolge ist das Gewissen »als formelle Subjektivität schlechthin dies, auf dem Sprunge zu sein, ins Böse umzuschlagen; an der für sich seienden, für sich wissenden und beschließenden Gewißheit seiner selbst haben beide die Moralität und das Böse, ihre gemeinschaftliche Wurzel« (§ 139). Das Böse in seiner »abstrusesten Form« ist nichts anderes als die »höchste Spitze der Subjektivität im moralischen Standpunkte« (§ 140 A.). Seit Hegel gilt auch ohne die Übernahme von dessen Dialektik der Moralität unter Konservativen der subjektiv-moralische Standpunkt als politisch gefährlich; von Hegels Philippika gegen die Burschenschaften über Carl Schmitts und Arnold Gehlens Denunziation »humanitaristischer« Moral als Herrschaftsideologie der Intellektuellen bis zur philosophischen Terrorismus-Hysterie der 70er Jahre reicht eine ungebrochene neoaristotelische Traditionslinie.

32 Auch dies findet sich zuerst bei Hegel; er sagt über die reflektierenden Skeptiker in Fragen des Rechts, der Sittlichkeit und des Staates: »... ihre Verlegenheit und Schwierigkeit ist ... der Beweis, daß sie etwas anderes als das allgemein Anerkannte und Geltende, als die Substanz des Rechten und Sittlichen wollen. Denn ist es darum wahrhaft, und

nicht um die Eitelkeit und Besonderheit des Meinens und Seins zu tun, so hielten sie sich an das substantielle Rechte, nämlich an die Gebote der Sittlichkeit und des Staats und richteten ihr Leben darnach ein« (*Rechtsphilosophie* (ed. J. Hoffmeister), Vorrede, Hamburg 1955, 6). Die Kantische Frage »Was soll ich tun?«, als Anzeichen einer prinzipiellen Verlegenheit verstanden, wird in dieser Sicht zum Index des Unsittlichen, ja des Bösen selber. – Von Hegel stammt auch die bis heute immer wiederholte Figur einer Kumpanei zwischen der Philosophie der konkreten Sittlichkeit und dem »einfachen Verhalten des unbefangenen Gemüts« (ebd.), das gegen das Räsonnement der subjektivistisch-moralischen Reflexion zu schützen sei (vgl. a.a.O.); sie gehört zum Standardrepertoire neokonservativen Denkens. Gleichwohl ist der Kontrast zu dem, was Hegel selbst als das Prinzip der Neuzeit bezeichnet, erstaunlich: »Es ist ein großer Eigensinn, der Eigensinn, der dem Menschen Ehre macht, nichts in der Gesinnung anerkennen zu wollen, was nicht durch den Gedanken gerechtfertigt ist, – und dieser Eigensinn ist das Charakteristische der neuen Zeit« (ebd., 17). Der »Eigensinn« wird eben nur insofern akzeptiert, als er sich dem »Gedanken« fügt, und was ein Gedanke ist und was nicht, darüber entscheidet letztlich die sittliche Wirklichkeit, so wie sie der Philosoph deutet, und von der er behauptet, daß sich das Individuum ihr zu fügen habe. Die Ethos-Ethik ist eine Selbststilisierung der Ethos-Ethiker zu Repräsentanten objektiver Vernunft. Die neoaristotelische Einbindung des Autonomieprinzips in diese Ethik ist ein Hegelsches Erbe. Seitdem schwankt der Neoaristotelismus zwischen der moralischen Diskreditierung und der geschichtsphilosophischen Anerkennung des »Eigensinns« subjektiver Reflexion hin und her. Das moralische Argument ist dabei ein aristotelischer Gedanke, dessen polemische Verschärfung schon bei Hegel durch seine Kritik der Moderne motiviert ist; in der neokonservativen Publizistik der ›Tendenzwende‹ hat es eine bemerkenswerte späte Wirkungsgeschichte entfaltet.

33 Die heutige Philosophie des Neokonservatismus ist eine Mischung aus neoaristotelischem, dezisionistischem und funktionalistischem Denken; die jeweiligen Anteile variieren von Autor zu Autor.

34 Vgl. Jürgen Habermas, »Über Moralität und Sittlichkeit – Was macht eine Lebensform ›rational‹?«, in: H. Schnädelbach (Hg.), *Rationalität*, a.a.O., vor allem 232 ff.

35 Vgl. die einschlägigen Schriften von Karl-Otto Apel sowie Jürgen Habermas, »Diskursethik – Notizen zu einem Begründungsprogramm«, in: ders., *Moralbewußtsein und kommunikatives Handeln*, Frankfurt 1983, 53 ff.

36 Vgl. die Kritik von Karl-Heinz Ilting am intellektualistischen Fehlschluß in der kommunikationstheoretischen Begründung der Ethik

bei Apel: »Der Geltungsgrund moralischer Normen«, in: Kuhlmann/
Böhler (Hg.), *Kommunikation und Reflexion*, Frankfurt 1982, 612 ff.

37 Vgl. Aristoteles, *Nikomachische Ethik*, 1113 a 11-13 und 1139 a 30 ff.

38 Immanuel Kant, *Metaphysik der Sitten*, AB 5.

39 Vgl. H. Schnädelbach, »Zur Dialektik der historischen Vernunft«, in:
H. Poser (Hg.), *Wandel des Vernunftbegriffs*, Freiburg/München
1981, 37.

40 Vgl. Aristoteles, *Nikomachische Ethik*, 1102 b 13 ff.

Rüdiger Bubner
Moralität und Sittlichkeit –
die Herkunft eines Gegensatzes

Zum Anfang lohnt es, sich eine simple Wahrheit zu vergegenwärtigen. Alle Überschriften, unter welche die philosophische Tradition die Lehre vom richtigen Handeln gebracht hat, sind abgeleitet von den jeweiligen nationalsprachlichen Ausdrücken für anerkannt richtiges Handeln. Ethik kommt von Ethos[1], Moral von mos[2] und Sittlichkeit von Sitte[3]. Also liefert eingelebte Praxis, die gültigen Maßstäben genügt, den Namen für die Theorie, die solche Maßstäbe ausdrücklich entwickelt. Was gemeinhin und vor allem Eingriff philosophischer Reflexion auf verbreitete Befolgung bereits abgestellt ist, geht voran. Hier hat die später hinzutretende Betrachtung anzuknüpfen, wenn sie genauer artikuliert und ausführlich begründet, was dem Handeln als Richtschnur zu gelten hat und wieso es auf unser aller Tun und Lassen Einfluß nimmt.

Aussichtslos und im Ansatz verfehlt muß demgegenüber ein Unterfangen erscheinen, das fern aller Handlungsrealität gewisse Vorschriften ersinnt, die, weil sie nicht von der intersubjektiven Praxis bewährt sind, von der Autorität der Philosophen verordnet werden müssen. Sofern die Legitimation, auf die sich ein solcher Oktroi berufen kann, nicht ihrerseits der Praxis entlehnt ist, sondern etwa aus der Logik theoretischer Erkenntnis stammt, wird die Forderung, das konkrete Handeln solchen Richtlinien zu unterwerfen, nur um so fragwürdiger.

Man wird diesen Überlegungen leicht zustimmen, denn seit der Kritik des Aristoteles an Platos These von der Idee des Guten sind sie gang und gäbe. Die alten Selbstverständlichkeiten geraten freilich außer Kurs, nachdem das moderne Programm umfassender Verwissenschaftlichung den Bereich der Praxis zu erobern beginnt. Nun zielt das Bemühen der Ethiker durchaus nicht mehr darauf, den eigentlichen Gegenstand angemessen, unverzerrt und ohne Zuflucht zu Substituten in den Blick zu nehmen, damit die Analyse gelingen kann und die aufgestellten Normen einen Adressaten finden. Vielmehr erscheint die gleichsam naturwüchsige Regelung der Praxis, die man vorfindet, als Ausdruck wissenschaftlicher Rückständigkeit. Die Kluft zwischen Theorie und Praxis wird nicht länger, wie seit Aristoteles üblich, hingenommen, sondern historisch als Aufforderung an den Fortschritt interpretiert, um einer neuen Wissenschaft den Weg zu ebnen, die der Naturerkenntnis ebenbürtig ist und sich der menschlichen Angelegenheiten definitiv annimmt. Ich beginne mit einem frühneuzeitlichen Beispiel, nämlich Hobbes, und versuche dann zu zeigen, daß Kant sich im Namen eines besonders zugespitzten Vernunftbegriffs in diese Tradition stellt. Schließlich ziehe ich Folgerungen im Blick auf die gegenwärtige Diskussion um ethische Prinzipien.

1 Verwissenschaftlichung der Praxis

Descartes war noch bereit, mit den herkömmlichen Maximen kluger Handlungsanleitung solange auszukommen, bis dieser Bereich im gleichen Maße unter die universale Regie methodischen Denkens genommen werden kann, die wir im Bereich der Naturerkenntnis bereits erfolgreich installiert haben. Eine solche »morale par provision« bezeichnet mithin bloß ein historisches Übergangsstadium, bevor die letzten Residuen überlieferter Lebensformen von der abstrakten Logik einheitlicher Verfahrensregeln aufgesogen sind. Hobbes geht bereits einen deutlichen Schritt weiter in Richtung auf die erwünschte Gleichstellung theoretischer und praktischer Erkenntnis. Die theoretische Erkenntnis, die uns die exakte Wissenschaft von der Natur ermöglicht, beweist ihre Überlegenheit vor allem in der ständigen Umsetzung in Technik. Ein ähnliches Ziel setzen sich nun die hobbesschen »Elementa philosophiae«, indem sie die stringente Beherrschung der menschlichen Dinge zu erreichen suchen.

Wenn die neu zu schaffende moralische Wissenschaft uns die verborgene Gesetzmäßigkeit der Praxis erklärt, vermögen wir auf dieser Grundlage ein Institutionensystem rationaler Sozialtechnik zu errichten.[4] Das letzte folgt schlüssig aus dem ersten. Bevor man die technischen Konsequenzen ideologiekritisch unter die Lupe nimmt, sollte man daher das Programm insgesamt würdigen, das eine derartige Nutzung wissenschaftlicher Erkenntnis erst möglich macht. Es ist nicht so sehr die hobbessche Abhängigkeit vom erwachenden Absolutismus in der Politik, die seiner

Theorie den Stempel aufdrückt. Es ist auch nicht allein das Konkurrenzdogma der über den Markt vergesellschafteten bürgerlichen Individuen, dem er blind Tribut zollt. Obwohl diese Deutungen von den englischen Moralisten des 18. Jahrhunderts bis zu Horkheimer eine eindrucksvolle Ahnenreihe aufweisen, verkennen sie die immanente Zwangsläufigkeit des Theorieprogramms. Es ist gerade die entschlossene Unterwerfung der Praxis unter Gesichtspunkte theoretischer Gesetzmäßigkeit, die eine überlegene technische Organisation erlaubt.

Auf den ersten Blick mag es unproblematisch erscheinen, auf die menschliche Natur diejenigen Kategorien anzuwenden, die uns die äußere Natur theoretisch begreiflich machen. Warum sollte im einen Gegenstandsbereich nicht zutreffen, was sich im andern bewährt hat? Dennoch geht durch diese Übertragung eine wesentliche Verwandlung des Gegenstands vor sich. Die Praxis, welche wir kennen, weil wir sie üben, und die uns in den Horizonten vertraut ist, in denen wir sie üben müssen, wird zu einer neutralen Untersuchungsmaterie umgeformt. Der neue Zugriff der Theorie verändert das Objekt, indem der konkrete Vollzug eines bestimmten Handelns, das zielgerichtet unter kontingenten Umständen sich realisiert, plötzlich wie ein gesetzmäßig verlaufender Bewegungsprozeß unter anderen aussieht. Ebenso wie andere Prozesse erweist sich dieser Prozeß als meßbar und erschließt sich mithin dem Vorzug quantifizierender Betrachtung. Hatte man ihm ehedem mit dem Begriff der Klugheit eine eigne Rationalität zugesprochen, die Situationsdeutung, Mittelwahl und Zielverfolgung in das engste Verhältnis zueinander setzt, so wird diese elementare Klugheitsleistung nun ersetzt durch objektive Vorschriften, die gesetzlich erlassen sind und auf die letzte Rechtsquelle eines legitim einzusetzenden Souveräns zurückgehen.

Hobbes arbeitet an dieser Stelle, die für seinen Beweisgang zentral ist, bekanntlich mit dem dramatisierten Gegensatz zwischen einem Naturzustand, der bloß egoistische Durchsetzung von Einzelinteressen zuläßt, und dem vertraglich etablierten Rechtszustand, in dem jedermanns Interesse in Harmonie mit den Interessen aller anderen gewahrt wird. Ohne daß wir in die Konstruktion im einzelnen eindringen, dürfte bereits deutlich sein, daß zwei Vernunftbegriffe miteinander streiten. Der Naturzustand ist keineswegs vernunftlos zu denken, so als kennzeichnete ihn ein tierisches Triebleben. Die dort herrschende Privatrationalität scheint freilich nicht rational genug für das menschliche Zusammenleben. Sie führt in lebensgefährdende Anarchie und muß daher, wenngleich in Verlängerung der vorrechtlich gegebenen Rationalität, zur Selbstaufgabe genötigt werden.[5]

Aufzugeben sind die natürlichen Ansprüche eines jeden auf alles zugunsten der alleinigen Autorität des rechtssetzenden Souveräns. Aber diese Delegation ist nicht erzwungen, sondern erwächst aus der Einsicht in die Unhaltbarkeit des Naturzustands sowie die überlegene, weil gegen Gefährdung gesicherte Interessenwahrung im Rechtszustand. Eine derartige Einsicht kann nur aus einer klugen Güterabwägung entspringen, und sie muß sogar auf der natürlichen Basis gewonnen werden, weil sonst der gesellschaftliche Vertragsschluß nicht als freier Akt kollektiven Freiheitsverzichts eine Rechtsgrundlage stiftete. Ohne die Annahme einer natürlichen Rationalität im Rahmen praktischer Zielverfolgung vor aller Formulierung von Gesetzen läßt sich die ingeniöse Konstruktion nicht durchführen, die suggeriert, daß Klugheit allein nicht ausreicht für die intendierte Zielverfolgung und daß es daher klug ist, alle Klugheit fahren zu lassen, um die eigne mangelhafte Rationalität von der unüberbietbaren Rationalität verbindlicher Rechtsinstitutionen ablösen zu lassen.

Mit dem Schreckbild des irrationalen Kampfes aller gegen alle meint Hobbes, das schlechthin durchschlagende Argument dafür bereitzustellen, daß Interessenwahrung nur dann wirklich gelingt, wenn objektiv und allgemein in Form von Gesetzen festgelegt werde, wie zu handeln sei. Die Kontingenzbedingungen, unter denen unser alltägliches Handeln immer steht, werden nämlich zur Unerträglichkeit gesteigert, wenn die wechselseitige Einwirkung der Handlungen vieler Subjekte aufeinander vollkommen regellos gedacht wird. Dazu freilich muß von allen Lebensformen, die jene Kontingenzbedingungen auffangen, zunächst radikal abstrahiert werden, um isolierte Individuen zurückzubehalten. Die stehen mit ihrer Privatrationalität in der Tat schutzlos einander gegenüber, ja sie bauen jene Gefährdungen erst auf, denen kein Einzelner gewachsen ist. Keiner ist nämlich imstande vorauszusehen und zu vereiteln, was alle anderen aufgrund antizipierenden Kalküls im Schilde führen. So erscheint der Niveauwechsel der Rationalität von der subjektiven Einschätzung zur objektiven Ordnung ganz zwingend. Sicherheit, Vorhersehbarkeit zukünftiger Aktionen und Reaktionen und damit allgemeine, überindividuelle Planbarkeit stellen das Ziel dar, wo die universale technische Regelung der von Natur aus nicht an fester Gesamtordnung orientierten Praxis die Führung abnimmt. Hierin liegt das Motiv des Wechsels.

Nun wird man vielleicht einwenden, das gezeichnete Bild von Hobbes sei doch ungewöhnlich und manches fehle, was seiner Staatskonstruktion gerade Überzeugungskraft verleiht. Allerdings habe ich Hobbes benutzt als das Hauptexempel einer Schließung der alten Kluft zwischen Theorie und Praxis im Namen einer neu entstehenden »moralischen Wissenschaft«. Das Gesetzesmodell einer allgemein verbindlichen Rationalität verdrängt jene auf Handlungsfälle im einzelnen bezogene Rationalität, die als praktische Klugheit auf Kontingenzbedingungen konkreten Tuns eingerichtet war. Indes bleibt die Frage, ob der Rationalitätsmangel natürlicher Lebensformen analytisch aufgedeckt oder allererst konstruktiv erzeugt ist. Ob Klugheit wirklich nicht klug genug ist, läßt sich im Rahmen des Handelns gar nicht entscheiden. Deshalb argumentiert Hobbes auch keineswegs historisch, sondern verlangt bloß, man möge mit dem Schlimmsten rechnen, dann werde schon einleuchten, wie unerträglich die natürlichen Handlungsbedingungen sind. In Wahrheit ist er damit aber aus dem Handlungsrahmen überhaupt ausgeschert, weil er einem anderen Ideal nachstrebt. Dieses Ideal geben die theoretischen Wissenschaften von der Natur vor, die die Vielfalt der Phänomene abstraktiv auf gesetzesförmige Allaussagen reduzieren.

II Reinigung der praktischen Vernunft

In der Folge vertrete ich die These, daß die kantische Moralphilosophie in der Fortsetzung des frühneuzeitlichen Programms einer moralischen Wissenschaft zu sehen ist. Das mag mißverständlich klingen. Natürlich behaupte ich nicht, daß der Hobbeskritiker und Rousseauanhänger Kant, der in der Schrift »Über den Gemeinspruch: das mag in der Theorie richtig sein, taugt aber nicht für die Praxis« dem hobbesschen Souverän das Freiheitsprinzip entgegenhält, insgeheim Hobbesianer gewesen sei. Derlei Einflußforschung in der Philosophie unterschätzt immer die Produktivität eigenständiger Gedankenentwicklung. Gilt doch Kant gerade als derjenige, der die Ethik auf völlig neue Füße stellte. Gegenüber der gängigen Auffassung von Kants Denkrevolution scheint es mir jedoch nützlich, an eine Kontinuität zu erinnern, auf deren Spur er an ältere Postulate anknüpft.

Beginnen wir mit der prinzipiellen Frage, warum eigentlich *reine* Vernunft praktisch werden soll. Eingangs der »Kritik der praktischen Vernunft« wird in aller Deutlichkeit ausgesprochen, daß der Reinheit der Vernunft Einfluß auf unsere Praxis zu verschaffen die Kritik an allen nicht-reinen Formen praktischer Rationalität voraussetzt und daß dies Geschäft um der Einheit des Vernunftbegriffs willen nötig sei. Einfache praktische Vernunft, die sich als Klugheit in der Pluralität von Maximen und in dem auf Welt gerichteten Interesse eines handelnden Wesens niederschlägt, ist stets empirisch bedingt und daher nicht vernünftig genug, um Vernunft ganz als sie selber zum Ausdruck zu bringen.

Reine Vernunft hingegen wird praktisch, wenn sie zum alleinigen Grund für die Orientierung des Willens am objektiven Gesetz genommen wird. Das Absehen von den fallweisen Umständen der jeweiligen Handlung eines Akteurs oder die planmäßige Vernachlässigung aller besonderen Voraussetzungen ist die einzige Voraussetzung, die noch gemacht wird. Pflichttreue verlangt, die Achtung vor dem Gesetz unterschiedslos über die konkreten Gegebenheiten der Praxis zu stellen, um auf diese Weise zu einer Handlungsform zu gelangen, die als solche jedermanns Handlungsform sein könnte. Dank dieser strikten Voraussetzung kommt es automatisch zur Koinzidenz der Interessen aller faktisch oder potentiell Beteiligten, denn ein jeder verfolgt nurmehr solche Interessen, die sich überhaupt nicht von denen aller anderen unterscheiden lassen. Es wird wesentliches »Vernunftinteresse«, wie Kant sagt, die schrankenlose Allgemeinheit im Handeln direkt zu wollen. Wenn dies Freiheit bedeutet, so ist sie keine natürliche Ausstattung des Menschen oder etwa der Nutzungsspielraum praktischer Vernunft im weltläufigen Sinne, sondern die methodisch erarbeitete Leistung einer Reinigung der Vernunft, zu der jedes Subjekt fähig ist, obwohl es darin seine Distinktion anderen Subjekten gegenüber beseitigt.

Reine Vernunft bedeutet praktisch gesehen die ausdrückliche Unterwerfung eines Handelnden unter ein Prinzip, das nicht seines als eines Handelnden ist, sondern nur seines als eines Vernunftwesens überhaupt. Folglich sichert das Prinzip nicht die faktische Konsistenz der unterschiedlichen Handlungen, denn das vermag es gar nicht; es sichert allein die Einheit der Vernunft mit sich, die sich freilich bloß im Blick auf Handeln aussprechen läßt. Deshalb ist eine solche von Empirie gereinigte Unbedingtheit der Vernunftherrschaft allein in der Willensbestimmung als einer Disposition zum Handeln zu erreichen, während die tatsächliche Praxis naturgemäß darüber hinausgeht und in die Welt hineinwirkt. Diese Wirkungen unterliegen den Gesetzen der Empirie, so daß die Gesetzgebung der Vernunft notwendig bereits vor der Handlung im eigentlichen Sinne endet.

Es fällt nicht schwer, die Zweiteilung in vernünftiges Wollen und empirisch bedingtes Handeln unbefriedigend zu finden. Viele Kantkritiker haben sich daran gestoßen und dennoch die Hoffnung genährt, man könnte den Gewinn an Prinzipienstrenge bewahren, ohne so weitgehende Hypotheken zu übernehmen. Freilich muß man sehen, daß Kants Ethik die Zweiteilung in ein noumenales und phänomenales Reich nicht wie irgendeinen metaphysischen Rest weiterträgt, den fortschreitende Aufklärung leicht beseitigen kann. Vielmehr ist gerade dieser Preis zu entrichten, wenn vor allem anderen die Reinheit der Vernunft gesichert werden soll. Eine praktische Vernunft, die nicht einschränkungslos auf Reinheit setzt, muß sich hingegen auf eine gewisse Vermittlung mit der Welt einlassen.

Damit ist keiner unterschiedslosen Trübung der Vernunft durch empirische Momente das Wort geredet, so daß in einer Zone des konturlosen Grau-in-Grau alles gleich gilt. Vielmehr fängt die konkrete Klärungsaufgabe hier erst an. Weder ist die Anstrengung des Begriffs durch den bloßen Hinweis auf geschichtliche Kontexte bereits entlastet, noch hat die Beurteilung der unterschiedlichen Gestalten einer in Empirie eingelassenen Rationalität vor der Kriterienfrage die Segel zu streichen. Mit solchen Unterstellungen arbeitet die Defensive der kantischen Position gern gegenüber Einwänden, denen sie entweder in systematischer Hinsicht einen kulturrelativistischen Verzicht auf Theorie oder in politischer Hinsicht gar ein geheimes Einverständnis mit dem Bestehenden nachsagt.

Beides ist unbegründet, denn bereits die in diesen Vorhaltungen enthaltene Prämisse ist falsch. Es gibt kein Argument dafür, daß Vernunft ausschließlich dann Vernunft zu heißen verdiene, wenn sie in einem ganz spezifischen Sinne gereinigt ist. Deshalb ist die

Bezweiflung der Vernunftreinheit auch keineswegs identisch mit der Bestreitung von Vernunft überhaupt. Schon der Gedanke einer Reinigung als solcher setzt voraus, daß das zu Reinigende auch vor der Reinigung eine Wesensbestimmung besitzt, die durch die Verunreinigung gar nicht wirklich in Frage gestellt werden kann. Eine vor wie nach der Reinigung gleiche Wesensbestimmung muß sogar angenommen werden, damit der Reinigungsprozeß als solcher nicht sinnlos wird. Gilt es doch Momente zu beseitigen, die nur kontingenterweise an etwas haften, das seine Natur nicht etwa verloren hat, sondern gerade bestätigt, indem es sich gegen äußere Beeinträchtigungen wieder durchsetzt. Kant ist bereits deshalb auf der angedeuteten Linie des »Alles-oder-Nichts« keinesfalls zu verteidigen, weil das ganze Unternehmen seiner Vernunftkritik nicht zu verstehen wäre, müßte man nicht immer mit unterschiedlichen Graden der Vernunftreinheit rechnen.

Also kommt es allein darauf an, eine Verständigung hinsichtlich der Formen einer vertretbaren oder unvertretbaren Vermittlung der Vernunft mit Geschichte herbeizuführen.[6] Wenn die Zweiteilung in rein vernünftige Willensbestimmung und Handeln unter externen Bedingungen aufgehoben werden soll, müssen Vorkehrungen in der Welt getroffen werden, die vernünftiges Handeln unterstützen, indem sie der subjektiven Disposition dazu objektiv korrespondieren. Nichts anderes tun die historisch ausgeprägten Lebensformen und Institutionen des Ethos, worunter man auch jene rechtlich geregelten Handlungsweisen zählen darf, die zu unstrittig akzeptierten Strukturen des Soziallebens geworden sind. Dies alles besteht ja nicht, weil es nun einmal besteht, dumpf hingenommen wird und ebensogut anders sein könnte. Das Ethos besteht, weil es tätig aktualisiert, auf längere Sicht modifiziert, jedenfalls aber als Stützung der praktischen Intentionen aller Handelnden im Zusammenhang empfunden wird. Erst in dem Zusammenhang wird der gute Wille so wirksam, daß die Aussicht auf adäquate Folgen nicht von vornherein resignieren muß. Soll das Gute nicht auf die Authentizität der Motive beschränkt bleiben, darf Moralität nicht allein in Imperativen an Einzelne formuliert werden. Die Moralität der Gesinnung muß durch Sittlichkeit der historischen Lebensformen ersetzt werden.

Seit der klassischen Kantkritik Hegels ist diese Frontlinie vertraut, die Moralität von Sittlichkeit trennt, wenngleich die eigentliche Auseinandersetzung bis heute keineswegs als erledigt gelten darf.[7] Da ich die alten Schlachten nicht ein weiteres Mal schlagen will[8], werde ich die kontroverse Sachlage einfach unterstellen, um mich nun der Frage zuzuwenden, welcher Vernunftbegriff Kant leitete, als er sich zur Entwicklung seines folgenreichen Konzepts gedrängt sah. Mit der Beantwortung dieser Frage kommen wir vielleicht auf dem Umweg über die Erörterung des Programms einer moralischen Wissenschaft der Entscheidung im Streit zwischen Moralität und Sittlichkeit einen Schritt näher.

III Vergewisserung eines problematischen Vernunftbegriffs

Eine der Merkwürdigkeiten von Kants Neubegründung der Moralphilosophie, auf die man mehr Aufmerksamkeit als üblich verwenden sollte, ist die systematische Analogie von Naturgesetz und Sittengesetz. Leicht sieht es nämlich so aus, als habe Kant bloß dem zeitgemäßen Freiheitsappell ein festes Fundament liefern oder Intersubjektivität in der Ethik zwingend verankern wollen. Hingegen ist jene Analogie, die das Reich der Natur und der Sitten aneinanderrückt, von entscheidender systematischer Bedeutung.[9] Die Vorbereitung geschieht durch den Übergang von der theoretischen zur praktischen Philosophie, den der dialektische Teil von Kants »Kritik der reinen Vernunft« unter dem Titel einer Handlung als Kausalität aus Freiheit vornimmt. Die theoretische Antinomie zwischen der auf gegebene Erfahrungen eingeschränkten Geltung des Kausalitätsgesetzes einerseits und seiner regreßfreien Formulierung als schlechthin gültiges Gesetz andererseits führt zur Metabasis eis allo genos des Praktischen, wobei Praxis von vornherein unter die Botmäßigkeit eines theoretischen Konzepts von strikter Gesetzlichkeit gerät. Daher verlangt eine der Formulierungen des Kategorischen Imperativs ganz folgerichtig: »Handle so, als ob die Maxime deiner Handlung durch deinen Willen zum allgemeinen Naturgesetz werden sollte.«[10]
Entsprechend besteht die sogenannte Typik der reinen praktischen Urteilskraft in der für moralisches Urteilen zunächst überraschenden Regel, konkrete Handlungen daraufhin anzusehen, ob sie im Vergleich mit einem Naturgesetz die Probe aushalten.

Der »Typus« des Sittengesetzes, auf den solches Urteilen blickt, ist nichts anderes als die schlechthin allgemeine Geltung des Gesetzes als eines solchen, das durch die Anleihe beim theoretischen Naturgesetz veranschaulicht wird. Da sinnliche Anschauung im Bereich reiner Vernunftmoral keinen Platz finden darf, entfällt hier die Vermittlung mit den tatsächlichen Gegebenheiten, die im Falle theoretischer Erkenntnis der Schematismus übernahm. Moralisch von Gewicht ist einzig und allein der nackte Gesetzesstatus, der ausnahmslos ein für alle Fälle einheitliches Verfahren vorschreibt. Streng genommen heißt dies, daß im Praktischen entgegen der Tradition der Klugheitsüberlegung Urteilskraft gerade keine Rolle spielen darf. Das Konkrete zählt nicht, wo Gesetzlichkeit alles ist.

Aus Kants Erörterungen geht klar hervor, daß die vorbildliche Rolle des Gesetzes in der Widerspruchsfreiheit liegt, die garantiert wird, wenn eine Handlungsweise solchen Maximen entspricht, welche ohne jede Einschränkung unmittelbar zu universalisieren sind. Widerspruchsfreiheit heißt: mit sich selbst zusammenstimmen können. Was mit sich zusammenstimmt, vermag ohne fremde Hilfe aus sich zu bestehen, und zwar als das, was es in dieser sichergestellten Identität eigentlich ist. Die strukturelle Beschreibung paßt am ehesten auf eine Vernunft, von der man zumindest weiß, daß sie widerspruchsfrei mit sich einig sein möchte und daß diese ursprüngliche Tendenz zum Selbstsein ihr Wesen ausmacht.[11] Mehr kann von Vernunft gar nicht gesagt werden, denn ihr theoretischer Begriff ist aus Gründen der transzendentalen Erkenntniskritik nach Auflösung des falschen Dogmatismus in der Metaphysik nicht mehr zu entwickeln, während im praktischen Bereich von ihr nur die absolut verpflichtende Funktion bekannt ist, die im Modus unbedingten Sollens zum Ausdruck kommt.

Das Sollen kategorisch anzuerkennen oder alles Handeln auf die pure Achtung vor dem Gesetz zu stellen beweist, daß der Vernunft praktisch die ihr gebührende Rolle eingeräumt wird, auch wenn weder das Warum einzusehen noch das Daß überzeugend zu begründen ist. Wäre nämlich die Moralität moralischer Handlungen einzusehen, dann ließe sich auf eine Vernunft jenseits der Vernunft zurückgreifen, aus der die eigentliche Legitimation für richtiges Handeln stammte. Würde das Gesetz andererseits zu einer Sache des Plädoyers, der rhetorischen Werbung oder der pädagogischen Fortbildung unserer jeweiligen Befindlichkeit, so würde im Pro und Contra, in der kasuistischen Überzeugungsarbeit und im Eingehen auf wechselnde Kontexte die reine Vernunft, der die Anstrengungen doch dienen, unter der Hand verunreinigt. Das Abwägen äußerer Umstände verrät die Vernunft an das ihr Andere, das sie nicht schlechterdings zu beherrschen vermag, und öffnet jener tiefen Uneinigkeit Tür und Tor, die im doppelzüngigen Bekenntnis zur Geltung des Gesetzes bei gleichzeitig beanspruchten Ausnahmen besteht. Die Fiktion einer Handlungsregel in Analogie zum Naturgesetz legt solche Täuschungen offen, in denen die Vernunft nicht mit sich im Einklang steht.[12]

Ersichtlich ist es der Verlust der Vernunft, welcher ausdrücklich im Namen der Vernunft vor sich geht, dem Kant einen Riegel vorschieben will. Ihn beunruhigt mehr als alles andere jenes tiefe Selbstmißverständnis, das die Vernunft von sich selber entfernt, wobei nicht etwa geringere Grade des Vernünftigen die reine Vernunft verdrängen, sondern vielmehr Vernunft nicht mehr Vernunft ist, weil sie ihre eigene Identität aufs Spiel setzt und damit ihres Wesens verlustig geht. Kritisiert wird der latente Vernunftverzicht in Formen nicht-reiner praktischer Vernunft. Anstoß zur Kritik gibt die ungenügende Einflußnahme von Vernunft auf Praxis, die stets im bloßen Namen der Vernunft selber revidiert und durch vollständige und restlose Vernunftbestimmung ersetzt werden kann. Eben diese Ablösung ungenügender durch definitive Formen praktisch gewordener Vernunft faßt der kategorische Imperativ ins Auge mit der Maximenprüfung am Maßstab der Universalisierbarkeit.

Wieso dies alles zu geschehen habe, läßt sich hingegen unabhängig vom Vollzug einer Kritik der praktischen Vernunft nicht weiter erklären. Es genügt zu zeigen, daß Klugheit kritisiert werden kann, sofern man die von ihr vertretene Vernunft rückhaltlos beim Wort nimmt. Es genügt, die stets mögliche Überwindung nicht-reiner Vernunft vorzuführen durch die unmittelbare Aufforderung zu deren eigner Reinigung. Es genügt darzutun, daß der kategorische Imperativ ausgesprochen und bereits dadurch schlechterdings in Geltung versetzt werden kann. Dies alles genügt, weil man, wo es um Vernunft geht, jedenfalls ohne Risiko auf *ein* Urinteresse setzen kann: auf bruchlose Identität. Dies muß allerdings auch genügen, weil zur Begründung von

Identität kein anderer Weg beschritten werden kann als der Aufweis, daß es sie gibt. Stünden an diesem äußersten Punkt der Selbstthematisierung von Vernunft alternative Wege offen, so bedeutete bereits die bloße Möglichkeit dessen den tiefsten Identitätsverzicht, den keine noch so ausgeklügelte Begründung der Notwendigkeit von Identitätsannahmen je wieder zu schließen vermöchte.

Hat man einmal mit der Möglichkeit gespielt, Vernunft zu verstehen, ohne dabei vom Gedanken der Identität auszugehen, ist der Riß längst entstanden, der eine mit sich uneinige Vernunft zurückläßt. Wie sollte dann eine derartige Perversion, die keineswegs bloß Einschränkung der Reinheit, sondern vielmehr Ungreifbarkeit des Wesens von Vernunft bedeutet, je behoben werden? Alle Argumente, die für eine Wiederherstellung der Identität sprächen, müßten letztlich auf die Evidenz jener Einigkeit mit sich lauten, die doch verspielt wurde. Eine andere Begründung dafür, warum Vernunft zu sich selbst zu bringen sei, ja zu sich selbst befreit werden muß, kann gar nicht mehr geliefert werden. Identität muß aus sich einleuchten, bevor man Argumente für sie beibringt. Insofern hat Fichte bei seiner radikalen Abkehr vom kritischen Unternehmen Kants fraglos die weiterweisende Spur verfolgt, als er den Satz der Identität aus dem absoluten Prinzip unvordenklicher Einigung eines Ich mit sich hervorgehen ließ.

Die metaphysischen Ambitionen, die Kant mit dem Entwurf seiner Zwei-Reiche-Lehre verfolgte, werden heute schwerlich Unterstützung finden. Man darf diese Probleme getrost hintanstellen und behält mit der Analogie der Moralgesetze zu Naturgesetzen noch genügend Hypotheken zurück. Durch die Parallelkonstruktion von Handlung und Naturkausalität, die in beiden Fällen Gesetzesgeltung etabliert, wird in einem Gewaltstreich die Kluft zwischen Theorie und Praxis geschlossen, die auf wesentliche Strukturdifferenzen aufmerksam macht. Es ist also nicht mehr der unzureichende Erkenntnisstand, der in der frühen Neuzeit die Beherrschung der Menschenwelt gegenüber der Naturbeherrschung in Nachteil setzte, aber doch die Erwartung wachhielt, die Lücke könnte durch entschlossene Anwendung klarer wissenschaftlicher Methoden demnächst geschlossen werden. Stattdessen wird nun die künstliche Angleichung der praktischen Sphäre an das theoretische Paradigma durch eine Vernunftkonzeption gefördert, die Widerspruchsfreiheit, Übereinstimmung mit sich und eine allumfassende Formalität auf Kosten der Vernachlässigung besonderer Erscheinungen beinhaltet.

Die ältere Programmatik einer für objektive Natur wie subjektive Praxis gleichermaßen zuständigen Einheitswissenschaft hatte an einer abschließenden Synthese der Disziplinen gearbeitet und dafür technische Evidenzen aufgerufen. Technische Vereinfachung weiß stets durch größere Effizienzen zu überzeugen. Also ist es letztlich der Erfolg der Phänomenbeherrschung bei konsequenter Anwendung, der die Durchschlagskraft dieser Rationalität demonstriert. Das ältere Programm einer moralischen Wissenschaft zweifelte nicht an Rationalität, sondern suchte sie einfach umfassend einzusetzen.

Für die kantische Vernunftkritik war hingegen Rationalität selber zum Problem geworden. So dient ihm die Verwissenschaftlichung der überlieferten Moral auch zu anderen Zwecken. Es geht um eine letzte Rettung der Vernunfteinheit, indem ein ungebrochener Begriff von Rationalität wiederhergestellt wird mit Mitteln eines lückenlosen Gesetzeskonzepts. Der überall mögliche Rekurs auf Gesetzlichkeit rein an sich betrachtet stellt die problematisch gewordene Rationalität wieder unter Beweis. Verstandesgesetze gelten rücksichtlich der kontingenten Naturerfahrung und regeln daher einheitlich die Vielfalt der Erscheinungen. Praktische Gesetze gelten, ohne auf irgendetwas Rücksicht nehmen zu müssen, weil es eine Instanz in Gestalt des Willens gibt, die sich ihnen aus freien Stücken unterwirft. Im praktisch legitimierten Festhaltenkönnen eines Konzepts von Gesetzlichkeit schlechthin findet die Vernunft zur Einheit mit sich.

IV Wiederkehr der alten Fragen

Ich schließe hieran einige weiterführende Betrachtungen zur gegenwärtigen Auseinandersetzung um Moralität und Sittlichkeit. Es scheint, daß sowohl eine Kantinterpretation wie auch eine Anlehnung an Kant im Dienste zeitgenössischer Interessen sich dem genannten Problem wird stellen müssen. Die Vernunftkritik ist kein Steinbruch, aus dem man gefahrlos Stücke herausnehmen kann, ohne sich um den Rest zu kümmern. Ich nenne einige Beispiele solch verkürzender Kantzitation. Wer Kant bloß einen Aufklärer sein läßt, der die Menschen aus Zwängen befreien will, geht an der Strenge des Pflichtgebots vorbei. Wer Kant als Vorläufer des kritischen Denkens feiert, muß sich bewußt sein, daß Vernunftkritik gerade Selbstzweifel der Vernunft heißt und daher die Richtung der Kritik primär nach innen und nicht außen geht. Wer in Kant den Protagonisten ethischer Transsubjektivität sieht, darf nicht übersehen, daß damit ein noumenales Reich angesprochen ist.

Vor allem die linguistisch argumentierende Kantdeutung sucht unabweisliche Gesetzesstrenge im Diesseits der Erfahrungswelt, d. h. universalistische Regeln, die den empirisch bedingten überlegen sind und sich doch an agierende Sprecher richten. In der Tat scheint das Medium der Sprache den Dualismus zwischen reinen Vernunftwesen und weltlichen Individuen zu überbrücken, insofern das Medium bereits universale Geltung besitzt und wir uns in demselben doch immer schon bewegen. Daher ergibt sich ganz zwanglos das Verlangen eines rationalen Umgangs mit dem Medium, der dieses nicht externen Zwecken unterwirft, also Sprache nicht um gewisser Partikularinteressen willen benutzt, sondern in ihrer genuinen Universalität würdigt und also im jeweiligen Sprechen der Form strikter Allgemeinheit genügt.

Nun tauchen hinterrücks aber wieder die alten Fragen auf. Ist damit Praxis wirklich vernünftig gestaltet oder nicht vielmehr ein Reinheitsgebot im Namen eines strittig gewordenen Rationalitätsbegriffs formuliert? Wird das Handeln erreicht oder wird eine Sonderpraxis zur Demonstration von Vernunftansprüchen eingerichtet? Genügt bereits die gutwillige Bereitschaft zum uneingeschränkten Dialog oder folgt daraus auch etwas in der Welt, wo nicht allein geredet, sondern gehandelt wird? Es könnte doch sein, daß wir, irritiert durch die fortschreitende Divergenz von Wissenschaft und Gesellschaft, uns einfach eines Rationalitätskonzepts versichern wollen, das beides gleichermaßen deckt.[13]

Die Position der Theorie ist heute unzweifelhaft von der Wissenschaft besetzt, die ihren Kredit der Ablösung von eingelebten Überzeugungen verdankt, während sie umgekehrt auf das Leben aller zunehmend Einfluß gewinnt. Gleichzeitig wird wissenschaftliche Vernunft der ungeklärten Dienstbarkeit gegenüber ideologisch verschleierten Interessen verdächtigt. Der althergebrachte Common sense trägt nicht mehr und die szientistischen Verheißungen täuschen. Wo ist da ein fester Anker für Rationalität? Falls es gelingt, eine Instanz auszumachen, wo Vernunft unverzerrt herrscht, weil sie unmittelbar praktisch geübt wird, wäre die Unsicherheit über den Rationalitätsstatus beseitigt. Wir hätten eine Form gefunden, die uns zeigt, was mit Rationalität in jeglicher Hinsicht gemeint ist, wobei wissenschaftliche Verfahren und gesellschaftliche Interaktion unterschiedslos nebeneinander stehen.

Die Gemeinsamkeit in der formalen Prozedur gilt gerade als der Vorzug, der dieses Vernunftkonzept zeitgemäß erscheinen läßt. Hier macht sich das moderne Erbe eines Auftrags zur Überwindung der Kluft zwischen Theorie und Praxis deutlich bemerkbar. Der Fortschritt ist nicht zu bestreiten: Rationalität hat sich über sich selbst aufgeklärt. Nur die Unmittelbarkeit eines praktischen Gewinns täuscht: wenn wir besser wissen, was Rationalität heißt, haben wir deshalb die Welt nicht rational gemacht, die Handelnden nicht verstärkt zu ihrem Ziel gebracht, ihre Lebensbedingungen nicht verwandelt. Wir wüßten einen echten Forscher von einem schlechten zu unterscheiden, ebenso wie wir angeben können, was eine von Privatinteressen abstrahierende Einstellung bedeutet. Wir hätten die Formation des Subjekts zur Person erbracht, einen Maßstab zur Prüfung von Normen vorgelegt und eine reservatio mentalis gegenüber allen bestehenden Institutionen eingebaut. Wir hätten aber nicht das Rätsel der Sittlichkeit gelöst, denn die um unbestreitbare Identität besorgte Beschäftigung der Vernunft mit sich schafft keine Lebensformen.

v Rückzug in argumentative Sonderpraxis

Dem scheint nun der Verweis auf eine Praxis entgegenzustehen, in die wir gewissermaßen immer verwickelt sind, so daß sich hier doch reine Rationalität als Lebensform andeutet. Offenbar schlägt der Terminus der Argumentation die Brücke. Der Terminus stammt aus der rhetorischen Tradition und wird inzwischen mit viel Pathos aufgeladen, obwohl er durchaus nicht so eindeutig festzulegen ist, wie es nötig wäre.[14] Er schillert nämlich zwischen der Schlüssigkeit theoretischer Beweise und einem situationsgebundenen Redeverhalten. Ein Argument ist das, was man sagt, wenn man für etwas anderes, das in der Auseinandersetzung mit einem Gegner, einem Zweifler oder Kritiker umstritten ist, eine Unterstützung beibringen will. Zunächst muß also etwas problematisiert sein, bevor man auf eine solche Lage durch das Vorweisen »guter Gründe« reagiert. Dies gilt für theoretische Fragen wie für praktische Konflikte. Argumente können eine nicht allgemein akzeptierte These stützen oder besser einsichtig machen. Sie können auch eine bereits geschehene oder erst vorgeschlagene Handlungsweise auf Nachfrage plausibel erscheinen lassen.

Was gute Gründe sind, welche Argumente durchschlagen, hängt vollkommen von den Umständen ab. In gewissen Lagen genügt der Appell an gemeinsam geteilte Überzeugungen, die Aufdeckung eines Vorverständnisses oder einfach ein Gemeinplatz, um den Opponenten zum Schweigen zu bringen. In anderen Fällen werden vielleicht stringente Beweise aufgrund komplexer Theorien nötig, genaue juristische Ableitungen oder subtile methodische Prozeduren, bis sich kein Zweifel mehr rührt. Treffend oder stichhaltig ist das Argument, das akzeptiert wird. Akzeptiert wird es, wenn man es sich zu eigen machen kann, weil es einfach einleuchtet. Einleuchten kann ein Argument aber nur vor dem Hintergrund der Bedingungen, unter denen die Problematisierung stattfand. Das Argument »zieht«, weil es die Problemlage im vorliegenden Fall beendet, insofern keine Einwände mehr auftauchen und sich der Opponent geschlagen gibt.

Theoretische Begründungen wie praktische Rechtfertigungen haben gemeinsam, daß sie gelingen können oder mißlingen, jedenfalls aber nicht beliebig ins Unendliche fortzutreiben sind. Argumente an und für sich ohne Bezug auf ein Problem, einen Rahmen, in dem das Problem entstand, sowie eine Gesprächssituation, die sich darum bildet, gibt es nicht. Deshalb sind Argumente und argumentative Begründungen auch nie auf eine Weise zu verabsolutieren, die ihnen einen Status von Rationalität überhaupt einräumt. Jede solche Lösung aus konkreten Kontexten muß die Rede von Letztbegründung auf Anhieb bereits irreführend erscheinen lassen.

Sicher ist richtig, daß derjenige, der argumentiert, sich im Argumentieren nicht von Argumentationsregeln verabschieden kann. Nicht richtig ist hingegen, daß wir immer schon argumentieren oder letztlich gar nicht anders können, als korrekt zu argumentieren. Aus dem drohenden Selbstwiderspruch, der entsteht, wenn wir argumentierend aus dem Argumentieren ausscheren, folgt nur, daß wir konsequent und regelgerecht weiterargumentieren sollen, nachdem wir uns einmal darauf eingelassen haben. Das gilt natürlich auch für den Fall einer argumentativen Bestreitung eben dieser These. Daraus kann man aber keineswegs folgern, daß alles Reden tatsächlich bloß Argumentieren sei und wir aus sprachpragmatischen Gründen mithin gezwungen wären, andere Sprachspiele nicht zu spielen. Auch folgt mitnichten, daß wir als transzendentale Ermöglichung im Rücken jeglichen Sprachverhaltens eine Art Argumentationsprämisse unterstellen müßten, selbst wenn das an der umgangssprachlichen Oberfläche nicht unmittelbar zum Ausdruck käme.

Die erste Folgerung, die von der Unhintergehbarkeit der Argumentationsregeln im Argumentieren auf die Unmöglichkeit schließt, anders als argumentierend Sprache zu gebrauchen, ist entweder eine petitio principii oder verstößt gegen die sprachpragmatische Grundeinsicht von der Vielfalt der nur durch »Familienähnlichkeit« verbundenen Gebrauchsformen. Sprachpragmatik beginnt mit der Zurückstellung des Postulats *einer* Idealsprache hinter die konkrete Beobachtung, wie Sprache gerade in den wechselnden Kontexten ihres Gebrauchs Sinn besitzt. Diese mühsam erkämpfte Einsicht Wittgensteins sollten gerade Pragmatiker nicht ohne Not wieder preisgeben.

Die zweite der genannten Folgerungen verwechselt indes den Sinn der Apriorität transzendentaler Bedingungen des Weltverhaltens eines Subjekts überhaupt mit einer in der Sprache gelegenen Möglichkeit, über alles zu argumentieren. Transzendental ist nur zu nennen, daß es kein Verhältnis eines Subjekts zur Welt überhaupt geben kann, das nicht gewissen Erkenntnisbedingungen von vornherein untersteht. Ein nicht so strukturiertes Verhältnis zur Welt wäre gar kein Verhältnis: das Subjekt bezöge sich eben nicht auf ein Objekt. Nun ist aber die unbestreitbare Möglichkeit, aus allem anders strukturierten Sprachgebrauch in den besonderen der Argumentation überzugehen, nicht im gleichen Sinne eine Bedingung der Möglichkeit von sinnvollem Sprechen überhaupt. Die nicht-argumentativen Sprachspiele werden in ihren jeweiligen Kontexten keineswegs sinnlos, wenn sie nicht ständig problematisiert und d.h. eigens zum Gegenstand von Argumentation erhoben werden. Allerdings ist wahr, daß dieser Weg uns immer offensteht, insofern Sprache sich selber thematisieren kann. Wir können jeweils mit Sprache aufgefordert werden, für ein Sprachverhalten, das sich nicht ausdrücklich auf Gründe stützt, weil es kraft Gewohnheit schlicht weiterläuft, nötigenfalls Gründe beizubringen, ebenso wie wir in Sprache solche Gründe auch nur artikulieren können. Aber nicht, weil wir das können, vermögen wir überhaupt zu sprechen, sondern weil wir schon sprechen, können wir auch das.

Wenn diese Versuche scheitern, das Argumentieren als die einzige oder eigentliche oder grundlegende Form des Sprechens auszuzeichnen, bietet sich eine weitergehende normative Strategie an: Jeder Sprechende *soll* sich so verhalten, daß er argumentiert! Für eine derartige Sollensverpflichtung müßten freilich Gründe stark gemacht werden, die nicht aus pragmatischer oder transzendentaler Reflexion auf Sprache allein entspringen. Man müßte etwa verlangen, daß derjenige, der sich vernünftig verhalten will oder im Sprechen Vernunft üben will, den Weg des Argumentierens einzuschlagen habe. Dann freilich dreht man sich im Kreise, weil das Argumentieren doch gerade den Rationalitätsausweis abgeben sollte. Wenn nur der vernünftig ist, der argumentiert, vernünftig zu sein aber durch Bereitschaft zum konsequenten Argumentieren definiert wird, ist nichts erreicht.

Eine verbesserte Strategie der Normierung sähe so aus, daß man Rationalität nicht durch Argumentationsbereitschaft und entsprechend widerspruchslose Regelbefolgung, sondern durch die wechselseitige Anerkennung von Subjekten bestimmt, die im Argumentieren zum tätigen Ausdruck gelangt. Hier liegt eine Subjektauffassung zugrunde, die mehr als Sprachkompetenz impliziert, indem sie vor allem Sprechen den Subjekten als solchen ursprüngliche Freiheitsrechte zuweist. Anerkennung bedeutet, diese Rechte in einer quasi-kontraktuellen Form wechselseitig zu konzedieren und dadurch zu sichern. Ein adäquates Sprachverhalten bietet dafür den Test, aber nicht die Begründung. Sprechakte, die als Zeichen derartiger Anerkennung im Zusammenhang intersubjektiver Kooperation gewertet werden können, liefern den Beweis, daß gleichsam ein Rechtsverhältnis vorliegt, sie stiften dieses aber nicht. Dazu müßten Sprechakte eine bindende Kraft haben, die Verträgen oder anderen Modi freier Selbstverpflichtung auf Dauer zukommt.

Diese Kraft besitzen normale Sprechakte aber keineswegs; denn man kann ohne Verlust an Subjektivität, an Konsistenz des Verhaltens oder Vernünftigkeit im eignen Tun und auch ohne jede Gefahr drohender Sprachunfähigkeit von einem gewissen Typ der Sprechakte zu einem anderen übergehen. Sprechend kann man stets mühelos die Sprachspiele wechseln, und wir tun es ständig. So geht man etwa aus der seriösen Argumentation, die wechselseitige Anerkennung verbürgt, in spielerische Ironie oder entlastete Konversation über oder in den erzählenden Bericht oder das Befehlen, das neugierige Ausfragen usw. Kein Sprechpartner kann sich seinerseits in seinen genuinen Rechten dadurch gekränkt fühlen und gar auf Wiederherstellung der ihm zustehenden, aber nun versagten Anerkennung klagen. Er mag den Wechsel der Sprachspiele mitmachen oder störend finden, er mag korrigierend eingreifen oder das Weite suchen, den Partner tauschen usf. Jedermann kennt das aus dem Alltag, während die klassische Philosophie mit dem platonischen Dialog das unüberbietbare Modell entwickelt hat, wie eine lebendige Gedankenführung durch unterschiedliche Modi des Sprechverhaltens verlaufen kann.

Mir scheint das evidente Faktum schwer bestreitbar, daß Sprechen sich nicht auf Dauer auf eine einzige Form seines Vollzugs festlegen läßt. Wer das trotzdem versucht, möge sich zunächst fragen, ob er konsequente Regelbefolgung nicht mit der Etablierung bindender Rechtsansprüche verwechselt. Oben wurde längst zugestanden, was ganz außer Frage steht, daß nämlich in einem bestimmten, abgrenzbaren, vorfindlichen Kontext eine gewisse Konsequenz der Befolgung einschlägiger Regeln des Sprachgebrauchs unerläßlich ist zur erfolgreichen Verständigung. Hier steht aber zur Debatte, ob daraus Verpflichtungen erwachsen, die alle Sprecher unter allen Umständen binden, auch in Zukunft nur in der einmal gewählten Weise miteinander umzugehen. Daß in allen ferneren Sprachspielen die jeweils Beteiligten wiederum die passenden und fallweise höchst unterschiedlichen Regeln befolgen, wird davon nicht berührt, weil es ganz elementar zur Beschreibung des konkreten Sprachgebrauchs im Einzelfall gehört. Die Normierung des einen ausgezeichneten Spiels der Argumentation gegenüber allen anderen Spielen setzt hingegen viel mehr voraus.

Es müßte einen Grund geben, der 1.) mit dem Spielen eben dieses Spiels nicht identisch und 2.) als Grund jedem Sprecher oder Subjekt auch jenseits der Teilnahme an Argumentation nahezubringen ist und der in eben dieser Weise 3.) alternativenlos zur Teilnahme an jenem Spiel nötigt. Einen solchen Grund gibt es im Rahmen von Sprachtheorie nicht! Kant hat etwas Vergleichbares mit der Achtung vor dem Gesetz im Auge gehabt, der niemand sich entziehen kann, auch wenn er nicht moralisch gestimmt ist, weil darin an seine innerste Vernunftnatur appelliert wird, die zu erhalten ein ursprüngliches und nie verlierbares Interesse darstellt. Der Rückgriff auf einen derartigen Grund führt in die Schwierigkeit jener Verdoppelung des Handelnden in ein weltverhaftetes Individuum und ein reines Vernunftwesen zugleich, die wir betrachtet haben.

Die linguistisch operierende Kantnachfolge versprach die Überwindung des Dualismus, weil sich im Blick auf unseren einheitlichen Sprachgebrauch eben nicht die fatale Trennung des Phänomenalen vom Noumenalen durchhalten läßt. Für den Gewinn an Kohärenz in einer pragmatisch angelegten Sprachtheorie ist nun umgekehrt der Tribut zu zollen, der in der Aufgabe eines gebrauchstranszendenten Vernunftpostulats besteht. Auf der Ebene der Sprachpragmatik allein muß die gesuchte Normierung eines besonderen Sprachspiels als desjenigen scheitern, das von Haus aus alle Sprecher untereinander verpflichtet. Zwar stellt die Argumentation eine Form bereit, in der wir uns fraglich gewordener Rationalitätsmaßstäbe versichern können. Aber diese Form läßt sich nicht auf alles Sprechen übertragen, weil sie gewissermaßen gegenüber eingelebten Weisen sozial tragfähigen Sprachgebrauchs stets zu spät kommt. Die Sonderpraxis konstituiert keine neue Lebensform, nachdem sie sich von den Lebensformen, in denen wir uns handelnd und sprechend ohnehin bewegen, planmäßig unterschieden hat. Rationalitätsprüfung vermag Sittlichkeit nicht zu ersetzen, denn sie verfügt über keine eigenen Mittel, den Bruch mit der historisch konkreten Praxis, der im Namen von Verwissenschaftlichung vollzogen wurde, wieder rückgängig zu machen.

Anmerkungen

1 Vgl. Aristoteles, *Nikomachische Ethik* II 1, 1103 a 17-18.
2 Cicero, de fato 1 1, wo »moralis« als Analogiebildung zum Griechischen eingeführt wird.
3 Vgl. Hegel, WW 1, S. 396.
4 El. phil.: de corpore 1 1, 6 ff; de cive, Widmung und Vorwort.
5 Z. B. de cive 1, 7-11; 2, 1 ff; 5, 5 ff.

6 Soweit ich sehe, enthalten die hier abgedruckten Vorträge von Habermas und Apel wichtige Konzessionen in dieser Richtung, wenngleich
mich der Verweis von Habermas auf die Unverzichtbarkeit entgegen-
kommender Lebensformen mehr überzeugt als das von Apel vorgeschlagene Ergänzungsprinzip formaler Art, das an die Konkretion
gegebener Lagen gar nicht anzuknüpfen vermag, solange es sich nicht
inhaltlich auslegt.

7 Vielmehr zeigt sich an Büchern wie McIntyre's *After Virtue* (Notre
Dame 1984²), an den Arbeiten von Ch. Taylor und anderen, daß die
Debatte auf breiter Front geführt wird.

8 Ich darf auf eigene Untersuchungen hierzu verweisen: *Geschichtsprozesse und Handlungsnormen*, Frankfurt 1984; sowie eine Gedanken-
skizze: »Rationalität, Lebensform und Geschichte«, in: H. Schnädelbach (Hg.), *Rationalität* 1984, mit Replik von Habermas.

9 Z. B. KdU, Einl. 1, A xv.

10 GMS, A 52.

11 Z. B. KrV, A 666 ff; KpV, A 219; KdU, A xviii; vgl. auch Refl. 7204 f.

12 So schreibt R. P. Wolff in seinem Kommentar zur »Grundlegung«
ganz richtig: »The beauty of the Law of Nature-formulation of the
Categorial Imperative is that it permits Kant to exhibit volitional
inconsistency as a physical impossibility« *(The Autonomy of Reason*,
New York 1973, 159).

13 So spricht etwa Habermas *(Theorie des kommunikativen Handelns*,
Frankfurt 1981, I, 1, 318) von der »Möglichkeit einer vernünftigen, d. h.
zwar nicht wissenschaftlichen, aber mit den Begründungsforderungen
modernen wissenschaftlichen Denkens verträglichen Moraltheorie«.
– Ähnlich liest man bei W. Kuhlmann *(Reflexive Letztbegründung*,
Freiburg 1985, 27): »In dieser strikt reflexiv aufzudeckenden, immer
schon unhintergehbar etablierten Kernstruktur (transzendentalpragmatischer Letztbegründung) sind nun zugleich auch die Fundamente
einer normativen Ethik einerseits und einer nach Erkenntnisinteressen
differenzierten Epistemologie andererseits enthalten.«

14 Siehe dazu meinen Beitrag in der Apel-Festschrift »Selbstbezüglich-
keit als Struktur transzendentaler Argumente« (Böhler/Kuhlmann,
Hg., *Kommunikation und Reflexion*, Frankfurt 1982).

Friedrich Kambartel
Begründungen und Lebensformen

Zur Kritik des ethischen Pluralismus

I

Wie beurteilen wir die Lebensformen der Menschen? – Betrachten wir diese Frage. Muß es nicht *universelle*, den verschiedenen Lebensformen noch gemeinsame Maßstäbe oder Verfahren geben, deren Anwendung die *Moralität* oder *Rationalität* einer bestimmten Lebensform (oder ihrer selbständig beurteilbaren Ausschnitte) verbürgen könnte?

Beim genaueren Hinsehen haben, so will es mir inzwischen scheinen, diese Fragen und die Überlegungen, welche hinter ihnen stehen, etwas Merkwürdiges, Unangemessenes. Versuchen wir uns zu vergegenwärtigen, wohin, in welche Art von Situationen sie gehören.

Man kann sich etwa einen abendländischen Ethnosoziologen vorstellen, der sich einer fremden, unberührten Kultur nähert – und sich fragt, welche Weisen vernünftiger Argumentation mit den »Eingeborenen« jedenfalls gegeben sein werden, ob ein begründetes (gemeinsames) moralisches Urteil möglich sein muß. Wäre es nicht denkbar, daß er auf ganz andere, unvergleichbare Verständnisse der Rechtfertigung von Handlungen und Urteilen stieße? – Hier, in dieser Frage, steht das Wort »denkbar« an einer gefährlichen Stelle des Gedankenweges, kann sehr weit in die Irre weisen. Was hier *denkbar* (als eine Begründung, Rechtfertigung usf.) ist, bestimmt sich zunächst in unseren eigenen Orientierungsverhältnissen. Das heißt, wir haben einen Begriff des Denkbaren ausgebildet, welcher sich auf die Selbstverständlichkeiten bezieht, die unseren Orientierungen zugrunde liegen, in deren grammatischen Grenzen sich unsere Orientierungen bewegen. Würden wir diesen Begriff in Gedanken verlassen, so löste sich der Rahmen, welcher dem Wort »denkbar« seinen bestimmten Sinn gibt, gewissermaßen auf. Man unterstellte dann, daß *alles* möglich ist; und das heißt selbstverständlich, daß hier gar keine verständliche Verwendung des Wortes »möglich« vorläge.

So also insbesondere für das, was *als Rechtfertigung denkbar ist*. Was als Rechtfertigung denkbar ist, wird durch *unser* Begreifen der Rechtfertigung mit allen seinen Unschärfen und Verständnisdifferenzen bestimmt.

Natürlich lassen sich hier *Entwicklungen* vorstellen: Einengungen (Reduktionen), Erweiterungen, Verwischungen oder Klärungen wesentlicher Unterscheidungen usf. Nur sind dies keine Weisen, unseren Begriff der Rechtfertigung *völlig* zu verlassen. Sie vollziehen lediglich die unserer Kultur der Begründung und Argumentation selbst eigentümlichen Bewegungen. Wollten wir an dieser Stelle weitergehen, so sähen wir uns in die Nähe einer Homonymie (eines durch Homonymie bedingten Problemes) geraten. Das liefe dann auf die Feststellung hinaus, das *Wort* »Rechtfertigung« könne in einer anderen Umgebung einen ganz anderen Sinn haben. Aber dies zu sagen, führt uns zu keiner besonderer Mühe werten Untersuchung, ist allenfalls als ein Hinweis auf die unbestreitbare Konventionalität des Sprachgebrauchs zu verstehen. Und wenn wir an den Ethnosoziologen denken, so kann dieser schließlich gar nicht in die Situation geraten, bei den Eingeborenen einen anderen Gebrauch unserer Worte festzustellen. Das heißt, seine Frage müßte immer sein, ob es eine unserer Argumentationskultur und Rechtfertigungspraxis verwandte sprachliche und praktische Form des Lebens gibt.

Und könnte es nun andererseits nicht der Fall sein, wäre es nicht (sinnvoll) denkbar, daß ein vertrautes und vielleicht allgegenwärtiges Element der *Grammatik* (Form) *unseres* Lebens einfach fehlte, daß etwa, für bestimmte Funktionen (welche dieses Element hat), etwas anderes an seine Stelle träte? – Es ist in der Tat schwer, sich vorzustellen, etwas sei *funktional unersetzlich;* es sei denn, man verbände die Funktion bereits begrifflich mit der Weise ihrer Erfüllung: Wie wenn jemand sagte, ohne unseren Begriff von Rechtfertigung sei die Gewinnung eines rationalen Selbstverständnisses unmöglich.

Zugleich könnten (gedankliche oder literarische) Variationen eines wesentlichen Elementes unserer Lebensform dazu dienen, die grammatischen Tatsachen, in denen wir leben, *schärfer zu beleuchten.*[1] Wesentlich ist dann, sich klarzumachen, daß uns in diesem Falle *keine Wahl eröffnet* wird. Wir haben es mit einem Unternehmen der kritischen Analyse (Hermeneutik) zu tun.

Aber erscheint nicht damit das, was wir eine Rechtfertigung

nennen (was eine Rechtfertigung zu nennen wäre), als ein bloßes Faktum? In einem Sinne ist dies richtig (gesagt): Es sind die grammatischen *Tatsachen,* die, auch hier, unsere Orientierung bestimmen. Kann man sich dann also nicht doch denken, daß *diese* Tatsachen andere, anders als in unseren Verhältnissen, sind?

Sicher können wir eine gedankliche Operation dieser Art vollziehen, in unserer Imagination einen Teil unserer grammatischen Tatsachen außer Kraft setzen. Und doch ist hier besondere Vorsicht geboten. Wir dürfen dann nämlich nicht im gleichen Atemzuge von diesen Tatsachen Gebrauch machen, indem wir etwa in die fingierte neue grammatische Umgebung eine Frage plazieren, welche ihren Sinn nur aus den *alten*, aus unseren normalen grammatischen Verhältnissen erhalten kann. Dies geschieht aber leicht, wenn wir die Frage nach der (moralischen) Rechtfertigung einer Lebensform stellen, in welcher die moralischen Argumente eine bestimmte, grammatisch charakteristische Stelle innehaben.

Dieselbe grammatische Ungereimtheit läge ganz allgemein vor, wo die Ethnosoziologie mit den *alten* Fragen in *neue* oder noch unbekannt andere begriffliche Kleider schlüpfen wollte.

Begreifen wir das Ethische als eine Lebensform, so liegt die Frage nahe: Steht sie *neben* anderen Lebensformen? Und läßt sie sich gegenüber diesen durch eine besondere Begründung auszeichnen? Mit diesen Fragen können wir uns allerdings nicht außerhalb derjenigen begrifflich-praktischen Verhältnisse aufstellen, zu denen die darin benutzten Ausdrucksweisen gehören – und ihnen (den Fragen) gleichwohl einen wohlbestimmten *öffentlichen* Sinn geben wollen: den Sinn, den wir von ihnen in den einschlägigen Diskussionen gerade erwarten. Wir können eben nicht die Grammatik der Worte, mit denen wir *Begründungsansprüche* erheben und einlösen, außer Kraft gesetzt denken und, zugleich, in der entstehenden Situation ein bestimmtes *Begründungsproblem* diskutieren, nach einer bestimmten Begründung verlangen.

Natürlich kann jemand den Sinn des Wortes »Begründung« (künstlich) so ändern, daß grammatische Verbindungen zur Moralität ausgeschlossen sind, wie dies etwa Tugendhat in seinen hier einschlägigen Erörterungen tut.[2] Man erhält dann Fragen wie: Gibt es zweckrationale Gründe, an einer moralischen Lebensform (Kultur) festzuhalten? Oder: Läßt sich die Existenz einer moralischen Lebensform (Kultur) aus einsichtigen, plausiblen oder empirisch bewährten anthropologischen und psychologischen Annahmen herleiten? Usf. Damit solche Fragen nicht gewissermaßen in der Luft hängen, wird man für sie *genauere Umstände* nachliefern müssen: eine bestimmte zweckrationale Umgebung etwa oder *bestimmte* wissenschaftliche Kriterien der empirischen Bewährung und Herleitung. Allgemeine, für *alle* denkbaren Kontexte sinnvolle Verständnisse solcher Fragen, und entsprechend der möglichen Antworten, sind hier kaum vorstellbar. Insbesondere bedürfen *zweckrationale* Argumentationen immer der Einbettung in wohlumrissene Problemsituationen.

Unter einer »*Lebens*form« will ich eine Weise der Orientierung verstehen, welche *alle* unsere Lebenssituationen und Lebensverhältnisse durchzieht; welche *immer* zur Anwendung kommt, oder doch immer zur Anwendung kommen kann. So sind etwa Einstellungen zum Leben zu verstehen. Und man kann auch die Ansprüche der *Moralität*, das *Ethische*, eine Form des Lebens nennen. *Moralisch* kann man, das scheint eine angemessene Feststellung, nicht nur in bestimmten Bezirken des Lebens oder der Verhältnisse sein. In diesem Sinne jedenfalls ist das Moralische *universal*. – Im Falle des *Einzelnen* und seines Lebensverständnisses mag man vielleicht differenzierend von einer (praktischen) *Einstellung* reden; im Falle der moralischen Form des *öffentlichen* Lebens bietet sich die Ausdrucksweise »moralische *Kultur*« an.

Schwierigkeiten bereitet ein engeres, besonderes, Verständnis bestimmter Lebensformen; und gerade die Ethik hat sich in diese Richtung entwickelt. Der Gedanke liegt nämlich nahe, die Vielfalt der Situationen und Probleme des einzelnen und gemeinsamen Lebens durch einen einheitlichen Satz von Regeln oder (im Blick auf ihre universelle Anwendung) »Prinzipien« in eine einheitliche Form zu bringen. Die Frage nach der richtigen Lebens*form* erscheint dann als die Frage nach den richtigen *Regeln* und *Prinzipien*.

In der *Ethik* nehmen diese Vorstellungen etwa die Form von *Rechtfertigungsregeln* für Handlungen und Ziele an; wobei diejenigen dieser Regeln, welche den *moralischen* Begriff der Rechtfertigung gleichsam *definieren* und damit die Universalität der moralischen Lebensform tragen, im engeren Sinne ethische *Prinzipien* (die *Prinzipien* der Ethik) heißen können. Es ergibt sich so das Bild eines moralischen Lebens (Lebensverständnisses), welches durch (die) Prinzipien praktischer Begründungen zusammengehalten wird.[3]

Wir sehen, daß sich nun Begründungsprobleme einer neuen Art stellen lassen (aufdrängen). Es zerfallen nämlich die Rechtfertigungsfragen und -forderungen jetzt in zwei wesentlich verschiedene Kategorien: In der *ersten* Kategorie sind die Prinzipien praktischer Rechtfertigung auf »normale« Probleme der praktischen Entscheidung und Lebensorientierung anzuwenden. Die *zweite* Kategorie stellt Probleme der Auszeichnung eben der Prinzipien dar, welche bei Rechtfertigungsfragen der ersten Art unbefragt eingesetzt werden. Und hier, als Weg zu einem Begründungsbegehren dieser besonderen zweiten Art, wirkt sich nun die Prinzipienform der Moralität aus, daß sie das Verständnis moralischer Rechtfertigung, die Form des moralischen Lebens, in die Form moralkonstitutiver *Regeln* bringen will; von Regeln, deren Formulierung dann unser Moralverständnis zugleich universell definiert und einschränkt.

Wenn wir die (moralischen) Dinge so arrangieren oder uns mit ihnen so in die bereits vorhandenen Arrangements versetzen, dann zerfallen uns die ethischen Fragen gewissermaßen in solche der normalen Begründung bestimmter Handlungsorientierungen – und solche, welche die Grammatik des Begründens selbst betreffen. Man könnte mit einer eingebürgerten philosophischen Ausdrucksweise Fragen der ersten Art *materiale*, Fragen der zweiten Art *formale* Probleme der Ethik nennen. Und die formalen Probleme der Ethik sind es, welche offenbar zur Zeit vor allem behandelt werden.

Die Unterscheidung materialer und formaler ethischer Probleme verheißt zugleich eine neue Möglichkeit, doch so etwas wie eine *Auszeichnung* der vernünftigen oder der moralischen Lebensform unter den denkbaren Alternativen leisten zu können: Mögen sich auch die *materialen* Anlässe ethischer Erwägungen und damit also deren *Inhalt* stets in einem bestimmten, besonderen kulturellen Rahmen, einer bestimmten Geschichte menschlicher Praxis und ihrer taktischen Orientierung bewegen – so kann doch, möchte es scheinen, wenigstens die *Form* moralischer Rechtfertigung so etwas wie eine kulturinvariant gültige Instanz abgeben, vor der sich zwar nicht direkt die materialen Lösungen der Probleme, wohl aber die Wege, welche zu ihnen führen, rechtfertigen müssen.

Verbinden sich so nicht die besonderen Gegebenheiten einer *konkreten Sittlichkeit* mit den allgemeinen, jede einigermaßen entwickelte Kultur durchdringenden formalen Normen des moralischen Begründungsbegriffes, also der jeweilige und relative Inhalt des ethischen Lebens mit einer auf ihren kulturinvarianten *formalen* Kern gebrachten *Moralität?* – Müßte sich auf diese Weise am Ende nicht auch die sinnvolle kulturelle *Vielfalt* des sittlichen und gesellschaftlichen Lebens mit einem *allgemeinen* moralischen Vernunftanspruch, *Kants* moralphilosophische Einsicht mit *Hegels* Einwänden, versöhnen lassen? – Jedoch ließe sich diese (schöne) Perspektive nicht festhalten, ließen sich die Probleme nicht so in in diesen Rahmen stellen, wenn die Vorstellung, die Moralität sei durch Begründungsprinzipien quasi definiert, in die Irre führte.

Was wäre denn eine Alternative, eine bessere Sicht der moralischen Orientierungen? Müssen diese nicht in moralischen *Urteilen* bestehen oder auf solche Urteile gestellt sein? Und ist nicht die moralische Qualität dieser Urteile durch die besondere Art eben der *Begründungen* gegeben, welche sie (die Urteile) als *Einsichten,* als moralische *Erkenntnisse* möglich machen? – Wenn wir diese Sokratische Sicht des Ethischen nicht aufgeben wollen, dann muß es also darum gehen, die moralischen Begründungen und ihre praktische Umgebung richtig zu verstehen.

Wie können andererseits die moralischen Begründungen eine *Einheit* darstellen, als *moralische* gegenüber anderen Weisen des Argumentierens hervortreten, wenn der Zusammenhang nicht durch die Anwendung derselben *Regeln* oder *Prinzipien* (Verfahren) gewährleistet ist? – Es gibt nun offenbar andere Weisen, in denen sich uns ein *Zusammenhang* darstellen kann. Man kann etwa daran denken, wie die Züge eines Gesichts eine unverwechselbare Physiognomie bilden, sich Regeln zu einem Spiel ordnen, oder an differenzierte Kulturen menschlicher Kunst und ihre Abgrenzungen. In allen diesen Fällen macht es keinen Sinn, sich vorzustellen, die Zugehörigkeit (Zusammengehörigkeit) der Phänomene (der Gesichtszüge, Spielregeln, Praktiken ...) ließe sich durch die Anwendung von Regeln oder Prinzipien beurteilen.

Wie kommt es überhaupt zu der Vorstellung, wir hätten Begründungen als eingebettet in *einen Begriff* des Begründens aufzufassen; einen Begriff, der als allgemeiner Maßstab der Beurteilung vorgeblicher Begründungen dienen soll, an den wir uns halten können, wenn es darum geht, eine Begründung als solche zu identifizieren. Zunächst lernen wir ja, so scheint es, Begründungen, und mit ihnen typische Weisen des Rechtfertigens, einzeln, Stück für Stück sozusagen, kennen und damit zugleich, daß sie alle anerkanntermaßen Begründungen *heißen* und in geeigneten Umgebungen als Antworten auf einschlägige Warum-Fragen gelten können.

Aber muß sich nicht schon hier der *transsubjektive* Charakter jedweder Begründung von selbst verstehen, uns mit den Beispielen, implizit, vermittelt werden, so daß wir dann, als in der Grammatik des Wortes »Begründung« Erfahrene, eine Begründung in ihrer transsubjektiven Überzeugungskraft erkennen, nach ihr *beurteilen* könnten. Und die weitere, genauere, Analyse der (noch vagen) Transsubjektivitätsbedingung würde, meinen wir vielleicht, dann eben das zu Tage fördern, was wir einen (allgemeinen) Begründungsbegriff zu nennen hätten.

Ich habe mir selbst die Situation lange Zeit so vorgestellt; wobei ein nichtreduzierter Begründungsbegriff praktisch auf ein *moralisches* Verständnis der Lebens- und Gesellschaftsverhältnisse hinauszulaufen scheint. Eine recht (»unverkürzt«) verstandene *Transsubjektivität* der Orientierungen, heißt das, enthielte grammatisch zugleich deren *Moralität*.

Gibt es andererseits nicht *subjektive* Begründungen, die völlig intakt sind, die wir im Normalfall akzeptieren müssen, obwohl sie auf Orientierungen eines bestimmten Individuums verweisen: dessen Ziele für dessen Wege etwa; dessen Einstellung für dessen Taten oder den Zusammenhang, in dem sie stehen. Hier sind wir im Normalfall nicht auf eine tatsächliche oder unterstellte (transsubjektive oder moralische) *Bewertung* dieser (subjektiven) Orientierung angewiesen. Im Gegenteil bedürfte es eines besonderen Anlasses, damit eine Begründung in eine solche Richtung fortgesetzt werden müßte. Hat derjenige, der *zur Begründung* sagt, »er brächte es nicht übers Herz, ihn so zu verletzen«, einen *grammatischen* Fehler begangen? – Begründungen sind also nicht *als solche* transsubjektiv. Jemand kann einer Begründung *nicht* zustimmen – und doch mit uns einig sein, daß es sich, *grammatisch* betrachtet, um eine Begründung handelt; und es damit gut sein lassen.

Wenn wir uns daher an das halten, was zunächst gegeben ist, für unser Verständnis maßgebend sein muß (wenn es nicht um eine reine Konstruktion gehen soll), so stehen vor uns die vertrauten typischen Weisen, für eine Handlung, eine ganze (verzweigte) Praxis, oder für deren Orientierungen eine Begründung zu geben. Hier kommt, wie man weiß, vieles in Frage; d. h. wollte man jemandem an Beispielen erläutern, was im praktischen Kontext Begründungen sind, als solche in geeigneten Umständen grammatisch korrekt gelten, man könnte auf vieles verweisen: etwa auf die Angabe einer *Regel*, unter welche das zu Begründende fällt, das Zitieren eines einschlägigen *Beschlusses*, die Erinnerung an eine *Absicht*, den Hinweis auf eine *Einstellung* – und hinzuweisen wäre auf Verkettungen solcher Gründe: die »geregelte Praxis« könnte selbst einer Absicht dienen, die Regeln auf einen Beschluß zurückgehen, die (bestimmte) Absicht eine Einstellung kennzeichnen usf.

Bleibt hier nun nicht die Frage nach der Triftigkeit oder Wahrheit einer Begründung zu stellen? Gehört der Anspruch zu überzeugen nicht zum grammatischen Kern der Begründungspraxis? – Jede gegebene Begründung ließe sich in der Tat in vielfältiger Weise in Frage stellen. Es ließe sich etwa anzweifeln, daß der *Beschluß*, auf den sie sich berief, überhaupt oder ordnungsgemäß gefallen war. Oder: Man könnte auf die Folgen aufmerksam machen, wenn eine Praxis so oder so *geregelt* werden mußte. Und was hier, vage genug ausgedrückt, als eine *Folge* erscheint, kann sehr Verschiedenes heißen: individuelle Ziele ebenso betreffen wie Probleme des gemeinsamen Lebens, die Person des Anderen, seine Würde etwa usf. Hier treten, wenn man sich der üblichen philosophischen Ausdrucksweisen bedienen will, zweckrationale oder moralische Gesichtspunkte (noch) nebeneinander auf. – Aber auch die *Anwendbarkeit* bestimmter »Gründe«, die grammatische Angemessenheit also der gegebenen Begründung, könnte stets ein Problem werden.

Dies alles bedeutet allerdings nur, daß sich Begründungen für die Beteiligten häufig als unvollständig oder mißlungen darstellen, und dies in verschiedener Hinsicht. Und nicht unwesentlich sind hier dann allerdings solche Fortsetzungen (oder Verschiebungen) der Argumentation, die wir als *moralisch* zu kennzeichnen pflegen.

Bei dieser Betrachtungsweise treten uns die moralischen Momente der Begründung weder als *konstitutiv* für *jede* hinreichend weit verfolgte Begründung noch als letzte *Grundlage* oder als *allgemeiner* Verständnis*rahmen* entgegen. Sie stellen einfach eine *bestimmte Möglichkeit* dar, etwas zu begründen oder eine Begründung in Zweifel zu ziehen oder zu verlängern. – Man kann sich sowohl Situationen denken, in denen sich eine »zweckrationale« Begründung als »aus moralischen Erwägungen« nicht ausreichend oder sogar unhaltbar erweist – aber sich auch moralische Gründe vergegenwärtigen, welche (in der gegebenen Situation) einer zweckrationalen Kritik nicht standhalten, deren zweckrational kalkulierte »Kosten« etwa jenseits des Erträglichen liegen.

Wohl erscheint es sinnvoll, von einer *moralischen* Lebensform und einer *moralischen* Kultur dort zu reden, wo Überlegungen, die wir moralisch nennen, eine wesentliche (und bestimmte) Stelle in den praktischen Orientierungen und Begründungen einnehmen. – Aber muß man, um zu wissen, wovon hier die Rede ist, und um die Stelle des Moralischen genau zu charakterisieren, nicht wenigstens Regeln oder Prinzipien angeben, welche die moralischen Begründungen von *sonstigen* Argumentationen unterscheiden? So daß ein *formaler* Begriff der Moralität zunächst im Spiele bleibt, wenn wir auch weniger von ihm erwarten dürfen, als es eine allgemeine grammatische Basis unseres Begründungsverständnisses wäre.

Was kann ein moralischer Grund sein? – Es fällt uns nicht schwer, typisch moralische Argumente (Paradigmen für moralische Argumente) aufzuzählen. Und es ist kaum bestreitbar, daß wir *so* Teilnehmer einer moralischen Lebensform geworden sind. Moralische Argumente können sich dagegen richten, eine *Person* zum Gegenstand eines reinen *Nutzenkalküls* zu machen, über sie im Dienste individueller oder öffentlicher Interessen zu *verfügen*. Moralische Argumente können auf der *Symmetrie* der Früchte und Lasten einer Praxis beharren. Moralische Argumente können Merkmale eines *unwürdigen Lebens* benennen, fehlende Minima der Lebensfristung oder ökonomische und politische Bedingungen, welche eine selbständige Lebens- und Weltorientierung verhindern (oder doch wesentlich erschweren). Moralische Argumente können sich schließlich, als Ratschlag etwa, auf das *richtige Verständnis* des *glücklichen* oder gelungenen *Lebens* beziehen, und dies insbesondere im Blick auf hinderliche Umstände, Widerstände, Illusionen und ähnliches mehr.

Ist, was diese und andere Fälle zusammenhält, ein regelartiges Prinzip oder eine durch Regeln des wechselseitigen Umgangs konstituierte so genannte *Universalität* der Orientierung? – Wenn mir hier eine Art des Zusammenhanges (der Fälle) einleuchtend ist, so eher diejenige, welche zwischen einer *Einstellung* oder praktischen Kultur und ihren *Äußerungen* besteht. Es gibt Einstellungen zu *besonderen* Phänomenen im Leben und, dann, solche Einstellungen, welche sich im *Ganzen* der Lebenspraxis ausdrücken, unsere Wahrnehmungen, Orientierungen, Urteile und Handlungen *durchgehend* so oder so bestimmen (zu bestimmen hätten). Und man kann diese Einstellungen daher zur *Form des Lebens* derjenigen zählen, welche sie haben (äußern).[4]

Natürlich betreffen diese Bemerkungen die *grammatischen* Verhältnisse. *Tatsächlich* mag es, wie im Falle des Ethischen, jeweils schwierig sein, eine Einstellung als solche *durchzuhalten*, sie nicht nur fragmentarisch zu praktizieren, ihr genügend Raum im eigenen oder gemeinsamen Leben zu geben. Gerade deswegen können Einstellungen wachsen, sich entfalten – und sich verlieren, dahinschwinden.

Beim Verständnis von Einstellungen lassen sich leicht zwei grammatische Fehler machen: Der eine besteht darin, die Einstellung, etwa die ethische Einstellung zum Leben, als etwas zu begreifen, des gleichsam *hinter* den Weisen ihrer Äußerung angesiedelt ist. So erscheint dann die Suche nach einer Kennzeichnung sinnvoll, welche den Äußerungen der Einstellung als ein (unabhängiges) *Kriterium* vorgehalten werden könnte, eine Art grammatisches Band, welches die Ausdrucksformen der Einstellung zusammenhält, Abweichungen zu *beurteilen* gestattet.

Der Fall liegt hier ähnlich wie bei den Aussagen, die wir über den *Charakter* eines Menschen oder einer Kulturerscheinung machen. Auch hier ist es in der Regel wichtig zu sehen, daß uns der Charakter (eben) nur über seine Äußerungen *gegeben* ist, die Äußerungen in einem bestimmten Sinne also weder *erklären* noch *begründen* kann. Was geschieht, wenn wir hier eine »Erklärung«

abgeben, läuft eher auf die Einordnung einer Äußerung in das Ganze des Charakters, in ein ganzes Charakterbild, hinaus.

Das führt zu dem zweiten Mißverständnis, welches für unsere Überlegungen wesentlich ist: Man muß sich davor hüten, etwa die moralische Einstellung so zu kennzeichnen, daß diese Charakterisierung als *Begründung* ihrer Ausdrucksformen (der Ausdrucksformen dieser Einstellung) in Frage kommt. Was wir als solche »Ableitungen« kennen, ist nämlich im besten Falle die genauere Ausführung allgemeiner Formeln für bestimmte Fälle. Die Exemplifizierung *trägt* hier wesentlich *zum Verständnis bei*, wendet es nicht lediglich an. Bei einer (universalen) Einstellung stehen deren wesentliche Ausdrucksweisen also zunächst nebeneinander, gehen wenigstens keine, wie auch immer gearteten, *deduktiven* Verhältnisse ein.

Keinesfalls darf im übrigen eine lebensformbezogene Einstellung mit einer Art universeller *Empfindung,* einem *Lebensgefühl,* verwechselt werden. Einstellungen mögen sich auch in unseren Empfindungen ausdrücken. Dies ist jedoch ein Sonderfall, der etwa beim Gefühl moralischer Achtung vorliegen mag. Die Moralität insbesondere ist jedoch eine *praktische* Einstellung, d. h. sie äußert sich vor allem in *Handlungs*zusammenhängen, in unserer *Praxis* und ihrer Orientierung.

Die Situation, wie wir sie uns für die Moralität verstanden als (individuelle oder allgemeine) Einstellung vergegenwärtigt haben, muß in eine *sprachphilosophische* Perspektive eingebettet werden. Man kann versuchen – und dies geschieht allenthalben –, allgemeine Sätze zu finden, welche das für moralische Orientierungen und Begründungen Typische hervorheben. In den Formen und Ausdrucksweisen, welche dabei eine Rolle spielen, ist etwa von der »Anerkennung der Person des Anderen« (als »Selbstzweck«), der »Überwindung der (eigenen) Subjektivität«, der »Unparteilichkeit« der Abwägung, der »Symmetrie« der praktischen Verhältnisse zwischen den Betroffenen oder den an einer moralischen Orientierung Beteiligten, einer »frei« gewonnenen, »nicht-strategischen« Übereinstimmung usf. die Rede. Es ist nicht leicht, der Suggestion zu widerstehen, mit diesen (höchst) *allgemeinen* Formeln lasse sich, gewissermaßen am *praktischen Ausdruck* der Moralität vorbei, das Wesen des moralischen Guten auf einer theoretischen Ebene definieren und erläutern und dann, terminologisch und deduktiv aufbauend, »begründend«, die Ethik als eine Art von Theorie entwickeln. Vor allem stellt sich diese Illusion bei Versuchen ein, in der *Kantianischen* Tradition dem Wort »allgemein« und seinem einschlägigen Umfeld eine wesentliche Rolle für das Verständnis von Moralität zuzutrauen.[5]

Wir müssen hier beachten, daß sich für die wesentlichen Termini in den moralphilosophischen Grundformeln genau jene Situation erneut herstellt, welche wir vielleicht mit solchen Formeln und Termini gerade zu vermeiden trachten. Auch das mit diesen Ausdrucksweisen Gemeinte ist nur aus einem praktischen Lebenszusammenhang heraus zu verstehen, in dem sich die besonderen Verhältnisse zwischen Personen, und zur eigenen Person, äußern, auf die es für das Ethische ankommt. – Aber auch das Umgekehrte gilt: Wir lernen die ethische Perspektive unserer Praxis besser verstehen, entwickeln unser moralisches Urteil, indem wir uns der moralphilosophischen Grundformeln als hilfreicher (der jeweiligen Situation und ihren Verständnisproblemen angemessener) Kommentare bedienen.

Die verschiedenen ethischen Formeln mögen dabei im übrigen auf bestimmte Fälle oder Aspekte, in denen sich das moralische Lebensverständnis äußert, *mehr oder weniger* gut gemünzt sein. Insofern stehen sie dann nicht nur *neben*einander, sondern gehören auch *zu*einander, ergänzen sich mit (in) ihrem begrenzten Sinn: Aus Prinzipien und Regeln, welche scheinbar Probleme der systematischen Ordnung des deduktiven Aufbaus, der Gründung des einen auf das andere, stellen, können so sinnvolle Charakterisierungen verschiedener Äußerungen der Moralität werden.

Auch die sogenannten materialen Normen im engeren Sinn, z. B. solche der Grenzen, welche die Moral der Beeinträchtigung von Leib und Leben Anderer (der Menschen) setzt, sind ja häufig weder eine (logische) *Folge* noch eine bloße *Anwendung* der allgemeinen Unterscheidungen und Sätze der Ethik; vielmehr dienen sie der (semantischen) *Erläuterung* dessen, was die moralphilosophischen Formeln zum Ausdruck bringen sollen. Aus dieser grammatischen Situation erklärt sich auch die wichtige charakteristische Rolle, welche *Analogieschlüsse* in den praktischen Argumentationen spielen: Der Analogieschluß, oder doch eine seiner wesentlichen Varianten, ordnet ein Phänomen einem Gesichtspunkt unserer Orientierung zu, *weil andere,* »ähnliche«, *Erscheinungen* unseres praktischen Lebens grammatisch bereits in dieser Weise (ein)geordnet sind. In dieser Form wendet der

Analogieschluß Paradigmen an, stellt Zusammengehöriges in dieselbe praktische und normative Umgebung.

Was wir die *formale* Seite des Ethischen nennen könnten, wird also in seinen Kennzeichnungen selbst *leer* (zu *tautologischen* terminologischen Rochaden), wenn die Sprache, in der wir darüber reden, keinen begrifflichen Sitz in einer praktischen Kultur (der ethischen Einstellung) hat. Und müßten wir dies, eine praktische Kultur der ethischen Einstellung, nicht eine »konkrete«, obzwar formale, »Sittlichkeit« nennen? – Das Gegenüber einer *materialen* ethischen Kultur – der konkreten *Sittlichkeit* – auf der einen Seite und eines *formalen* Rahmens der *Moralität*, welcher sich scheinbar allein auf *Regeln und Bedingungen der Beurteilung* gründen ließe, auf der anderen Seite, dies hat dann etwas von einer semantischen Illusion an sich. Das Verständnis der Moralität (ihrer [praktischen] Form) ist unausweichlich immer von bestimmten, wir könnten sagen, »materialen« Äußerungen der Moralität infiziert. (Mit einer schlichten Benennung beliebiger historisch gewordener Institutionen des gesellschaftlichen und rechtlichen Lebens als »Sittlichkeit« haben unsere Überlegungen allerdings nichts zu tun.)

Und doch, es läßt sich kaum bestreiten, daß dies ein deutlicher, wohletablierter, Unterschied ist: die *bestimmten ethischen* oder, allgemeiner, *normativen Probleme* einerseits, die bestimmten Versuche, hier eine Antwort zu entwickeln – und andererseits Fragen und Beurteilungen der dabei eingegangenen (allgemeineren) Weisen des *Vorgehens*, oder auch der *Bedingungen*, unter denen dieses Vorgehen steht: Wir sehen vor uns die Begründungen (bestimmte Begründungen!) und – unterscheidbar – die Verfahren und Bedingungen, welche sie für uns als solche, als Begründungen qualifizieren. Offensichtlich sind allerdings die (praktischen) Tatsachen, welche *jeweils* die Kennzeichnung einer Rede oder Geste als »Begründung«, »Rechtfertigung«, »moralische Argumentation« tragen, von Fall zu Fall immer wieder andere; wenn sie uns auch in einer typischen Gliederung entgegentreten.

Ob in einer Begründungssituation insbesondere Verfahren, Probleme und Ergebnisse in einem angemessenen Verständnis zusammenpassen (von einem angemessenen Verständnis zeugen), ob etwa bestimmte (typische) technische, empirische oder moralische Argumentations*weisen* der gegebenen grammatischen Umgebung entsprechen – all das werden wir sozusagen »lokal« beurteilen müssen. Und wir können dies mehr oder minder gut (tun), als mehr oder minder mit der einschlägigen grammatischen *Urteilskraft* Versehene nämlich, als in den *begrifflichen* Differenzierungen der wesentlichen Rechtfertigungssituationen *Erfahrene*. So, über lokale Unangemessenheiten nämlich, sind wir auch mit den üblichen *Reduktionen* der Überlegungssituation, den »Halbierungen« der praktischen Vernunft[6], vertraut.

Wenn wir nun das grammatische Verständnis der Situation, etwa das gewählte Begründungs*verfahren, im gegebenen Falle* in Zweifel ziehen, *in diesem* (arglosen) *Sinne* also den Begründungs*begriff* zum Thema machen, dann führt uns dies ebenfalls im Normalfall nicht aus den *lokalen* Verhältnissen heraus. Vielmehr kann auch die begriffliche Erwägung hier ihre Schärfe, ihre *Genauigkeit* nur dann erhalten, wenn die typische Problemlage, zu welcher sie gehört, gegenwärtig bleibt.

Was haben wir nun von den verschiedenen Ansätzen zum Verständnis moralischer Rechtfertigung zu halten, insbesondere von denjenigen darunter, welche der Moralität überhaupt eine allgemeine Verbindlichkeit (in unseren Verhältnissen) bestreiten? Damit kehren wir zum ersten Teil dieser Überlegungen zurück:

Das Moralische ist ein Teil unserer *gemeinsamen* Lebensform, eingearbeitet insbesondere in die sprachlichen Institutionen, mit denen unser Lebensverständnis, *öffentlich* und in diesem Sinne *allgemein*, arbeitet, in denen insbesondere es sich äußert. Dies ist (bedeutet) ihre (unbestreitbare) Verbindlichkeit *für uns,* und sich ihr, dieser Verbindlichkeit, mit oder ohne eine moralphilosophische Theorie, zu entziehen, käme einer Art grammatischem Aussteigertum gleich. Hier gäbe es dann nicht neue Antworten und neue Fragen, sondern nur jene Form der Verworrenheit, in der unsere Fragen unverständlich werden, ihren Sitz in unseren bestimmten Denkverhältnissen verlieren, ohne damit schon einen neuen zu gewinnen.

Die verschiedenen »Ansätze« der Moralphilosophie mögen ihren begrenzten Sinn darin haben, daß sie auf verschiedene Seiten oder Teile der verzweigten Grammatik unserer Rechtfertigungspraxis aufmerksam machen. Als konkurrierende *Grundlegungen* (Grundlegungssysteme) oder als Angebote zur (subjektiven) *Auswahl* dürfen wir sie, bei einem angemessenen Verständnis (der Sprache) der Moralität, nicht verstehen.

Ist der öffentliche Zustand unserer Verständnisse, die Allgemeinheit, auf die wir uns hier berufen, selbstverständlich? Was selbstverständlich ist, muß *uns* selbstverständlich sein. Die Unterscheidung zwischen dem Selbstverständlichen, und dem, was anders sein könnte, steht selbst auf dem Boden unserer sprachlichen und darüber hinaus praktischen Formen.

Wird damit das ethische Lebensverständnis nicht gebunden an die praktische und sprachliche Form, die moralischen Institutionen *unserer Kultur*? Und stellt sich zugleich, mit dieser, als eine *relative historische* Erscheinung dar? Wie kritisieren wir diese dann? – Nun, wir sehen, wo, in welchen Situationen, unsere Verständnisse jeweils unangemessen sind.

Auf einem Standpunkt *außerhalb* jeder gemeinsamen praktischen Kultur lassen sich also hier Frage wie Antwort nicht ansiedeln. Der Sinn beider, und die darin liegenden Verständnisse von *Kritik* und *Rechtfertigung*, dies alles ist Teil unserer Grammatik einer moralisch gefaßten Rationalität. – Hier haben wir dann wieder die schon im ersten Teil unserer Überlegungen gegebene »Antwort« auf die »große«, die *kulturrelativistische* Frage: Diese Frage löst sich eben bei einer grammatisch strengen Betrachtung der Dinge auf.

Anmerkungen

1 In diesem Sinne setzt Wittgenstein die künstliche grammatische Modifikation vielfältig ein. In der Literatur im engeren Sinne findet man z. B. bei F. Kafka Entsprechendes.

2 E. Tugendhat, *Probleme der Ethik*, Stuttgart 1984; cf. insbesondere die dort wiedergegebenen »Drei Vorlesungen über Probleme der Ethik« (57-131).

3 In der geschilderten Perspektive stimmen so unterschiedliche Ansätze wie diejenigen von J. Habermas (cf. jetzt vor allem: »Diskursethik – Notizen zu einem Begründungsprogramm«, in: ders., *Moralbewußtsein und kommunikatives Handeln*, Frankfurt a. M. 1983, 53-125), P. Lorenzen/O. Schwemmer (cf. Kapitel II, Ethik, in: P. Lorenzen/ O. Schwemmer, *Konstruktive Logik, Ethik und Wissenschaftstheorie*, Mannheim u. a. ²1975, 148-180), E. Tugendhat (vgl. die in Anm. 2 zitierten Untersuchungen), aber auch etwa die vielen Spielarten des Utilitarismus, R. Hares Universalisierungsprinzip und der Good Reasons Approach (wie er sich in K. Baiers Kennzeichnung des »morali-

schen Standpunkts« dokumentiert) noch überein. Auch auf meine eigenen früheren Untersuchungen zur praktischen Philosophie hat diese Sichtweise einen verzerrenden Einfluß gehabt.

4 Cf. dazu meine ausführlichen Erörterungen »Universalität als Lebensform – Zu den (unlösbare) Schwierigkeiten, das gute und vernünftige Leben über formale Kriterien zu bestimmen«, in: W. Oelmüller (Hg.), *Normenbegründung – Normendurchsetzung*, Paderborn 1978, 11-21.

5 Cf. meine Kritik einschlägiger Versuche im Eingangsteil der in Anm. 4 genannten Abhandlung.

6 Die Formulierung greift zurück auf J. Habermas, »Gegen einen positivistisch halbierten Rationalismus«, in: Th. W. Adorno u. a., *Der Positivismusstreit in der deutschen Soziologie*, Neuwied, Berlin 1969, [11]1984, 235-266.

Charles Taylor
Die Motive einer Verfahrensethik

Das von Habermas und Apel vertretene diskursethische Begründungsprogramm deutet die ganze moderne Tradition der Verfahrensethik um und ist sicherlich der interessanteste und glaubwürdigste Versuch innerhalb einer Tradition, die die Moderne mindestens seit Kant – meiner Meinung nach sogar noch früher – kennzeichnet. Darüber hinaus hat es eine Reihe von Unzulänglichkeiten älterer Theorieentwürfe überwunden, insbesondere den monologischen Charakter der Theorie Kants.

Es stellt sich jedoch die Frage, ob eine Verfahrensethik als solche überzeugend sein kann, eine Theorie der Moral also, die prinzipiell die Frage nach dem Richtigen der Frage nach dem Guten vorzieht. Meiner Meinung nach kann dies nicht der Fall sein. Es liegt allerdings nicht in meiner Absicht, diese These in diesem Beitrag direkt zu verteidigen, sondern mein Interesse geht vielmehr dahin, die *Motive* der Verfahrensethik zu diskutieren. Ich entziehe mich zwar zunächst einer Beantwortung der Hauptfrage, aber die hier entwickelten Betrachtungen sollen indirekt zu einer Lösung des Problems beitragen. Dazu vorab einige Bemerkungen.

Als Gegenthese zu einer Verfahrensethik möchte ich vertreten, daß die Subsumtion des Guten unter das Richtige – ein wesentliches Merkmal der Verfahrensethik, das ich weiter unten ausführlicher erörtern werde – letzten Endes unhaltbar ist. Dieser Gegenthese zufolge beruht jede Ethik auf einem Grundbegriff des Guten. Daraus folgt nun keineswegs, daß jeder verfahrensethische Ansatz zu verwerfen ist, sondern lediglich, daß er als Theorie der Moral die spezifische Natur und Logik des Moralischen mißversteht. Erweist sich diese Gegenposition als zutreffend, so würde dies für eine Verfahrensethik zwar einige gravierende Reformulierungen zur Folge haben, sie jedoch nicht generell widerlegen. Ich komme auf die Folgen meiner Grundannahme für die Diskursethik weiter unten noch zu sprechen.

Zunächst möchte ich die Bemerkung vorausschicken, daß die Auseinandersetzung zwischen Verfahrens- und substantieller Ethik eng mit der Beziehung zwischen ethischen und metaethischen Fragen verbunden ist. Die Subsumtion des Guten unter das Richtige impliziert eine metaethische Einstellung, da es dabei ja um eine Entscheidung über die Form einer ethischen Theorie geht. Konsequenterweise muß dann davon ausgegangen werden, daß sich metaethische Fragen unabhängig von Annahmen über das Gute entscheiden lassen. Wenn die Verfahrensethik einen Begriff des Guten annehmen müßte, um sich legitimieren zu können, geriete sie in einen Widerspruch, da sich dann der Vorrang des Richtigen vor dem Guten nicht mehr aufrechterhalten ließe. Folgerichtig vertreten Befürworter einer Verfahrensethik auch die unabhängige Stellung der Metaethik, eine Position, die von ihren Gegnern fast ausnahmslos bestritten wird.

Dies war in den letzten Jahren ein wichtiges Thema der philosophischen Diskussion in den angelsächsischen Ländern. Es gab zwar verschiedene Spielarten der Verfahrensethik, etwa ein utilitaristischer Kantianismus bei Hare oder eine reine, jedoch von metaphysischen Voraussetzungen befreite Version bei Rawls und Dworkin, aber in jedem Fall spielte die Frage nach dem Stellenwert der Metaethik eine entscheidende Rolle. Kritiker versuchten dementsprechend zu zeigen, daß Metaethik als Theorieform auf einer substantiellen Basis beruht, die mit ihrem Status nicht vereinbar ist. Entscheidend für Hares Kritik etwa war die metaethische Annahme einer Kluft zwischen Sein und Sollen und zwischen Tatsachen und Werten. Habermas hingegen betont im Anschluß an Weber die Differenzierung zwischen Fragen der tatsächlichen Wahrheit und solchen der normativen Richtigkeit. Es ist vielleicht möglich, beide Positionen durch den Nachweis zu überwinden, daß sie selbst stillschweigende Vorannahmen des Guten zur Voraussetzung haben, die einerseits ihre Logik in Frage stellen und andererseits in der Lage sind, die vermutete Kluft zu überbrücken.

In diesem Sinne soll eine historisch-hermeneutische Rekonstruktion der Motive einer Verfahrensethik zu deren Reformulierung beitragen helfen. Neben einer Rechtfertigung meiner Betrachtungsweise halte ich jedoch einen zusätzlichen theoretischen Gewinn für möglich. Wenn nämlich die Verfahrensethik tatsächlich insgeheim von einem Begriff des Guten genährt ist, dann ist die Vermutung naheliegend, daß uneingestandene Motive auch unverstanden bleiben und Anlaß zu mannigfaltigen Irritationen geben. Meiner Ansicht nach schöpft die Verfahrensethik einen bedeutenden Anteil ihrer Anziehungskraft aus besagten Irritationen, die sich hoffentlich auflösen lassen, wenn ihre Motive aufgeklärt werden.

Ich habe nun *meine* Motive, diese Untersuchung zu unternehmen, offengelegt. Insbesondere die bereits angeführte zweite Absicht, nämlich die verschiedenen verworrenen Motive zu entflechten, wird mich hier hauptsächlich beschäftigen. Ich stütze mich dabei auf Alasdair MacIntyres (1981) *After Virtue*, einen der wichtigsten Beiträge zur Diskussion über ethische Theoriebildung im angelsächsischen Sprachraum, und beginne mit seiner Diskussion der historischen Voraussetzungen der Tatsache/Wert-Dichotomie, um dann eine nähere Betrachtung der Wurzeln der Verfahrensethik anzuschließen.

I

Im fünften Kapitel von *After Virtue* nimmt MacIntyre die Diskussion der Tatsache/Wert-Dichotomie auf. Er bezieht sich dabei auf einen wegweisenden Aufsatz von Elizabeth Anscombe[1] und zeigt, daß die zunehmend unter verschiedenen Schulen der modernen Philosophie geteilte Auffassung, daß ein »Sollen« nicht aus einem »Sein« abgeleitet werden kann, nicht etwa der allmähliche Beginn einer kontextfreien logischen Wahrheit ist, sondern eher dem Ende oder der Zurückweisung einer im Zentrum der älteren Philosophie stehenden Auffassung entspricht, die das menschliche Leben als auf ein telos hin gerichtet bestimmt hatte. Die scharfe Kluft zwischen Argumentationsweisen, die behaupten, daß etwas eine gute Uhr oder jemand ein guter Farmer ist einerseits, und solchen, die behaupten, daß jemand ein guter Mensch ist andererseits, entsteht im Rahmen der Aristotelischen Theorie erst gar nicht, einer Theorie, die zweifellos die bedeutendste und am weitesten verbreitete der klassischen Philosophie zu Beginn der Moderne war (MacIntyre 1981, S. 56).

Der springende Punkt ist nun, wie MacIntyre hinzufügt, daß der Niedergang teleologischer Vorstellungen nicht nur als unabhängige Entwicklung von Wissenschaft und Erkenntnistheorie interpretiert werden kann. Er reflektiert ebenso ein gewandeltes Verständnis der moralischen und geistigen Situation des Menschen. MacIntyre verweist an dieser Stelle auf die bedeutende Rolle protestantischer und jansenistischer Theologien und deren Verständnis von einer ohnmächtigen und im Niedergang begriffenen Vernunft (ebd., S. 51 f.). Da es in meiner weiteren Argumentation eine Rolle spielen wird, möchte ich diesen Zusammenhang etwas eingehender betrachten.

Es sollte eigentlich genügend Gründe geben, die Aristotelische Teleologie zurückzuweisen, insbesondere nachdem die Naturwissenschaften die von Galilei, Descartes und deren Nachfolgern hervorgerufene, entscheidende Wandlung vollzogen hatten, die als »Mechanisierung des Weltbildes« beschrieben wird. Dieser Prozeß scheint die Geltung teleologischer Betrachtungsweisen im allgemeinen und in der Biologie im besonderen radikal zu untergraben. MacIntyre verweist auf die Abhängigkeit der Aristotelischen Ethik von dessen »metaphysischer Biologie«.

Dies ist aber nicht der Fall. Die Vorstellung, daß Menschen qua humanum ein telos haben, kann von der Annahme, alles in der Natur gehöre einer Art an und sein Verhalten sei qua Form oder Idee erklärt, unterschieden werden. Auch wenn wir die Bewegungen der Gestirne nicht mehr teleologisch erklären, bedeutet das keineswegs, im Hinblick auf menschliches Handeln auf teleologische Erklärungsmodelle verzichten zu müssen. Damit wird nicht behauptet, daß die Auflösung einer Erklärung durch das Formprinzip auf die teleologische Auffassung keinen traumatischen Effekt gehabt hätte oder das nicht bedeutende Probleme weiter bestehen würden, als wichtigstes etwa das Verhältnis von Human- und Naturwissenschaften, die im Verlauf ihrer historischen Ausdifferenzierung divergierende Erklärungsmodelle entwickelt haben. Es besagt vielmehr, daß die vom mechanistischen Weltbild erzeugten Veränderungen der moralischen Einstellungen, die auf diesem Hintergrund häufig gerechtfertigt wurden, keineswegs unvermeidlich gegeben sind. (Ich werde weiter unten die Auffassung vertreten, daß eine bestimmte Tendenz, nämlich wissenschaftliches Argumentieren überzubewerten und praktische Vernunft in der Relation dazu geringzuschätzen, aus der moralischen Physiognomie der Moderne selbst hervorgeht.)

Die Behauptung, die MacIntyre in diesem Zusammenhang aufstellt, und mit der ich völlig übereinstimme, besagt, daß das gewandelte Verständnis von Moralität selbst mit Mitteln der veränderten moralischen Einstellungen erklärt werden muß. Das gewandelte Verständnis der eigentlichen Natur des moralischen

Diskurses und des moralischen Denkens – wie z. B. das Prinzip, daß kein »Sollen« aus einem »Sein« abgeleitet werden darf – verdankt sich substantiellen Veränderungen in der Auffassung des Moralischen. Die neue metaethische Perspektive mag in der Tat von neuen wissenschaftlichen Theorien in ihrer Entwicklung unterstützt worden sein, aber ebenso offenkundig ist auch die Art und Weise des Einflusses in umgekehrter Richtung. Es kann als gesichertes Wissen betrachtet werden, daß ein wichtiges Motiv für die bereitwillige Annahme des Mechanismus im 17. Jahrhundert theologischer Natur war. Eine bedeutende Tradition des Denkens der christlichen Welt, die Gottes Souveränität betonte und zu Argwohn gegenüber griechischen Vorstellungen einer festgefügten kosmologischen Ordnung neigte, nahm nur allzu bereitwillig den Mechanismus des 17. Jahrhunderts auf, um gegen die übermäßigen, als neu-heidnisch angesehenen Exzesse des Animismus der Hochrenaissance vorgehen zu können – das sehen wir etwa bei Bruno. Vergleichbar war Mersennes Motivation, der eine wichtige Rolle bei der Verbreitung des neuen wissenschaftlichen Weltbildes spielte.

Zu dieser Zeit war der wechselseitige Einfluß von Wissenschaft und Moral erheblich ausgeprägter als zu jedem anderen Zeitpunkt in der Geschichte unserer Zivilisation. Es ist jedoch unzutreffend, einen einseitigen Begründungszusammenhang anzunehmen und Veränderungen der moralischen Auffassung lediglich als Folge von wissenschaftlichen Entdeckungen zu betrachten.

Hinter der Tatsache/Wert-Dichotomie, wie man sie etwa bei Hume feststellen kann und die ein vorherrschendes Thema unserer Zeit wird, steht ein neuartiges Verständnis und eine neue Bewertung von Freiheit und Würde. Ich möchte dies kurz skizzieren.

MacIntyre verweist auf die theologischen Ursprünge der Tatsache/Wert-Dichotomie. Diese müssen meiner Meinung nach als Element des christlichen Denkens, wie ich es bereits erwähnt habe, interpretiert werden. Die Synthese des christlichen mit dem griechischen Denken war in Wirklichkeit immer unbefriedigend. Für eine Reihe von christlichen Theologen war die Idee eines festgefügten und wohlgeordneten Kosmos, dessen Rechtfertigungsprinzip in ihm selbst enthalten ist, inkompatibel mit der Souveränität Gottes. Man denke zum Beispiel an die Auflehnung des Nominalismus gegen den Thomismus. Die Streitfrage betraf die Beziehung von Vernunft und Wille bei Gott. Ist Gott durch seine eigene Schöpfung gezwungen, ein Gutes zu wollen, das so beschaffen ist, als sei es in ihr bereits enthalten? Ockham und andere vertreten eine mehr voluntaristische Sicht der göttlichen Macht, denn jede geringere Annahme wäre geeignet, Gott herabzusetzen. Die Reformatoren nahmen in diesem Sinne theologisch Partei, auch wenn sie sich nicht immer die gleichen Formulierungen zu eigen machten. In der christlichen Welt setzt sich dann der Kampf Thomas versus Ockham in immer neuen Spielarten fort, in Form der Auseinandersetzung zwischen Jesuiten und Jansenisten bis in unsere Tage.

Die Kompatibilität des mechanistischen Weltbildes mit der Ockhamschen Position ist nun leicht ersichtlich, denn hier handelt es sich tatsächlich um eine völlig neutrale Sicht der kosmologischen Ordnung, die nur darauf wartet, ihre Zweckbestimmung durch göttlichen Befehl verliehen zu bekommen. Die Tatsache/Wert-Spaltung ist ursprünglich eine theologische These und Gott ist zuerst ihr alleiniger Nutznießer. Gerade auf dieser Entwicklungsstufe ist die religiöse Motivation dieser Anschauung evident, sie dient der Verteidigung der göttlichen Wahlfreiheit.

Diese Konzeption von Freiheit wird im Laufe der Zeit zunehmend auf den Menschen übertragen. Die uns vorgegebenen Zwecke sind nun nicht mehr durch die Natur der kosmologischen Ordnung, in die wir eingebunden sind, verbürgt, sondern eher durch die Natur unserer Verstandeskräfte. Diese verlangen, daß wir die Welt qua Objektivierung kontrollieren und sie den Anforderungen einer instrumentellen Vernunft unterwerfen. Die Instrumentalisierung der uns umgebenden Welt erfolgt gemäß in uns selbst gegebener Zwecke. Die Zwecke des Lebens sind Selbsterhaltung und das, was man später das Streben nach Glück nannte; beide sind als solche durch die Natur vorgegeben. Die Würde dieses Bestrebens besteht darin, daß es sich nicht in einer blinden, zügellosen oder undisziplinierten Art und Weise vollzieht, sondern unter der Kontrolle einer vorausblickenden, kalkulierenden Vernunft.

Die Folgen sind nur allzu gut bekannt: Vernunft wird nicht mehr substantiell definiert, etwa im Bezugsrahmen einer kosmologischen Ordnung, sondern formal; das Denken soll sich an Verfahren orientieren, speziell solchen, die eine Übereinstimmung von Mitteln und Zwecken einschließen. Die Vormachtstellung der

Vernunft wird daher neu interpretiert und bezieht sich nun nicht mehr auf eine Lebensführung gemäß der Vorstellung einer festgefügten Ordnung, sondern vielmehr auf die Kontrolle der Bedürfnisse durch die Imperative der instrumentellen Vernunft. Freiheit besteht folglich in der Lösung von jeglichen äußeren Mächten und in der ausschließlichen Anwendung von Verfahren der subjektiven Vernunft. Der Begriff der menschlichen Würde unterliegt ebenfalls einem Bedeutungswandel; es besteht keine Verpflichtung auf eine kosmologische Ordnung mehr, sondern es ist der Status des Subjekts als souveränes Vernunftwesen, der zu rationaler Kontrolle verpflichtet. Dies ist nicht einer Ordnung der Dinge geschuldet, sondern der eigenen Würde.

Descartes war einer der Begründer dieser neuen Auffassung, deren gesamte Thematik sein Werk faktisch durchzieht. In den *Meditationes* beispielsweise verdeutlicht er, daß mein Selbstverständnis als denkendes Wesen davon abhängig ist, ob ich mich von der Einstellung lösen kann, Dinge körperlich zu erfahren – davon, die Farbe *in* der Rose zu sehen oder den Schmerz *im* Zahn zu fühlen. Ich muß nach Descartes eine Haltung einnehmen, die festzustellen erlaubt, daß beides, Farbe und Schmerz, in Wirklichkeit seelische Ereignisse sind, ungeachtet (wir haben Gründe, das anzunehmen) der Bedingungen ihrer Entstehung in der Rose bzw. im Zahn. Diese autonome Einstellung betrachtet den Körper als Mechanismus, als Vermittlungsglied kausaler Verbindungen zwischen Innen- und Außenwelt. In seinen späteren moralphilosophischen Schriften, der Korrespondenz mit Elisabeth von der Pfalz und in *Le Traité des Passions*, reinterpretiert Descartes die ältere Tradition der Moraltheorie (insbesondere die der Stoiker) im Lichte des neuen Ideals der freien rationalen Kontrolle. Er betrachtet die Vormachtstellung der Vernunft nicht mehr als ein Problem, die Leidenschaften zu durchschauen, um sie wirkungslos zu machen (wie bei den Stoikern), sondern als ein Problem, die Leidenschaften zu verstehen, um sie zu instrumentalisieren, d. h. der subjektiven Vernunft zu unterwerfen. Die Leidenschaften werden nicht mehr wie Meinungen (dogmata) analysiert, die entweder – der stoischen Position zufolge – völlig verworfen werden müssen oder – der aristotelischen Position zufolge – mit dem umfassenden, reflektierten Verständnis des Guten in Übereinstimmung gebracht werden müssen. Statt dessen entwickelt Descartes eine *funktionale* Theorie der Leidenschaften; er demonstriert uns, wie sie benutzt werden sollen. Die entscheidende Wendung hin zu einer neuen Bedeutung des Begriffs der Würde – die später bei Kant explizit wird – ist bereits bei Descartes angedeutet, und zwar durch den hohen Stellenwert, den er der Edelmütigkeit einräumt; damit ist im Denken des 17. Jahrhunderts jene aristokratische Tugend gemeint, die sich durch ein vitales Gespür für den eigenen Wert, die eigene soziale Stellung und die sich daraus ergebenden Anforderungen auszeichnet. Auch wenn der Begriff der Freiheit bei Descartes noch keinen explizit theoretischen Stellenwert hat, ist er in seiner späteren Bedeutung bereits implizit in seiner Philosophie enthalten.

Descartes ist in der Tat ein vorzügliches Beispiel für jene sich überschneidenden Motive, von denen ich oben sprach. Seine Faszination galt den außerordentlichen Möglichkeiten der mechanistischen Lesart der Natur, wie er sie bei Galilei gegeben sah. Dieses wissenschaftlich-erkenntnistheoretische Motiv liegt offen zutage. Da er aber auch dem Ideal einer freien rationalen Kontrolle verpflichtet war, koinzidieren anthropologische Idealvorstellungen und wissenschaftliche Theoriebildung, ein für die Kultur der Moderne – und Descartes ist einer ihrer Begründer – typisches Phänomen.

Wir sind nun in der Lage, einige Fragen bezüglich MacIntyres Argumentationsstruktur in *After Virtue* aufzuwerfen. Wir haben bis jetzt gesehen, daß die moderne metaethische Dichotomie von Tatsache und Wert nicht als zeitlose Wahrheit betrachtet werden kann, wie z. B. die Entdeckung des Gravitationsgesetzes oder der Blutzirkulation. Sie macht lediglich im Rahmen einer bestimmten ethischen Auffassung einen Sinn. Für einen Aristoteliker ist die strikte Trennung von faktischen und evaluativen Fragen jedoch sinnlos. Befürworter der Trennung werden an dieser Stelle sicher entgegnen, daß dies gerade Aristoteles' Fehleinschätzung zeige und daß seine Theorie durch den wissenschaftlichen Fortschritt widerlegt sei. Meine bisherige Argumentation war jedoch gerade darauf abgestellt, von dieser Betrachtungsweise Abstand zu nehmen. Der wissenschaftliche Fortschritt hat die aristotelische Physik und Biologie widerlegt, aber er schließt eine Betrachtung des Moralischen in teleologischen Begriffen oder ähnliche Konzeptionen keineswegs aus. Die (natur-)wissenschaftliche Neuorientierung reicht als Begründung für den Perspektivenwechsel in der Ethik nicht aus. Die Aufspaltung muß eher als Bestandteil des neuen Verständnisses von Freiheit und moralischem Handeln betrachtet werden. Das autonome Subjekt und die neutrale Welt der Natur, die darauf wartet, ihre Gesetze vorgeschrieben zu bekommen, entsprechen einander. Das Subjekt *muß*, wenn es seine Möglichkeiten als freier Urheber von Würde und rationaler Beherrschung realisieren will, dieses Merkmal der Neutralität der Welt begreifen. Aber damit ließen wir uns von den Befürwortern der Tatsache/Wert-Dichotomie gewaltig hinters Licht führen. Was als kontextunabhängige metaethische Konstruktion angenommen wird – nämlich die Regeln des Argumentierens für alle möglichen moralischen Standpunkte festzulegen –, entpuppt sich lediglich als bevorzugte Interpretation einer Idealvorstellung unter anderen. Argumentationsstrukturen dieser Art sind hinlänglich bekannt. Sie bestehen darin, die scheinbar unabhängige Gültigkeit bestimmter metaethischer Annahmen zu entlarven, was in Wirklichkeit die Regeln des Diskurses im Interesse einer einzigen Position festlegt, indem sie konkurrierende Ansätze für inkohärent erklären.

Man kann jedoch noch einen Schritt weitergehen und – mit allen Mitteln einer Phänomenologie des Moralischen – nachweisen, daß die hier kritisierte metaethische Position nicht nur voreingenommen, sondern auch falsch ist. Eine Reihe von Argumenten sind vorgebracht worden. MacIntyre argumentiert selbst in einem gewissen Sinn in diese Richtung, indem er Aristoteles gegen Nietzsche ausspielt und dessen Position als einzig konsistente Schlußfolgerung für die Befürworter der Trennung darstellt. Ich möchte hier nicht ins Detail gehen, denn mein Interesse geht in eine andere Richtung. Aber im Allgemeinen versucht eine Argumentation, wie sie von MacIntyre und anderen vertreten wird, uns davon zu überzeugen, daß wir, um unser moralisches Argumentieren als solches wiederzuerkennen, ohne den von der Tatsache/Wert-Dichotomie ausgeschlossenen Modus des Denkens gar nicht auskämen, zum Beispiel durch den Gebrauch von moralischen Begriffen, die nicht fein säuberlich in deskriptive und evaluative Komponenten zerlegt werden können. Diese Argumentation ist bereits angeführt worden und hat hoffentlich überzeugen können. Dabei möchte ich es hier bewenden lassen. Die entscheidende Frage ist vielmehr, in welche Richtung wir uns nun wenden.

Oder vielleicht besser, wo wir schon angelangt sind. Kritiker wie

MacIntyre und ich klagen die Hares und Stevensons an, daß sie versuchen – um es sehr polemisch und grob zu sagen –, ihre radikal verstandene Freiheitsethik unter dem Deckmantel einer davon unabhängig begründeten, rational nicht bestreitbaren Metaethik mit Macht durchzusetzen. Wir setzen dem unseren eigenen metaethischen Theorieentwurf entgegen, nennen wir ihn der Einfachheit halber »aristotelisch«, obwohl er sich auch auf andere Bereiche der Moraltheorie erstreckt und nicht im wörtlichen Sinne an Aristoteles' Theorie gebunden ist. MacIntyre betont, wie vielförmig und entwicklungsfähig das Verstehen in Form von moralischen Begriffen ist, aber dessen ungeachtet können einige Positionen mehr Kohärenz beanspruchen als andere. Ist also eine substantielle Argumentation im Rahmen einer ihr entsprechenden metaethischen Form – im Interesse des eigenen moralischen Standpunktes mittels der implizierten Form des moralischen Argumentierens – letzten Endes doch legitim; ist das einzige Problem der Tatsache/Wert-Dichotomie, daß die ihr zugrunde liegende Frage falsch gestellt war?

Die Antwort darauf lautet schlicht und einfach »ja«. Wenn moralische Gesichtspunkte und metaethische Theorie so eng miteinander verflochten sind, sollte es möglich sein, in beide Richtungen zu argumentieren, obwohl der Begründungszusammenhang im Einzelfall komplizierter sein mag. Folgt daraus (unterstellt, unsere Phänomenologie des Moralischen ist überzeugend), daß wir die moderne Freiheitsethik als widerlegt betrachten sollen, gerade so, wie es die Befürworter der Trennung von Tatsachen und Werten im Hinblick auf die aristotelische Ethik tun? Diese Schlußfolgerung wäre übereilt. Wir würden der Gegenposition lediglich eine Inkohärenz der Theorieform nachgewiesen haben, und zwar in erster Linie durch das Festschreiben der Unmöglichkeit jener Formen des moralischen Denkens, die selbst Vertreter der modernen Freiheitsethik zu benutzen gezwungen sind. Aber vielleicht kann die substantielle Vision des Moralischen in einer differenzierteren Variante gerettet werden, die diesem Umstand Rechnung trägt. Möglicherweise stimmt aber das Ideal der modernen, radikalen Freiheit so wenig mit dem überein, was wir wirklich sind, daß es uns unvermeidlich zur Inkohärenz zwingt. Wir können diese Frage jedoch nicht a priori beantworten, sondern müssen dieses Ideal einer Bewährungsprobe unterziehen.

Die Notwendigkeit, diesen Versuch zu unternehmen, wird nicht zuletzt durch den Umstand verstärkt, daß auch für die Anhänger des »aristotelischen Lagers« einige Aspekte des modernen Freiheitsbegriffs eine große Attraktivität haben. Man kann sicher davon ausgehen, daß es im Grunde genommen niemanden gibt, der sich nicht dem einen oder anderen Aspekt verpflichtet fühlt. Die Ausbildung einer Identität ist in den modernen Gesellschaften ohne besagtes Freiheitsverständnis ohnehin kaum noch vorstellbar. Zahlreiche Kritiker MacIntyres haben Bedenken in dieser Richtung erhoben. Diese Argumentation läßt allerdings – nachdem wir die Bezugspunkte einer scheinbar unabhängigen Metaethik bloßgestellt und einen Gegenvorschlag gemacht haben – noch ein wichtiges Problem offen: Was kann/soll von der moralischen Einsicht, die die hier kritisierte Metaethik erzeugt hat, gerettet werden?

Darüber hinaus stellt sich ein weiteres Problem. Angenommen, die »aristotelische« Metaethik entspricht den Formen, in denen wir zu denken gezwungen sind und zumindest erhebliche Teile unseres moralischen Lebens gestalten müssen, wie ist es dann um die Möglichkeit, diesen Formen zu entgehen, faktisch bestellt? Die Möglichkeit dazu besteht vermutlich nur auf Kosten einer Preisgabe derjenigen Aspekte unserer moralischen Lebensform, die wir nur im Bezugsrahmen der aristotelischen Metaethik aufrechterhalten können. Aber wie ist es um diese Möglichkeit praktisch bestellt? Die Beantwortung dieser Frage wird erhebliche Konsequenzen für das Selbstverständnis unserer Zivilisation haben.

Geht man davon aus, daß die aristotelische Metaethik tatsächlich die für jegliches moralische Denken unausweichlichen Kategorien bietet, dann wird man konkurrierende moraltheoretische Programme – etwa das einer radikalen Freiheit in Verbindung mit der Metaethik der Tatsache/Wert-Dichotomie – nicht als entwicklungsfähige Grundlage für eine alternative Lebensform betrachten können. Es würde faktisch auf eine Selbsttäuschung hinauslaufen und die damit verbundene Unklarheit des Denkens nicht beheben. Wer diese Alternative trotzdem für möglich hält, ist »aristotelischer«, als er zugeben darf, denn er müßte sich auf Begriffe wie »Tugend« und »das gute Leben« berufen, deren Geltung auf theoretischer Ebene er ja gerade bestreitet. Je mehr man aber davon ausgeht, daß die aristotelischen Kategorien vermieden werden könnten, desto eher erscheint es plausibel, daß die moderne Ethik in der Kantischen Tradition als Grundlage für eine kohärente und entwicklungsfähige Alternative dienen kann.

Eine Entscheidung in dieser Frage bleibt nicht ohne Folgen für eine Kritik der Moderne. Es ist ein Bestandteil der in eine aristotelische Metaethik mündenden moralischen Phänomenologie, daß diese Denkform zentralen Merkmalen unserer moralischen Lebensform gerecht wird. Geht man davon aus, daß sich diejenigen, die sich die moderne metaethische Programmatik zu eigen machen, tatsächlich diesen (aristotelischen) Formen entziehen können, so ist das gleichbedeutend mit der Annahme, sie könnten sich über diese charakteristischen Merkmale hinwegsetzen. Und das bedeutet – nimmt man diese Position ernst –, daß sie folglich wesentliche Bestandteile menschlicher Lebensformen aufgeben und daher von der humanen Norm abweichen. Umgekehrt impliziert die Annahme, man könne sich diesen Denkformen nicht entziehen, die Bereitschaft, die Kultur der Moderne einer gewissen Inkonsequenz zu bezichtigen, da sie praktisch keineswegs so weit von der Norm abweicht, wie es ihre Theorie vermuten läßt.

Für ein uneingeschränktes Verständnis der Moderne ist dies ein bedeutendes Problem, zumal im Zusammenhang unserer Kritik der modernen Metaethik. MacIntyre scheint der zweiten der oben genannten Auffassungen zuzuneigen, die einen gangbaren Weg außerhalb der aristotelischen Kategorien für möglich hält. Folglich tendiert er dazu, die sich auf unaufhaltsame Atomisierung und Zerfall zubewegende Gesellschaft an äußeren Werten der in ihr vorherrschenden Theorien zu messen. In diesem Zusammenhang spricht er von einer Gesellschaft, die um ein »emotivistisches« Verständnis der Ethik organisiert ist. Demgegenüber neige ich offen gestanden der anderen Auffassung zu. Ich denke, daß wir weitaus mehr »Aristoteliker« sind, als wir es uns zugestehen wollen, und daß unsere Praxis in signifikanter Weise weniger auf bloßer radikaler Freiheit und Atomisierung beruht, als wir es wahrhaben wollen. Damit soll natürlich nicht gesagt werden, daß die Lösung des Problems einer angemessenen Metaethik praktisch ohne Folgen bliebe; zweifellos würde ein Selbstverständnis als atomisiertes Individuum genau die gesellschaftliche Praxis verzerren bzw. verhindern, die in der Gegenposition ausdrücklich inbegriffen ist. Diese besteht bemerkenswerterweise trotzdem fort, zum Beispiel im Fall der politischen Partizipation der Bürger in zeitgenössischen Gesellschaften. Unsere Lebensweise wird sich nicht zu jenem totalen Schreckensbild entwickeln, das ich erwarten würde, wären wir wirklich konsistente Benthamisten.

In diesem Punkt sind MacIntyre und ich gegenteiliger Ansicht. (Er wurde wegen seiner Position in dieser Frage bereits einer reichhaltigen Kritik unterzogen.) Die Wahrheit mag irgendwo zwischen uns liegen. Aber ich möchte an dieser Stelle das Problem vorantreiben und zwei weitere Fragen an MacIntyres Argumentation in *After Virtue* richten: 1. Ist die Vorstellung einer substantiellen Ethik mitsamt der von ihr erzeugten inadäquaten Metaethik aufzugeben, oder kann/soll sie in gewisser Weise gerettet werden; 2. Ist sie in dem Maß, in dem sie aufgegeben werden muß, noch für eine Diagnose der Moderne ernst zu nehmen, der sie als kohärente, aber unzureichende, gefährliche und destruktive Praxis oder Lebensweise zugrunde liegt? Oder sollte sie teilweise als Verwirrung außer acht gelassen werden, die uns für unsere wirkliche Denk- und Lebensweise blind macht und die folglich potentiell gefährlich und destruktiv ist, allerdings nicht genau in der Art und Weise, wie es die ihr entsprechende metaethische Theorie oberflächlich vermuten läßt?

Ich möchte diese beiden Fragen die Frage der Rettung und die Frage der Diagnose nennen und mich nun der Betrachtung weiterer metaethischer Probleme bei MacIntyre zuwenden.

II

Es liegt mir fern zu behaupten, die Tatsache/Wert-Dichotomie sei kein ernst zu nehmender Gegenstand. In gewisser Hinsicht ist sie der bedeutendste und fundamentalste Anspruch, der aus der neuen Konzeption des modernen Freiheitsbegriffs hervorgeht. Daß MacIntyre so viel Mühe darauf verwendet, die Kultur der Moderne als »emotivistische« zu charakterisieren, steht damit in Verbindung. Es ist geradezu kennzeichnend für die Moderne, daß die Tatsache/Wert-Dichotomie sowohl aus der zugrundeliegenden Freiheitsethik hervorgeht als auch einem ethischen Skeptizismus geschuldet ist, den die Entwicklung der modernen Wissenschaft aus einem Konglomerat von ethischen und erkenntnistheoretischen Überlegungen hat entstehen lassen. Das Für und Wider ist hinlänglich genug bekannt, so daß wir diese Streitfrage nun begraben sollten.

Interessanter ist das Problem der angemessenen Reichweite ethischer Theorien. Paradigmatisch dafür ist die Frage der Gerechtigkeit; hier stehen sich zwei Parteien gegenüber, deren Schlüsselfiguren auf der einen Seite John Rawls und Ronald Dworkin sind und auf der anderen Seite Michael Walzer und Michael Sandel. Die eine geht davon aus, daß eine Theorie der Gerechtigkeit einen verallgemeinerungsfähigen Geltungsanspruch erheben sollte, anwendbar auf alle Gesellschaften oder mindestens auf alle eines bestimmten Entwicklungsniveaus. Die andere nimmt an, daß Gerechtigkeit in gewissem Grade relativ zur besonderen Kultur und Geschichte einer Gesellschaft ist. Nennen wir diese beiden Ansätze den universalistischen und den kommunitären, d. h. an konkreten Gemeinschaften orientierten Ansatz.

MacIntyres Buch ist gerade in diesem Punkt von Relevanz. Allem Anschein nach argumentiert er angemessen zugunsten des kommunitären Ansatzes, insbesondere wenn er im siebzehnten Kapitel die Frage der Gerechtigkeit direkt aufgreift. Vertreter des universalistischen Ansatzes werden jedoch unzufrieden sein und annehmen, daß er ihrer Position eher ausweicht, anstatt sie kontrovers zu behandeln. Was sie für eines der wesentlichsten Kriterien einer Theorie der Gerechtigkeit halten, nämlich die Möglichkeit einer kritischen Einstellung gegenüber der Realität, scheint gerade in der Ableitung des Guten aus der gegebenen Praxis unterzugehen.

Ich halte diese Lesart für unzutreffend und betrachtete MacIntyres Buch vielmehr als ausgezeichnete Grundlage, die Auseinandersetzung zwischen dem universalistischen und dem kommunitären Standpunkt voranzutreiben. Es hat allerdings zur Irritation beigetragen, daß meiner Meinung nach getrennte Argumentationsstränge in der Diskussion zusammengeflossen sind – Befürworter des radikalen Freiheitsbegriffs neigen jedoch zu dieser Zusammenziehung. Ich möchte in diesem Sinne drei Problembereiche differenzieren und anhand ihrer metaethischen Konnotationen die Trennungslinie zwischen Universalisten und Vertretern der kommunitären Perspektive verdeutlichen.

1. Gegen Ende des neunten Kapitels geht MacIntyre am Beispiel

Aristoteles' und Nietzsches auf den Gegensatz zwischen einer regelgeleiteten Ethik und einer Ethik der Tugend ein. Der ersteren zufolge »können die Regeln der Moral und des Rechts ... nicht von einer ihnen zugrundegelegten Konzeption des guten Lebens abgeleitet oder gerechtfertigt werden« (MacIntyre 1981, S. 112). Mit dieser Argumentation lehnt er sich an Dworkin an und zitiert anschließend Rawls, dessen Begriff der Tugend im wesentlichen damit übereinstimmt: Tugend ist in Form von Regeln des Richtigen definiert. MacIntyre betrachtet diese Position als Gegenpol einer Moraltheorie, deren Ausgangspunkt der Begriff der Tugend wäre.

Auch wenn es mit meiner Betrachtung im wesentlichen übereinstimmt, möchte ich der Formulierung dieses ersten Problems eine geringfügig andere Wendung geben. Als Gegenentwurf zu einer regelgeleiteten oder Verfahrensethik betrachte ich eine Moraltheorie, deren Grundbegriff das gute Leben ist. In Wirklichkeit läuft das wahrscheinlich auf die gleiche Unterscheidung hinaus. Die Frage nach dem Stellenwert des Guten ist für mich aber vorrangig, denn ich gehe davon aus, auf diesem Weg leichter zum motivationalen Kern besagter Theorieentwürfe vordringen zu können. Es handelt sich um das bereits angeführte Konglomerat von erkenntnistheoretischen und moralischen Überlegungen.

Der erkenntnistheoretische Gesichtspunkt ist leichter zu beschreiben als zu rechtfertigen. Eine Moraltheorie, die von einem Begriff des Guten ausgeht, scheint komplexe metaphysische Annahmen zu präsupponieren, die wir heute nicht mehr aufrechterhalten können, wie z.B. die einer normativen »Natur«. Eine regelgeleitete oder Verfahrensethik hat diese Schwierigkeiten nicht. Ich unterstelle diese Argumentation als hinreichend bekannt und werde hier nicht näher darauf eingehen. (Im dritten Abschnitt komme ich kurz auf die Motivation dieses Gesichtspunkts zurück.)

Die moralischen Gesichtspunkte sind von größerem Interesse. Sie können durch drei zueinander in Beziehung stehende Eigenschaften charakterisiert werden. Die erste ist, wie bereits erwähnt, Freiheit. Ein aristotelischer Theorieansatz betrachtet die paradigmatischen subjektiven Zielsetzungen als von der Ordnung der Natur bestimmt. Vernunftgeleitet zu handeln bedeutet, gemäß der Einsicht in diese Ordnung zu handeln. Im Gegensatz dazu ist der moderne Freiheitsbegriff prozedural definiert. Wir sind rational in dem Maß, in dem unser Denken bestimmte prozedurale Standards erfüllt, etwa Konsistenz, die Gliederung von Problemen in einzelne Bestandteile, das Herstellen von klaren und distinkten Zusammenhängen, das Berücksichtigen von Beweisen, das Übereinstimmen mit den Regeln der Logik und ähnliches. Vernunftgeleitet zu handeln bedeutet nun, eigenes Handeln an Methoden und Maßstäben zu orientieren, die dem Kanon rationaler Prozeduren entsprechen, z. B. gemäß klarer Kalkulation zu verfahren oder selbstbestimmten Gesetzen Folge zu leisten, da sie den Erfordernissen der Vernunft entsprechen. Vernunftgeleitet zu handeln ist daher synonym mit der als Freiheit verstandenen Selbststeuerung – entsprechend einer Ordnung, die das Subjekt selbst geschaffen hat, und im Gegensatz zur angenommenen Ordnung der Natur. Ausgehend von diesem Verständnis von Freiheit und Vernunft ist die aristotelische Theorie – bzw. jede Theorie, die auf einem durch die Natur vorgegebenen, vorgängigen Begriff des Guten basiert – höchst widersprüchlich. Sie erweitert nicht die Freiheit des Subjekts, wie sie es sollte, sondern schreibt sie eher fest. Wenn dies zutreffend ist, können wir uns die beste aller möglichen Welten nicht dadurch bedingt vorstellen, daß wir ihr eine selbstgewählte Ordnung verleihen. Das Wesen dessen, was die Moderne unter Würde versteht, wäre preisgegeben.

Hinzu kommt ein Motiv, das zu den beiden anderen, in enger Beziehung zueinander stehenden Eigenschaften überleitet. Im Rahmen der aristotelischen Theorieform (weniger in der platonischen, wie wir weiter unten sehen werden) ist die Begründung einer Theorie des Guten zu sehr von einer partikularen Lebensform abhängig. Sie wird kritische Schärfe und Universalität nicht zu ihren Eigenschaften zählen können.

Eine Theorie hingegen, die den Begriff der Regel als grundlegend betrachtet, entspricht dem Bestreben der Moderne nach Freiheit, Universalität und Kritik. Ein (sicherlich vermessener) Versuch, dies in aristotelische Kategorien zu übertragen, könnte so aussehen: Das Wesen des Menschen liegt in der Freiheit, seinem Leben eine Ordnung zu geben, die den Anforderungen prozeduraler Rationalität entspricht. Irgendein substantielles Ziel a priori aufzustellen bedeutet, diese Tätigkeit der Errichtung einer selbstbestimmten Ordnung zu umgehen bzw. zu entwerten. Die Normen, nach denen sich diese Tätigkeit zu richten hat, sind die der prozeduralen Rationalität. Daher sind die einzigen Standards, von denen a priori verlangt werden kann, daß Menschen sie erfüllen und die trotzdem die Freiheit unangetastet lassen, prozeduraler Art. Indem wir unsere Lebensweise gemäß dieser Tätigkeit verwirklichen, tun wir nichts anderes als zu bestimmen, was wir tun sollen oder was richtig ist. Folglich sollte eine angemessene Theorie der Moral nicht dem Begriff des Guten, sondern dem Begriff des Richtigen den Vorrang geben.

Ich habe mit meiner Argumentation vielleicht den Eindruck erweckt, daß Theorien des Guten ihren Anspruch an Theorien des Richtigen abzutreten haben. Es ist jedoch offenkundig, daß ich diese Unterscheidung in geradezu skandalöser Weise anders als üblich treffe. Diese Begrifflichkeit wurde ursprünglich von den Intuitionisten eingeführt, um, so denke ich, utilitaristische von kantischen Theorieansätzen zu unterscheiden. »Teleologisch« versus »deontologisch« waren weitere Bezeichnungen für diese Unterscheidung. So betrachtet, ist diese Differenzierung lediglich ein interner Streit der modernen Philosophie. Die von mir getroffene Unterscheidung spielt jedoch Utilitarismus und Kantianismus gegen Aristoteles und Platon aus.

Mein Vorschlag geht dahin, die Unterscheidungsmerkmale neu zu definieren. Die Form der Fragestellung lautet dann nicht mehr, ob die Frage nach dem Richtigen die Priorität hat vor der Frage nach dem Guten und umgekehrt, sondern eher, ob man eine hierarchische Ordnung der Güter anerkennt.

Zweifellos müssen Individuen de facto nichtmoralische Güter anerkennen, z. B. die Gegenstände ihrer Bedürfnisse und Wünsche. Der moralische Gesichtspunkt bezieht sich dabei auf eine mögliche Ordnung derselben, ob einigen angeblich höherstehenden oder erstrebenswerteren der Vorzug gegenüber anderen gegeben werden soll, ob sie uns vorgeschrieben sind oder ob wir sie sogar auf Kosten anderer für erstrebenswert halten sollen etc. Die dem modernen Freiheitsbegriff immanente Betrachtungsweise erlaubt es nicht, diese Güter anzuerkennen. Ihr zufolge muß die Lösung des Problems einer hierarchischen Ordnung der Güter der rationalen Konstruktion des Subjekts überlassen bleiben.

Nachdem die Möglichkeit eines höchsten Guts ausgeschlossen ist, besteht aus utilitaristischer Sicht das einzig rationale Verfahren darin, faktische Güter zusammenzutragen. Als mit der Aura des Moralischen versehene Lösung des Problems kann nur gelten, was Ergebnis dieses rationalen Verfahrens ist. Demgegenüber machte Kant geltend, daß der Utilitarismus allem Anschein nach die Hierarchie der Motive in toto verwirft, eine qualitative Unterscheidung zwischen moralischer Vernunft und Nützlichkeitserwägungen scheint nicht verfügbar. Aus den gleichen Gründen war der utilitaristische Freiheitsbegriff nicht radikal genug. Er implizierte eine Zurückweisung der scheinbaren hierarchischen Ordnung der Natur, begründete aber nicht die Unabhängigkeit des Willens von bloß faktischen Neigungen. Beide Unzulänglichkeiten stellte Kant in einem Zuge ab: Moralisch zu handeln bedeutet, mit einem qualitativ höherstehenden Motiv zu handeln als lediglich aus Nützlichkeitserwägungen, und dieses Motiv, prozedural definiert und unabhängig von faktischen Zwecken, bietet die Voraussetzung für einen wesentlich stärkeren Freiheitsbegriff.

Ich halte die hier von mir getroffene Unterscheidung zwischen einem substantiellen und prozeduralen Begriff der Ethik für produktiv im Hinblick auf die Frage, welche die tatsächlichen Motive der modernen Moraltheorien gewesen sind. Sie erlaubt uns eine Betrachtung der Kontinuität ebenso wie der Brüche des modernen ethischen Denkens. Unter diesem Blickwinkel betrachtet, repräsentieren Verfahrensethiken eine einflußreiche Tradition von Bentham über Kant zu Rawls, Dworkin und Habermas. In der Tradition der politischen Theorie ist der Schritt zu prozedural orientierten Theorien in Grotius' Theorie des naturrechtlich begründeten Völkerrechts antizipiert, wo substantiellen Problemen der Staatsform die prozedurale Frage nach deren Entstehen vorausgeht. Es scheint mir unstrittig, die genannten Theorien in ihren unterschiedlichen Ausprägungen als Bestätigung dafür zu lesen, was ich den Freiheitsbegriff der Moderne genannt habe.

Ich betrachte die Frage, ob ethische Theorien prozeduraler oder substantieller Art sein sollen, als erstes Hauptproblem der Metaethik und möchte ganz unverblümt feststellen, daß mir prozedurale Theorieansätze inkohärent erscheinen. Anders ausgedrückt, sie bedürfen der Reformulierung in substantieller Form, um diese Inkohärenz zu überwinden. Eine ausführliche Begründung dafür bleibe ich an dieser Stelle schuldig, denn mein Interesse war ja zunächst nur, die Struktur dieser Auseinandersetzung nachzuvollziehen und zu verstehen, was aus unseren metaethischen

Einsichten folgt. Ich unterstelle also, daß meine Behauptung zutreffend ist. Die Unzulänglichkeit prozeduraler Theorieansätze ist eigentlich recht naheliegend. Sie wird offenbar, wenn man danach fragt, was die Grundlage der Hierarchie ist, die sie anerkennen, und was jede Moraltheorie muß, um das zu leisten, was ich »starke Wertung« nenne. Weshalb soll es zwingend geboten sein, bestimmten, eine Sonderstellung einnehmenden Verfahren Folge zu leisten? Die Antwort auf diese Frage ergibt sich nur aus einem bestimmten Verständnis des menschlichen Lebens und der menschlichen Vernunft, sie besteht aus einer positiven Explikation der conditio humana und folglich auch des Guten. Es ist vor allem Kants Verdienst, das erkannt zu haben. Er begreift den Menschen als Subjekt vernünftigen Handelns und betrachtet die damit verbundene Würde als weitaus höheren Wert als alles andere. Daraus wird ersichtlich, daß sich diese Theorieform der Logik der »Natur«, des »Telos« und des »Guten« nicht entziehen konnte, sondern sie lediglich verlagert hat. Für Kant *sind* wir Subjekte vernünftigen Handelns. Diese Auffassung unterscheidet sich insofern von Aristoteles' Charakterisierung des Menschen als vernunftbegabtem Tier, als daß das »ergon« (Werk) des Subjekts nichts mit seiner animalischen Existenz zu tun hat, sondern damit, die Vernünftigkeit eines bestimmten Verfahrens zu favorisieren. Dieser Primat, synonym mit Freiheit, stellt das höchste Gut dar, obwohl es in seiner Gesamtheit die Hinzunahme von Glückseligkeit in angemessenem Verhältnis erforderlich macht, etwa nach Maßgabe des Verdienstes.

Ich behaupte also, daß alle Theorien, die der Frage nach dem Richtigen den Vorrang geben, in Wirklichkeit auf einer Idee des Guten beruhen, und zwar in zweierlei Hinsicht: a) daß es der Artikulation dieser Idee bedarf, um deren Motive zu verdeutlichen, und b) daß jeder Versuch, an einer Theorie des Richtigen ohne Untermauerung durch eine Theorie des Guten festzuhalten, zum Scheitern verurteilt ist. Ich hoffe, meine Ausführungen haben zumindest a) plausibler gemacht.[2]

2. Die Diskussion des ersten Problembereichs bezog sich auf die Struktur einer Theorie der Moral. Das zweite Problem bezieht sich nun auf die Struktur des moralischen Verstehens bzw. Urteilens. Nachdem wir zunächst mit Platon und Aristoteles gegen die modernen Verfahrensethiken argumentieren konnten, geht es nun um die aristotelische Gegenposition zu Platon.

Aristoteles ging davon aus, daß unsere moralische Urteilskraft niemals völlig explizit sein könne und auch nicht durch einen noch so umfangreichen Kanon von Regeln festzulegen sei. Die faktisch unendliche Vielfalt von Handlungssituationen bedeutet, daß wir nur dann tugendhaft leben können, wenn wir ein einsichtsvolles Verständnis dessen haben, was tugendhaftes Handeln in immer wieder neuen Zusammenhängen auszeichnet. Darauf bezieht sich der aristotelische Begriff der »phronesis«.

Ein Teil des Verständnisses des Guten liegt in dem Wissen begründet, wie unter wechselnden, nicht vorhersehbaren Bedingungen gehandelt werden soll. Würden wir dazu aufgefordert werden, dieses Wissen zu erklären oder mitzuteilen, dann wären wir gezwungen, auf beispielhafte Handlungen oder Menschen zu rekurrieren, oder wir müßten einfach Geschichten erzählen. (In diesem Zusammenhang hebt MacIntyre die entscheidende Bedeutung des Geschichtenerzählens für die kindliche Entwicklung hervor (S. 201)). Unser Verständnis des Guten ist gelegentlich eng an eine bestimmte Praxis gekoppelt, zu der es immanent gehört. Im vierzehnten Kapitel von *After Virtue* diskutiert MacIntyre ein Beispiel aus dem Bereich der Kunst (Portraitmalerei). Auch wenn wir faktisch unfähig sind, unser ästhetisches Urteil zu begründen (wie MacIntyre unvermeidlich gezwungen ist, für seine Diskussion zu unterstellen), sind wir trotzdem in der Lage, in bezug auf ein Kunstwerk eine ausgezeichnete Urteilsfähigkeit in Anspruch nehmen zu können. Aber auch im Fall einer gesellschaftlichen Praxis, die weitaus mehr Gegenstand theoretischer Betrachtungen gewesen ist, nämlich Politik qua Bürgerbeteiligung, ist das Verständnis, das ein mündiger Bürger vom modernen Staat hat und wie es sich etwa darin ausdrückt, welche politischen Prozesse er zu fördern wünscht, gegen welche er protestiert und was ihm gleichgültig ist, weit davon entfernt, von Theorien der Demokratie oder Theorien partizipatorischer Politik erschöpfend behandelt zu sein. Eines der katastrophalen Merkmale des politischen Handelns von Robespierre oder St. Just war, daß sie dieses Verständnis von Politik und damit den Versuch, eine bürgerliche Republik zu realisieren, nicht zuließen. Sie erwarteten vollständige Übereinstimmung mit einem vorgegebenen System.

Das Vermögen, vorhandene gesellschaftliche Praxis zu erklären und zu verstehen, ist jedoch nur ein Beispiel für die implizite Urteilskraft. Es bedeutet keinesfalls, daß nur die mit dem status quo gegebenen Güter in dieser Weise verstanden werden, denn auch ein revolutionär neuer Wert kann nicht vollständig expliziert werden. Wir verstehen ihn partiell durch einen antizipierenden Vorgriff auf diejenige Praxis, die er erforderlich machen würde, und häufig wird uns ein neuer Wert durch Handlungsmodelle mitgeteilt, die sowohl der Realität als auch der Dichtung entstammen können. In unserer Kultur ist das Neue Testament das hervorragendste Beispiel eines neuen geistigen Wesens, das weitgehend durch die Evangelisten und die Evangelien selbst narrativ verbreitet wurde.

Selbstverständlich sind wir unter theoretischen Gesichtspunkten beständig dazu aufgefordert, die implizite Urteilskraft in explizite Begründungen zu überführen. Die Kontroversen entzünden sich an der Frage, was ein bestimmtes Gut bedeutet oder was richtig oder falsch an einer bestimmten Handlungsweise ist. Dazu sind eine Reihe von konkurrierenden Erklärungsansätzen vorgebracht worden. Die Tatsache jedoch, daß wir uns in bestimmten Fällen davon überzeugen lassen, daß einige dieser Erklärungen in bezug auf ein vorgängig akzeptiertes Gut oder eine Handlungsweise zutreffender sind als andere, belegt das Vorhandensein einer impliziten Urteilskraft.

Wittgenstein, Heidegger, Polanyi und andere haben das Argument stark gemacht, daß der Prozeß der Explikation des impliziten Wissens prinzipiell offen ist. Regeln, mögen sie noch so weitreichend und detailliert sein, wenden sich nicht selbst an. Normen und Ideale bedürfen in jeweils neuen Kontextbedingungen immer zusätzlicher Deutungen.

Die Orientierung der modernen Freiheitsethik an expliziten Regeln ist nun leicht nachvollziehbar. Handlungsfreiheit ist durch rationale Verfahren verbürgt, deren Intention es ist, Irritationen und Unklarheiten durch Exaktheit und Explizitheit zu überwinden. Man denke nur an Descartes. Die gleiche Tendenz, die eine Pflichtethik gegen eine Güterethik durchsetzte, neigte auch dazu, eine regelgeleitete Ethik zu bevorzugen. Was noch dem Bereich der »phronesis« überlassen blieb, schien gleichbedeutend mit Irrationalität. Rationale Kontrolle bemißt sich allein daran, ob dem Handeln exakte Kalkulation und universelle Prinzipien zugrunde liegen. Das Mißtrauen richtete sich nicht nur deshalb gegen phronesis, weil sie sich nicht vollständig rational begreifen läßt, sondern auch, weil sie, konsequent zu Ende gedacht, die

Domäne blinder bzw. einschränkender Vorurteile sein könnte. Ein nicht explizites moralisches Bewußtsein muß Gefangener der vorhandenen Praxis bleiben, und jedes Zugeständnis in diesem Punkt läuft auf eine Festigung des status quo hinaus. Freiheit, Allgemeingültigkeit und eine kritische Einstellung machen explizite Regeln erforderlich.

Diese Tendenz ist heutzutage keineswegs wirkungslos. Allerdings ist die Zurückweisung der phronesis Gegenstand erheblicher und wirkungsvoller Kritiken gewesen – seitens der oben genannten Autoren ebenso wie jüngst von MacIntyre – und muß im Rahmen eines allgemeineren Angriffs auf die rationalistische Konzeption des Geistes betrachtet werden. Es ist also keineswegs überraschend, daß im Fall von Heidegger und Gadamer, aber auch bei MacIntyre, die aristotelische Ethik ein hervorragender Bezugspunkt gewesen ist.

Einmal mehr werde ich ohne nähere Begründung dem aristotelischen Standpunkt die Präferenz geben. Die Diskussion dieses Punktes diente mir in erster Linie dazu, das Problem des moralischen Urteilens getrennt von der Gegenüberstellung prozedurale versus substantielle Ethik zu behandeln. Die aristotelische Position spricht in beiden Fällen übereinstimmend gegen die Vertreter des modernen Freiheitsbegriffs, deren Motivation, für eine der beiden Lösungen Partei zu ergreifen, jeweils die gleiche ist. Nichtsdestoweniger handelt es sich um unterschiedliche Problembereiche, was das Beispiel Platons belegt. Beides getrennt zu behandeln, dient darüber hinaus noch dem Zweck, eine Vermischung mit dem dritten Problembereich, dem ich mich nun zuwende, zu vermeiden.

3. Der dritte Problempunkt ist der substantiell wichtigste. Er betrifft die Frage, in welcher Relation eine Theorie der Moral zur bestehenden Praxis steht. Einmal mehr können Platon und Aristoteles als Orientierung dienen. In gewisser Hinsicht ist Platon der große »Revisionist«*, denn der platonische Begriff des Guten impliziert die Bereitschaft – wenn man Platons Intention im *Staat*[3] ernst nimmt –, mit der vorhandenen Welt radikal zu

---

* Charles Taylors Verwendung des Begriffs »Revisionismus« zielt auf eine, sich von existierenden und eingelebten Wertsystemen kritisch distanzierende, veränderungsorientierte Einstellung ab. (*Anm. des Übers.*)

brechen. Platon zufolge kann auf bestimmte Elemente des politischen Lebens verzichtet werden, z. B. auf die Suche nach Ehre, Familienleben, die Anhäufung von Besitz als Voraussetzung für eine großzügige und freundschaftliche Haltung anderen gegenüber. Was diesen bislang für erstrebenswert gehaltenen Handlungsweisen als das ihnen immanente Gute zugerechnet wurde, stellt sich in der platonischen Interpretation mindestens als indifferent, wenn nicht sogar als potentiell gefährliche Quelle der Korruption dar.

Aristoteles unterzieht diese platonische Position in der *Politik* (Buch 2) einer ernsthaften Prüfung. Er betrachtet es als grundlegenden Irrtum, das Verständnis des guten Lebens durch Ausgrenzung einzelner Güter zu beschneiden. Das gute Leben konstituiert sich gerade durch die Gesamtheit der Güter, nach denen wir streben, durch ihren angemessenen Stellenwert und ihr richtiges Verhältnis zueinander. Das bedeutet, daß unter bestimmten Umständen weniger wichtige zweifellos zugunsten von höherwertigen aufgegeben werden sollten. Aber die Vorstellung, einige Güter prinzipiell als untauglich für das gute Leben auszuschließen, verstößt gegen das Wesen des teleion agathon, alle Güter zu umfassen, jedes an seiner rechtmäßigen Stelle. Man kann keinen Standpunkt außerhalb der conditio humana einnehmen.

Das mag möglicherweise als metaethische Spitzfindigkeit beurteilt werden, denn es gibt gute Gründe für die Annahme, daß eine Theorie der Moral in der Lage sein muß, beide Modelle miteinander in Übereinstimmung zu bringen. Man kann sich der »platonischen« Perspektive bedienen, freilich ohne sie notwendigerweise auch so konsequent anzuwenden, daß keine bestehende Handlungsweise als legitim anerkannt werden darf, solange sie nicht anhand eines unabhängigen Kriteriums des Guten erprobt worden ist. Von welchem Nutzen wäre eine Theorie der Moral, die eine unabhängige Prüfung dieser Art nicht zulassen würde? Vor etwa diesem Hintergrund hat kürzlich Ronald Dworkin gegen Michael Walzer argumentiert, daß eine Theorie der Gerechtigkeit unabhängig von der konkreten Praxis einer Gesellschaft begründet werden muß.

Aber Aristoteles hat eigene systematische Gründe, wie wir gesehen haben. Es ist nicht zulässig, die Güter, nach denen Menschen wirklich streben und auch realisieren, als irrelevant zu verurteilen. Was könnte das höchste Gut sein, wenn es sich so verhielte?

Mit welcher Begründung könnten wir ein höchstes Gut unter dieser Voraussetzung einführen? Eine Theorie der Gerechtigkeit hat folglich von den Gütern und der Alltagspraxis auszugehen, die tatsächlich in einer gegebenen Gesellschaft vorhanden sind. Moraltheoretische Begründungsversuche können nicht unter Absehung von der bestehenden Praxis durchgeführt werden.

Die im Zusammenhang des modernen Freiheitsbegriffs entstandenen ethischen Theorien sind sicherlich »platonisch« im bereits erwähnten revisionistischen Sinne. Die spezifische Freiheitsvorstellung der Moderne hat aber zumindest die Fähigkeit mit sich gebracht, zur eingelebten kollektiven Praxis und den von ihr getragenen Institutionen eine kritische Distanz einnehmen zu können. Dies zeigt sich am deutlichsten bereits im siebzehnten Jahrhundert in der Lehre des Gesellschaftsvertrages. Die Tendenz zu Universalität und kritischer Haltung ist gewissermaßen ein Reflex auf die neue Aufgabenstellung der Ethik. Es gab jedoch noch ein weiteres Motiv für den Revisionismus der Moderne, das einer anderen als der bislang von mir angeführten Entwicklungslinie des modernen Denkens entstammt. Zusätzlich zur Herausbildung eines radikalen Freiheitsbegriffs kam es zu einer – wie ich es nennen möchte – Aufwertung der Betrachtung des Alltagslebens.

Mit dem Begriff des Alltagslebens möchte ich Produktion und Reproduktion, öffentliches und privates Leben charakterisieren. Der erste Terminus von Aristoteles' bekannter Formulierung »das Leben und das gute Leben« zielt auf das gleiche ab. Allerdings ist der Begriff des Alltagslebens bei Aristoteles – die dyadische Struktur des Begriffspaares impliziert es – nur von infrastruktureller Bedeutung. Die alltäglichen Gewohnheiten und Bräuche sind ein der Gemeinschaft immanenter Zweck, um das gute Leben anstreben zu können. Letzteres ist begrifflich eindeutig im Sinne höherwertiger Tätigkeiten definiert. Die kontemplative Schau der Wahrheit und das bürgerliche Leben sind traditionell die Hauptmerkmale des guten Lebens, und beide hat Aristoteles in seine ethischen Theorieentwürfe integriert.

Ein herausragendes Charakteristikum der Kultur der Moderne bestand in der Umkehr dieser Hierarchie. Den Beginn dieses Prozesses kann man mit dem Auftreten der Reformatoren ansetzen, die die Hierarchie der göttlichen Berufung umkehrten. Sie bestritten, daß besondere, auserwählte Christen, die ein Leben in

Armut, Keuschheit und Gehorsam führen, stellvertretend die Erlösung anderer bewirken können, und sahen die Möglichkeit, ein erfülltes christliches Leben zu führen, in der gewöhnlichen Berufung zur Ehe. Das entscheidende Problem war dann, ob die Ehe in ehrwürdiger geistiger Haltung zu Ehren Gottes geführt wird oder nicht.

Diese Idealvorstellung hatte – auch in einem sozialen und politischen Sinn – bedeutende revolutionäre Implikationen, die an der puritanischen Revolte und der Kultur der späteren puritanischen Gesellschaften ablesbar sind. In säkularisierter Form ist sie neben anderen eine der grundlegenden Ideen der Baconschen Revolution; und später wird sie zur idée force der Aufklärung. Produktion und Reproduktion rücken zunehmend in den Mittelpunkt des Interesses. Das gute Leben realisiert sich nicht in vermeintlich höherwertigen Tätigkeiten oder Handlungsweisen, sondern stellt sich eher im rational geführten Alltagsleben (so wie ich den Begriff verstanden haben will) her, also unter den Imperativen rationaler Kontrolle. Daraus gingen eine Reihe von radikalen, revolutionären Neuerungen hervor, von denen die Marxsche Theorie die vielleicht berühmteste und einflußreichste ist. Ferner trug diese Idealvorstellung auch zum zustandekommen jener kulturellen Revolution bei, in deren Verlauf das Ethos der Ehre und des Ruhms von der bürgerlichen Ethik ökonomischer Rationalität entthront wurde.

Eine Reihe von Umständen trugen dazu bei, zwischen dem Ideal einer autonomen Vernunft und der Aufwertung der Betrachtung des Alltagslebens eine quasi-natürliche Affinität zu sehen, etwa ihre gemeinsame Gegnerschaft zu Aristoteles und den hierarchischen Vorstellungen einer kosmologischen Ordnung, ihre gemeinsamen Ursprünge in Ockhams Verständnis des Christentums und ihre Übereinstimmung mit dem überragenden Einfluß der instrumentellen Vernunft. Was auch immer die Gründe gewesen sein mögen, dies war eine der bedeutendsten und folgenreichsten Verschmelzungen zweier Entwicklungslinien unserer Zivilisation. Der aufklärerische Humanismus und seine verschiedenen Erben, die Theorien des modernen Naturalismus, sind die Früchte dieser Synthese. Ob das theoretische Resultat dieses Prozesses fest im »revisionistischen« Lager steht, sei dahingestellt.

Der Niedergang des Ethos der Ehre ist ein gutes Beispiel für unsere Diskussion, da er nicht nur eine Ablehnung der aristokratischen Lebensweise beinhaltet, sondern auch eine des staatsbürgerlichen Lebens und der sittlichen Einstellung des bürgerlichen Humanismus. Die moderne »bourgeoise« Ethik steht gewissermaßen am Ende einer langen Tradition solcher Veränderungen. Platon selbst kann als Beginn dieser Entwicklungslinie betrachtet werden. Der Konkurrenzkampf um Amt, Ehre und Ruhm im Rahmen einer gemeinsamen Verpflichtung auf das patria, dessen Gesetze allen Bürgern den Status von Staatsbürgern im Sinne von »Gleichen« zuerkennen, ist für MacIntyre sicherlich ein gutes Beispiel einer Praxis der immanenten Güter. Werden bestimmte andere politische Ziele angestrebt, wie der Schutz des Lebens, des Eigentums und des Wohlstands, so handelt es sich eher um die Realisierung äußerer Güter, denn das Gut der bürgerlichen Würde und des Ruhms für die eigenen großen Taten ist im wesentlichen an diese politische Form gemeinschaftlicher Handlung gebunden. Würde wird dem am Gemeinwesen teilnehmenden Bürger als Herrscher seiner selbst zuteil; Ruhm erntet, wer durch seine Taten qualifiziert die Position eines Herrschers über »Gleiche« einnimmt, sei es als Ratgeber oder als Kriegsführer.

Platon verurteilt diesen Konkurrenzkampf als polypragmonein. Er setzt das Nicht-anerkennen-wollen von Grenzen der Unordnung gleich, die darüberhinaus alle zukünftigen Unordnungen erst erzeugt. Der Konkurrenzkampf entpuppt sich so als das krasse Gegenteil von Gerechtigkeit. Hier haben wir den klassischen Fall einer revisionistischen Lehre vor uns. Platon reinterpretiert kritisch die immanenten Güter der bürgerlichen Würde und des Ruhms als bloßes Haschen nach äußeren Erscheinungen oder Abbildern. Der Umstand, daß Ruhm wesentlich auf Anerkennung beruht, darauf, wie man in den Augen der Anderen und der Nachwelt dasteht, erleichtert diese Neubewertung; dieser Zusammenhang wird etymologisch sehr schön in der Äquivokation des Begriffs »doxa« reflektiert, der sowohl Meinung als auch Ansehen bedeutet und sich vom Verb »erscheinen«, »dokein«, herleitet.

Im Gegensatz dazu betrachtet Aristoteles nicht nur den bürgerlichen Lebensvollzug als integralen Bestandteil des guten Lebens, sondern er erklärt das substantiell Politische des bürgerlichen Lebens zu einem Hauptmerkmal des animale rationale: der Mensch ist zoon politikon. Die Stoiker kehren zur Platonischen Position zurück, ebenso der christliche Platonismus in seiner augustinischen Form. Die moderne »bourgeoise« Zurückweisung des Ethos der Ehre tritt diese Erbschaft an und legt selbst großes Gewicht auf die vermeintlich infantile Verbindung zum bloß Scheinbaren, die im Ethos der Ehre beschlossen liegt. Hobbes spricht spöttisch vom »eitlen Ruhm«. Seine Zweifel richten sich natürlich gegen die bloße Sehnsucht einer gesellschaftlichen Erneuerung. Allerdings haben seitdem die modernen westlichen Gesellschaften den Versuch unternommen, bürgerliche Politikformen wiederzubeleben. Wie niedrig das Niveau des Erfolgs auch immer gewesen sein mag (ich würde es nicht so niedrig wie MacIntyre ansetzen), der Niedergang des Ethos der Ehre führt auch heute noch zu einer Ablehnung von Gütern, die der gegenwärtigen sozialen Praxis immanent sind. Diese werden im Namen von äußeren Gütern wie Frieden, Sicherheit und Wohlstand mißachtet, welche die Bestrebungen nach konkurrierenden partizipatorischen Politikformen angeblich aufs Spiel setzen.

III

Das dritte Problem scheint mir das schwerwiegendste zu sein. Es liegt keineswegs in meiner Absicht, es dezisionistisch zugunsten von Aristoteles zu entscheiden. Tatsächlich werde ich kaum mehr als einige Überlegungen in Richtung einer zukünftigen Lösung des Problems andeuten, denn ich halte jede einseitige Auflösung dieser Kontroverse für verfehlt. Wir kommen nicht umhin, die Rechtmäßigkeit des »platonischen« und des »aristotelischen«, des revisionistischen und des umfassenden Standpunktes gleichermaßen anzuerkennen. Das entscheidende Problem, das ich leider nur unzureichend ausführen kann, besteht darin, ob wir sie miteinander in Einklang bringen können.

Ich gehe allerdings auf diesen Punkt auch deshalb erst zum Schluß ein, weil ich ihn von den beiden anderen bereits behandelten Fragestellungen deutlich abheben wollte, denn üblicherweise herrscht hier eine unzulässige Vermischung. Aufgrund der historischen Konfrontation des Aristotelismus mit dem Ideal eines radikalen Freiheitsbegriffes, die um so unüberbrückbarer erscheint, wenn sie mit der Aufwertung des Alltagslebens in eins gesetzt wird, liegt die Annahme nahe, daß die Entscheidung für den revisionistischen Standpunkt identisch mit einem Votum für die Verfahrensethik sei und daß die Suche nach expliziten Regeln im Gegensatz zu phronesis identisch sei mit der Ablehnung des status quo. Dabei wird unterstellt, daß eine historische Konstellation, die aus einer Reihe von Motiven hervorgegangen ist, auch eine logische Einheit bildet. Ich hoffe gezeigt zu haben, daß dem nicht so ist. Das Beispiel Platons zeigt die Möglichkeit eines revisionistischen Standpunktes im Rahmen einer substantiellen Ethik. Und was ich in bezug auf die geistige Wirkung des Neuen Testaments gesagt habe, sollte zur Illustration der Tatsache dienen, daß eine revisionistische Position keineswegs die Ablehnung von phronesis zur Folge haben muß.

Auf dieser Auseinandersetzung liegt jedoch weiterhin ein Bann. Zwei gewöhnlich vertretene Positionen belegen das. Die vermeintlich intrinsische Beziehung zwischen Revisionismus und Verfahrensethik scheint eine Entscheidung für letztere im Namen des ersteren zu erzwingen. Ich denke, Habermas ist ein Beispiel dafür. Er befürchtet, daß eine Güterethik unvermeidlich den Universalitätsanspruch preisgeben muß und sich damit auch eines kritischen Standpunktes gegenüber den kulturellen Erscheinungsformen beraubt. Aus der umgekehrten Perspektive ist die gleiche vermeintliche Beziehung verantwortlich für die Ablehnung des revisionistischen Standpunktes im Namen von phronesis bzw. angesichts der offenkundigen Unzulänglichkeiten der abstrakten, prozeduralen Rationalität. Dafür ist möglicherweise Michael Oakeshott[4] ein Beispiel.

Unsere moralische Urteilskraft bewegt sich faktisch zwischen zwei Polen. Auf der einen Seite werden wir mit bestimmten Gütern vertraut gemacht, indem wir innerhalb spezifischer Lebenspraktiken aufwachsen, denen diese Güter immanent sind und die in ihrem lebensweltlichen Bezug begründet und als deren zentraler Bestandteil ausgewiesen sind. Ein Beispiel wäre das Gebet in bezug auf das Gut der Frömmigkeit. Auf der anderen Seite transzendieren einige dieser Güter unsere Lebenspraktiken, deren Veränderung oder auch Ablehnung uns dadurch ermöglicht wird. So konnten die israelitischen Propheten einige bislang anerkannte Rituale außer Kraft setzen und den Menschen in Gottes Namen verkünden, daß die Verfolgungen, denen sie ausgesetzt waren, verabscheuungswürdig seien und daß sie reinen Herzens vor ihren Schöpfer treten sollten. Weitere Beispiele für »transzendierende« Güter sind – neben den gerade genannten der

Frömmigkeit und der Gottesfürchtigkeit – Platons Ideal einer hegemonialen Stellung der Vernunft, der stoische Begriff der Weltstadt, in der alle Menschen und Götter Bürger sind, und der radikale Freiheitsbegriff der Moderne. (Muß ich betonen, daß mein Gebrauch des Begriffs »transzendieren« nicht bedeutet, daß die genannten Güter die Dinge dieser Welt transzendieren – lediglich einige laufen darauf hinaus –, sondern daß sie unsere Lebenspraktiken im genannten Sinn transzendieren?)

Wie können wir unsere Urteilskraft in bezug auf diese Güter argumentativ begründen? Ich gehe davon aus, daß in der Philosophie und Kultur der Moderne darüber keine Klarheit besteht. Es erscheint mir zwingend, daß unser Denken in gewissem Grade unausweichlich auf diese transzendierenden Güter Bezug nehmen muß, ebenso wie auf die unseren Handlungsweisen immanenten Güter. Diese Behauptung war bereits partieller Bestandteil meiner Rekonstruktion der Motive der Verfahrensethik, die letzten Endes doch implizit einen Begriff des Guten in Anspruch nimmt. Dies zeigt sich am deutlichsten bei Kant.

Das Mißtrauen der modernen Philosophie richtet sich gegen die Unartikuliertheit und Unklarheit dieser Güter. Die Gründe dafür sind uns teilweise bekannt: zum einen die dem Ideal des modernen Freiheitsbegriffs implizite Abneigung, sich auf das gute Leben als einer letzten Instanz zu beziehen, und zum anderen der dem korrespondierende erkenntnistheoretische Skeptizismus bezüglich eines menschlichen telos. Die Motivation dieses Skeptizismus können wir nun besser verstehen. Das moderne Verständnis von Freiheit und Vernunft favorisiert ein von praktischen Handlungskontexten weitgehend unabhängiges Denken, das bestrebt ist, sich so wenig wie möglich auf das implizite Wissen der Subjekte, die in praktischen Kontexten handeln, zu berufen, und das gleichzeitig bemüht ist, wo auch immer die Möglichkeit dazu besteht, explizite Kriterien anzugeben, die die Verständlichkeit und Unabhängigkeit des Diskurses von partikularen Erfahrungen der Lebenswelt und des kulturellen Hintergrundes gewährleisten sollen. Wir sollten uns von der Tatsache, daß das Ziel einer völligen Abstraktion von der Alltagspraxis eine Schimäre ist, nicht blind machen lassen für die Möglichkeit, diesen Versuch weiterzuentwickeln, allerdings auch nicht für seine Abhängigkeit von entscheidenden Errungenschaften der modernen Kultur, insbesondere von den Naturwissenschaften und der Technologie.

Dieses Modell entstellt praktische Vernunft, indem es deren Eigenlogik nicht anerkennt. Es ist charakteristisch für die praktische Vernunft, daß sie an den Kontext eines impliziten Verständnisses des Guten gebunden ist, sei es, daß sie durch eine Praxis vermittelt ist, der dieses Gute immanent ist, oder durch Handlungsweisen, die für das Gute ursächlich und konstitutiv sind, oder durch die Beziehung zu paradigmatischen Modellen realer oder fiktiver Art. Der Irrtum des modernen Rationalismus besteht darin, anzunehmen, daß dieses Denken unausweichlich im status quo gefangen bleiben muß, daß unsere moralische Urteilskraft nur um den Preis einer Unabhängigkeit von praktischen Handlungskontexten kritisch sein kann. Mehr als alles andere hat das zu der von mir bekämpften Irritation beigetragen, eine kritische Ethik müsse prozedural und explizit sein.

Ferner hat es zu der skeptischen Haltung bzw. zumindest zu dem Mißtrauen und der Unklarheit beigetragen, die ich bereits kritisiert habe. Wenn der autonome und möglichst kontextfreie Vernunftbegriff der Moderne der einzig zulässige sein soll, scheint praktisches Urteilen zunehmend unmöglich. Die Begründung, daß der Mensch Subjekt vernünftigen Handelns ist oder Abbild Gottes, folgt nicht der gleichen Logik wie der Beweis der kinetischen Wärmetheorie oder des Gravitationsgesetzes. Ein Zuwachs an praktischer Vernunft vollzieht sich im Rahmen eines Vorgriffs auf das Gute und beinhaltet die Überwindung früherer Verzerrungen und fragmentarischer Erkenntnisse. Die Sicherheit, die wir hinzugewinnen, besteht gerade nicht in der Endgültigkeit von Überzeugungen, sondern darin, daß sie eine Erweiterung des bis dato gewonnenen Wissens darstellt. Ähnlich verhält es sich mit dem propositionalen Gehalt von Aussagen. Wir sind davon überzeugt, daß unsere gegenwärtigen Aussagen weniger verzerrt und weniger einseitig sind und insgesamt deutlicher ein Wissen artikulieren, über das wir implizite bereits verfügt haben. Moralisches Wissen bezieht sich im Unterschied zum naturwissenschaftlichen nicht auf etwas radikal Neues. Das scheint mir der Sinn des platonischen Begriffs der Anamnesis zu sein.

Folgt man jedoch dem Weg eines weitgehend von der Alltagspraxis unabhängigen Denkens, dann gerät der eben skizzierte Zusammenhang allmählich aus dem Blick. Ich stimme daher in diesem Sinne MacIntyres These zu, daß das Projekt der Aufklärung, eine säkularisierte, unabhängige Moral zu begründen, gescheitert ist und eher die Prognose Nietzsches bestätigt. Rationale Fortschritte im Erkennen des Guten können mit dem propagierten, undurchführbaren Argumentationsmodell nicht erzielt werden, dieser Umstand mündet in eine skeptisch-hoffnungslose Einstellung. Ein weiteres Motiv, eine Verfahrensethik zu favorisieren, besteht in der (falschen) Annahme, auf diesem Weg könne das Problem des Guten als solches umgangen werden. Diese selbstgewählte Unklarheit bezüglich der Frage nach dem Guten vereitelt einmal mehr ein Verständnis der entwicklungsfähigen Formen des praktischen Argumentierens und verstärkt eher noch eine skeptizistische Haltung.

Ironischerweise stützt sich gerade diese Position ursprünglich auf eine Vision des Guten, nämlich des unabhängigen, freien und rationalen Handelns, eines der bedeutendsten, gestaltenden und transzendierenden Güter unserer Zivilisation.

Ein angemessener Begriff praktischer Vernunft macht deutlich, daß die in einer Argumentation angeführten Güter als kontextgebundene eben auch den Kontext transzendierende Güter einschließen und daß die Form der Argumentation keineswegs nur umfassend sein muß, sondern auch höchst revisionistisch sein kann. Sicherlich wird im letzteren Fall der Kontext im großen und ganzen nicht aus eingelebten Handlungsweisen bestehen, sondern eher aus Modellen oder Darstellungen, die ein höheres Maß an Explikation darstellen (etwa der Tod des Sokrates oder die Evangelien). Praktische Vernunft wird nichtsdestotrotz kontextabhängig sein, das heißt sie folgt nicht von praktischen Handlungszusammenhängen weitgehend unabhängigen formalen Prinzipien, sondern zeichnet sich durch eine extensive Explikation dessen, was Handlungskontexte implizieren, aus.

Ich sollte nun eigentlich in der Lage sein, näher auf die Gegenüberstellung des platonischen und des aristotelischen, des revisionistischen und des umfassenden Standpunktes einzugehen. Ich werde mich dieser Verantwortung aber entziehen. Teils, weil nun klar geworden sein sollte, daß eine einseitige Auflösung des Problems nicht möglich ist, teils, weil es als Resultat einer unzulässigen Vermischung der unter 1. und 2. diskutierten Fragestellungen betrachtet werden kann. Einerseits werden die Irrtümer des abstrakten Rationalismus dazu benutzt, den revisionistischen Standpunkt in Zweifel zu ziehen, andererseits werden die Anforderungen des kritischen Denkens beharrlich für inkompatibel mit einer Güterethik gehalten. Jenseits dieser falschen Alternative sind wir mit transzendierenden Gütern konfrontiert, die unsere respektvolle Zustimmung verlangen, und mit Handlungsweisen, deren immanente Güter wertvoll erscheinen; beide Bereiche sind prima facie durch eine beunruhigende Menge von Konflikten verbunden. Da die Möglichkeit einer Lösung a priori nicht besteht, müssen wir sie fallspezifisch herausarbeiten.

IV

Ich möchte nun die verschiedenen (möglicherweise zu weit auseinanderliegenden) Diskussionsstränge wieder miteinander verbinden. Ich habe versucht, einige Motive jener einflußreichen und überzeugenden modernen metaethischen Theorien zu untersuchen, die um die Konzeption der Verfahrensethik zentriert sind. In einer weniger zugespitzten und weniger kritischen Form bilden sie die Grundlage historisch einflußreicher Theorien, etwa des Utilitarismus und der von Kant herrührenden Theorienansätze, die im angelsächsischen Sprachraum so häufig anzutreffen sind. In differenzierter Form, entsprechend den Anforderungen einer kritischen Theorie der Gesellschaft, bilden sie aber auch die Grundlage der Diskursethik von Apel und Habermas.
Im Verlauf dieser Diskussion habe ich zwei Vorschläge gemacht. Erstens, daß die Behauptungen bezüglich der besonderen Form einer ethischen Theorie keine von unserer moralischen Einstellung unabhängige Geltung haben – wie es beispielsweise im Zusammenhang der Tatsache/Wert-Dichotomie behauptet wurde und wie es anscheinend auch Habermas im Anschluß an Webers Differenzierung von Fragen der tatsächlichen Wahrheit und Fragen der normativen Richtigkeit beansprucht. Im Gegenteil, die Versuchung, sich diesen metaethischen Gesichtspunkt anzueignen, rührt von der vorgängigen Überzeugung her, Theorien mit universalistischem Anspruch seien begründbar und vertretbar. Die Position, die ich hier stark machen möchte, behauptet einen Vorrang der substantiellen moralischen Einstellung vor metaethischen Problemen der Theorieform. Und dies würde, sofern es zutreffend ist, umgekehrt nahelegen, daß eine Verfahrensethik im starken Sinne des Wortes eine Täuschung ist, weil sie selbst auf einer substantiellen Vision des Guten beruht.

Mein zweites Ziel bestand in der Differenzierung der unterschiedlichen metaethischen Problemstellungen, deren Konfusion, davon bin ich überzeugt, der Attraktivität der Verfahrensethik Vorschub geleistet und ihr die Möglichkeit einer letzten Endes scheinbaren Begründung erlaubt hat. Insbesondere die Vorstellung, daß nur eine Verfahrensethik kritischen Ansprüchen standhält, hat zu einem weitverbreiteten Glauben an eine falsche Dichotomie verleitet; manche fühlen sich einer prozeduralen Ethik verpflichtet, um ruhigen Gewissens zu ihren kritischen Ansprüchen stehen zu können, andere haben die Nichtplausibilität aller prozeduralen und kalkulierenden Moral dazu benutzt, um jegliche Möglichkeit einer kritischen Herausforderung des status quo anzuzweifeln. Ich bin der Überzeugung, daß nach einer eingehenden Untersuchung dieses Gegenstandes überhaupt kein Grund dazu besteht, uns den restriktiven Grenzen dieser Alternative zu überlassen.

Welche Folgen hat es für die verschiedenen verfahrensethischen Theorien und insbesondere für die Diskursethik, wenn sich meine These als zutreffend erweist? Kann man sie dann als widerlegt betrachten? Nicht im mindesten. Ich komme auf meine Ausführungen des ersten Abschnitts zurück. Es ging mir darum zu zeigen, daß die metaethische Konstruktion einer strikt an formalen Prinzipien orientierten Verfahrensethik ohne vorgängige Verpflichtung auf einen Begriff des Guten unhaltbar ist. Die Idee des Guten ist eine prinzipielle Grundvoraussetzung. Das bedeutet aber, daß vieles, was gerade zu den Voraussetzungen der Verfahrensethik gehört, bewahrt bleibt und zunehmend klarer ans Licht tritt, wenn es seiner verzerrten metaethischen Form entkleidet wird. Wenn wir erst einmal den der Diskursethik zugrunde liegenden Begriff des Guten näher betrachten, dann erweist sie sich meiner Meinung nach als besonders reichhaltig und überzeugend.

Diese Betrachtungsweise mag möglicherweise etwas gezwungen erscheinen, ich bin jedoch davon überzeugt, daß sie zumindest in bezug auf die folgenden vier bedeutenden Einsichten unserer moralischen Tradition sinnvoll ist: 1. die von Kant in den Mittelpunkt gerückte, im Grunde stoische und christliche Forderung, alle menschlichen Wesen qua humanum zu respektieren; 2. die moderne Interpretation von 1. erhebt die Forderung nach demokratischen, partizipatorischen Formen der Selbstverwaltung auf

allen gesellschaftlichen Ebenen; 3. die Vorstellung, daß vernunft-
begabte Subjekte ihre öffentlichen Angelegenheiten unter Gesichtspunkten der Gerechtigkeit regeln. Gerade in diesem Zusammenhang haben die unter dem Titel »Universalpragmatik« zu-
sammengefaßten Überlegungen etwas Neues zum Verständnis
der Anforderungen der Vernunft beigetragen. 4. Ich denke, daß
die Diskursethik außerdem an Humboldts bedeutende und reiz-
volle Idee einer Gesellschaft anknüpft, deren Mitglieder sich
wechselseitig ergänzen und bereichern, ein Vermögen, das dem
Mensch als sprachbegabtem Wesen eigentümlich ist. An dieser
Stelle gebe ich aber wahrscheinlich eher meine subjektiven Neigungen zu erkennen und überschreite möglicherweise die Grenze
von der Interpretation zur Projektion.

Eine unter substantiellen Gesichtspunkten reformulierte Diskursethik hätte sich des Anspruchs entledigt, die implizit in 1-4
enthaltenen Normen unabhängig von einer Theorie des Guten
aufrecht erhalten zu wollen. Darin besteht meiner Meinung nach
ein Gewinn, denn ich halte diesen Anspruch letzten Endes für
illusorisch. Andererseits bin ich mir darüber im klaren, daß eines
der stärksten Motive dieses Anspruchs – darauf bin ich nur am
Rande eingegangen – ein erkenntnistheoretisches ist. Es scheint
ausgesprochen problematisch, um nicht zu sagen unmöglich,
argumentativ zu begründen, was denn das Gute sei. Diese Möglichkeit scheint nur um den Preis eines Rückfalls in längst über-
holte Überzeugungen und obsolet gewordene Theoriemodelle,
z. B. Aristoteles' »metaphysische Biologie«, gegeben zu sein.

Diese Betrachtungsweise ist letzten Endes irreführend. Ich muß
allerdings konzedieren, daß die Beweislast für meinen Vorschlag
einer Rehabilitation des praktischen Argumentierens in bezug auf
das Gute bei mir liegt, das gilt auch dafür, was ich »transzendierende Güter« genannt habe. Hoffentlich bin ich in der Lage,
diesen Anspruch zu erfüllen; jetzt schätze ich mich allerdings
glücklich, dies einer anderen Gelegenheit überlassen zu können.

Übersetzt von Wolfgang Barus

Anmerkungen

1 Anscombe, Elizabeth, »Modern Moral Philosophy«, in: *Philosophy* 33, 1958.

2 Ich habe mich in »Sprache und Gesellschaft«, in: Honneth, A. und Joas, H. (Hg.), *Kommunikatives Handeln. Beiträge zu Jürgen Habermas' Theorie des kommunikativen Handelns*, Frankfurt/M. 1986, gegen die Möglichkeit einer Verfahrensethik ausgesprochen – speziell in bezug auf Habermas' Theorieentwurf, den ich für den interessantesten und reichhaltigsten überhaupt halte.

3 Ich bin nicht sicher, ob Platons *Staat* tatsächlich als Entwurf verstanden werden sollte, ich glaube es eigentlich nicht. Damit stellt sich die Frage, wie revolutionär Platon wirklich war, eine Frage, die ich an dieser Stelle jedoch außer acht lassen möchte, denn es geht mir weniger um den historischen Platon als vielmehr um eine bestimmte Rezeption, die eines der vorherrschenden Theoriemodelle hervorgebracht hat, das ich hier diskutieren will.

4 Oakeshott, Michael, *Rationalism in Politics*, London 1962.

Vittorio Hösle
Eine unsittliche Sittlichkeit

Hegels Kritik an der indischen Kultur

Meinem verehrten Lehrer
Herrn Prof. Dr. Paul Thieme
zum 80. Geburtstag am 18. 3. 1985

Daß das Begriffspaar »Moralität« und »Sittlichkeit« auf Hegel zurückgeht, ist allgemein bekannt. Gegen Kants abstrakt-ungeschichtliche, an formalen Sollensprinzipien orientierte Moralität habe Hegel – so kann man häufig lesen[1] – auf das faktische Ethos bestehender Sozialsysteme verwiesen, das der inhaltsleeren moralischen Reflexion unendlich überlegen sei, da es an den gegebenen *Sitten*[2] einen der Beliebigkeit des eigenen Räsonierens enthobenen Anhaltspunkt habe. In dieser Perspektive stellt sich Hegel als Überwinder der Naturrechtstradition der frühen Neuzeit – wie sie in Kants und Fichtes transzendental begründeten Rechtsphilosophien einen gewissen Höhepunkt erklommen hat – und als Vater des Historismus dar: Der Verzicht auf eine Erkenntnis von Normen, die für alle Kulturen und alle Zeiten verbindlich sein könnten, wie ihn die Mehrzahl der Philosophien in der zweiten Hälfte des 19. und im 20. Jahrhundert fordert, sei in einem Diktum wie »Philosophie (ist) *ihre Zeit in Gedanken erfaßt*« (7.26) deutlich ausgesprochen.

In Anbetracht dieser verbreiteten Interpretation von Hegels Sittlichkeitsbegriff nimmt es nicht wunder, daß die transzendentalpragmatische Neubesinnung in der Ethik zunächst einmal zu Kant zurückkehren möchte: Eine ethische Theorie, die eine Letztbegründung anstrebt, muß zweifelsohne den transzendentalen Gedanken gegen jene Bewegung wieder zur Geltung bringen, die ihn am energischsten unterhöhlt hat – und das ist sicher der Historismus gewesen; wenn Hegel aber sein Vater ist, muß ihr der Grundbegriff seiner praktischen Philosophie – der Begriff der Sittlichkeit also – suspekt sein. So schreibt K.-O. Apel in seinem wichtigen Aufsatz »Kant, Hegel und das aktuelle Problem der normativen Grundlagen von Moral und Recht«[3], die immer wieder erneuerten Rückwendungen von Hegel zu Kant seien berechtigt (597); gleichzeitig bemüht sich Apel allerdings darum, auch Hegelsche Momente in die eigene zweistufige Konzeption der praktischen Philosophie zu integrieren, die eine »kritische Vermittlung zwischen transzendentaler Ethik und historischer Hermeneutik« anstrebt, die »an die Stelle des Gegensatzes zwischen formalistischem Kantianismus und spekulativ-historizistischem Hegelianismus« treten solle (624). Das formale Moment identifiziert Apel dabei mit seinem letztbegründeten Prinzip eines normativ ausgezeichneten *Verfahrens* der Konsensbildung, das geschichtliche mit dem konkreten Prozeß der dialogischen Meinungsbildung über materiale Streitfragen.

Ich teile die Auffassung der Transzendentalpragmatik, daß es die dringlichste Aufgabe der Gegenwartsphilosophie ist, eine verbindliche praktische Philosophie zu entwickeln, daß dies nur möglich ist auf der Basis eines durch transzendentale Reflexion freigelegten Fundaments und daß daher die Rehabilitierung der transzendentalen forma mentis gegen die historistische Denkweise ein unabdingbares Desiderat ist. Auch mir scheint ferner offenkundig, daß eine Überwindung des Historismus *nicht* möglich ist durch seine abstrakte *Negation*, sondern nur durch seine *Integration* in eine transzendentale Philosophie. (Konkret heißt das u. a.: durch den Versuch, in der Geschichte eine Entwicklungslogik zu erkennen, die scheinbar blinde Faktizität des Geschehenen, wenn auch nur partiell, der Vernunft zu vindizieren. In diesem Sinne scheinen mir Habermas' und Apels Versuche, etwa das Kohlberg-Schema auf die phylogenetische Geschichte des ethischen Bewußtseins anzuwenden[4], obgleich in manchem korrekturbedürftig[5], doch wegweisend zu sein für eine Philosophie, die, bei Berücksichtigung des Wissensstandes unserer Zeit, die transzendentale Fragestellung erneuern möchte.)

Im Gegensatz zur Transzendentalpragmatik meine ich allerdings, daß – nicht trotz, sondern gerade wegen des Interesses an einer verbindlichen *Begründung* ethischer und politischer Normen, die sich nicht auf die Deskription eines tradierten Ethos beschränken kann – es durchaus lohnt, etwas länger bei Hegel zu verweilen, als dies bisher von der Transzendentalpragmatik getan wurde; ich denke, daß von Hegels Theorie des objektiven Geistes mehr zu lernen ist, als in der Tat zu lernen wäre, wenn sie nur oder in erster Linie den Historismus inaugurierte. In Wahrheit kann nämlich Hegels Sittlichkeitsbegriff sehr wohl als normativ intendiert verstanden werden; nicht ohne ein tiefes Recht sind die »Grundlinien« »die vollkommenste Gestalt einer materialen Naturrechtslehre« genannt worden.[6] Hegels praktische Philosophie ist, so will mir scheinen, *gerade unter begründungstheoretischem Aspekt* das Ehrgeizigste und Niveauvollste, was es bisher gibt; und ihre Überlegenheit gegenüber allen anderen, auch späteren Ansätzen besteht auch heute noch, auch und gerade gegenüber der Transzendentalpragmatik. Deren Grundproblem beruht nämlich gerade auf der Zweistufigkeit ihrer Normenbegründung, die nicht zu einer Synthese von Kant und Hegel führt, sondern letztlich den Kantischen Dualismus von Form und Inhalt nur perenniert. Letztbegründet wird ja nur das *formale* Verfahren; die konkreten *materialen* Normen herauszufinden, bleibt einem Diskurs überlassen, der in Wahrheit notwendig scheitern muß, wenn bei dieser Suche die Faktizität der Bedürfnisse, die es zu vermitteln gilt, den einzigen Orientierungspunkt ausmacht.[7] Gerade die Herleitung überzeitlicher *materialer* Normen ist daher der Gesichtspunkt, unter dem der »Vater des Historismus«, Hegel, den Transzendentalpragmatikern entschieden vorzuziehen ist – ihr Anspruch, nur die Verfahrensnorm letztbegründen zu können, wäre gerade Hegel ein voreiliger Verzicht der Vernunft auf ihre Autonomie erschienen, wäre ihm nicht – wie den meisten unserer heutigen Zeitgenossen – vermessen, sondern allzu kleinmütig vorgekommen.

In der Tat stellt die ganze Hegelsche Philosophie, philosophiehistorisch wie systemtheoretisch, in Wahrheit die *Vollendung der durch Kant eingeleiteten transzendentalphilosophischen Besinnung* dar; das transzendentale Potential des Kantischen Kritizismus wird von ihr nicht unter-, sondern überboten. Allerdings liegt es in der Dialektik von der Vollendung, daß dem Hegelschen System eine merkwürdige Ambivalenz und Janusköpfigkeit eignet: Gerade als Höchstform von Transzendentalphilosophie scheint Hegels Denken bei oberflächlichem Hinsehen von der historistischen Ausrichtung der auf es folgenden Strömungen ununterscheidbar zu sein (wie es übrigens auch zum ungebrochenen Ontologieverständnis der Wolffschen Schule zurückzukehren scheint). Freilich trügt dieser Schein; und das Spezifikum von Hegels Philosophie ist nur zu begreifen, wenn man als ihr generierendes Prinzip das unhintergehbare, sich selbst und alles Seiende, u. a. auch die Geschichte, begründende Denken des Denkens erfaßt, das freilich nicht als psychologischer Akt des endlichen Geistes, sondern, wie bei Platon, als absoluter Vollzug gedeutet werden muß, der Natur wie endlichen Geist konstituiert.

Dennoch meine ich nicht, daß Hegels Philosophie – und zumal seine praktische Philosophie – ohne weiteres in die aktuelle Debatte eingebracht werden kann. Obgleich Hegels Philosophie in ihrem Grundgedanken als Transzendentalphilosophie gedeutet werden muß, ist ihr Hauptproblem, daß sie in ihrer Durchführung – und zwar gerade in ihrer Theorie des objektiven Geistes – immer wieder von ihrem Grundgedanken abweicht und an manchen Stellen tatsächlich auf ein historistisches Niveau zurückfällt. Diesen Fehler muß eine rationale Interpretation des absoluten Idealismus vermeiden, und sie kann dazu von Kant und von Fichte manches lernen, auch wenn sie deren subjektivistische Begrenzung der Transzendentalphilosophie als inkonsequent ablehnen wird. Darüber hinaus aber muß m. E. eine zeitgemäße transzendentale Rekonstruktion des absoluten Idealismus die Forderung der Transzendentalpragmatik sehr ernst nehmen, die bisherige Transzendentalphilosophie der Subjektivität müsse zu einer Transzendentalphilosophie der Intersubjektivität umgestalten werden. Für diese Forderung spricht u. a. die ganze nachhegelsche Philosophie, die in mannigfaltigen Formen um die Probleme von Sprache, Sozialität, Intersubjektivität kreist; für sie spricht aber auch, daß eine immanent-systemtheoretische Analyse des Hegelschen Systems, wie ich sie an anderer Stelle versucht habe[8], gerade am Problem des Verhältnisses von Subjektivität und Intersubjektivität die härtesten Inkonsistenzen in Hegels Philosophie ersichtlich machen kann.

Im folgenden will ich nun einerseits die im Titel meines Vortrags angedeutete Ambivalenz in Hegels Sittlichkeitsbegriff herausarbeiten, andererseits belegen, daß die primäre Bedeutung von »Sittlichkeit« bei Hegel eine normative ist, an die daher in erster Linie anzuknüpfen ist. Nach allgemeinen einführenden Bemerkungen zu Hegels Sittlichkeitsbegriff in den frühen Entwürfen und der »Rechtsphilosophie« (I) will ich mich auf die Geschichtsphilosophie konzentrieren und Hegels Kritik der indischen Kultur analysieren (II). In einer abschließenden Wertung werde ich zeigen, daß Hegels Theorie des objektiven Geistes mit dem späteren historischen Kulturrelativismus nicht nur nichts zu tun hat, sondern ihm geradezu diametral engegengesetzt ist, daß diese

Gegenstellung positiv gesehen werden muß, daß freilich eine aktuelle Diskussion der ethisch-politischen Fragen, die das Verhältnis zu anderen Kulturen betreffen, zwar auf Hegel aufbauen kann, in einem entscheidenden Punkt jedoch über ihn hinausgehen muß (III).

I

Das Irritierende und Verwirrende an Hegels Sittlichkeitsbegriff ist zugegebenermaßen, daß sich bezüglich seiner normativen oder deskriptiven Bedeutung bei Hegel selbst widersprüchliche Aussagen finden. So wohnt ihm von den Anfängen in Jena an eine gewisse antinormative Stoßrichtung inne: Nicht ein jenseitiges Sollen, sondern die reale Gegenwart eines politischen Systems soll als das Absolute begriffen werden.[9] Dennoch ist es wichtig zu begreifen, daß diese antinormative Pointierung selbst einer normativen Option entspringt, die verblüffenderweise gerade mit dem Grundanliegen der Transzendentalpragmatik übereinstimmt: Hegel polemisiert gegen Kant und Fichte, weil er in ihren Systemen eine fundamentale Vernachlässigung der Intersubjektivität erkennt. So zeigt sich die Unwahrheit der beiden unvermittelten Grundkategorien der praktischen Philosophie der beiden subjektiven Idealisten – also von Recht und Moral – nach Hegel gerade darin, daß in keiner der zwei Sphären eine als Selbstzweck erfahrene Intersubjektivität ausgebildet werden kann:[10] Im Recht herrscht bei Kant und Fichte ein berechnender Egoismus allein auf ihren Eigennutz kalkulierender Teufel[11], ein totales Mißtrauen gegen den anderen[12], der nur als Grenze der eigenen Freiheit erfahren werden kann; das Grundgesetz des rechtlich geordneten Staates ist nach Fichte ausdrücklich: »Liebe dich selbst über alles, und deine Mitbürger um dein selbst willen« (3.273). Diese Konzeption geißelt Hegel in der Differenzschrift als »System der Atomistik der praktischen Philosophie« (2.87); der Staat erinnere hier mehr an eine Maschine als an einen Organismus. Bei Fichte fehle »die vollständige lebendige Gemeinschaft der Individuen in eine(r) Gemeinde« (90); gerade darum gehe es aber, »die Gemeinschaft der Personen mit anderen ... wesentlich nicht als eine Beschränkung der wahren Freiheit des Individuums, sondern als eine Erweiterung derselben« anzusehen (82).

Aber nicht nur das Recht, auch die Moralität, in die sich nach Fichtes ausdrücklicher Hoffnung einst der Staat aufheben wird (10.542), vermag nach Hegel nicht ein positives Verhältnis zum anderen zu entwickeln; und liest man zumal Fichtes »Sittenlehre« von 1798, die als Ziel der Moral die Erlangung absoluter Freiheit des Ichs bestimmt, die nur durch die Negation des Nicht-Ich möglich sei, fällt es schwer, Hegel nicht zuzustimmen: Zwar verwirft Fichte eine aktive Absonderung von den Mitmenschen (4.234 f.) und erklärt es zur Pflicht, Moralität zu verbreiten (205, 313 ff., 348); er betont aber zur gleichen Zeit, daß diese Pflicht nur schon bestehenden Bekanntschaften gegenüber gelte: »Es ist uns nicht aufgetragen, Gesellschaft zu suchen und selbst hervorzubringen: wer in einer Wüste geboren wäre, dem wäre es wohl erlaubt, darin zu bleiben.« (235)

Ausdruck dieser asozialen, tendenziell solipsistischen Ausrichtung der Kantisch-Fichteschen Ethik ist nach Hegel auch ihr gesinnungsethischer Ansatz, den er als Ausdruck eines hemmungslosen intellektuellen Egoismus begreift: Nicht darum geht es dieser Moralität primär, etwas für alle Beteiligten Affirmatives zu erreichen; höchstes Ziel ist es, daß *ich mir* gut vorkommen kann. In diesem Sinne hat Hegel das von Kant wie von Fichte[13] aufgestellte kategorische Lügenverbot – auch wo es die Tötung eines Unschuldigen zur Folge hat – mit scharfen Worten zurückgewiesen: »Diese Gleichheit mit mir, die ich durch das Sagen der Wahrheit erreicht habe, wäre nichts als eine hochmütige, läppische Treue gegen die Wahrheit, ich hätte bloß mich als dieses Übereinstimmende gesetzt.«[14] Und in der »Phänomenologie des Geistes« gipfelt die Moralität in der schönen Seele, die im Vollgefühl der eigenen gesinnungsethischen Vortrefflichkeit die eigene kraftlose Subjektivität hegt und pflegt und sich gleichzeitig besser vorkommt als diejenigen Individuen, die Verantwortung auf sich nehmen, auch wenn sie sich dabei in ihrem Handeln notwendig beflecken (3.464 ff.).[15]

Wenn Hegel dieser Moralität die Sittlichkeit überordnet, so ist also damit zunächst nichts anderes gesagt, als daß ein Zustand *rein subjektiver Selbstbestimmung* nicht die affirmativste Struktur des objektiven Geistes ausmachen kann, sondern daß ihm die Objektivierung der Freiheit in *Institutionen* entschieden vorzuziehen ist – und zwar erstens, weil Institutionen ein Medium *stabiler Intersubjektivität* darstellen, Intersubjektivität aber etwas

Höheres ist als Subjektivität, und zweitens, weil allein auf diese Weise die Wirklichkeit des Rechts garantiert ist, die im Zustand der Moralität der immer neu zu fällenden Entscheidung einer Subjektivität anheimgestellt ist, einer Subjektivität, der um so weniger zu trauen ist, als ihrem Bedürfnis nach Herausstellung der eigenen Partikularität, der Hervorhebung des eigenen Ichs in höchstem Maße zentrifugale Kräfte eignen. Der tiefste Sinn von Hegels Sittlichkeitslehre scheint mir also zu sein, daß eine Theorie des normativ Verbindlichen in einer Theorie von Institutionen gipfeln muß, die als Selbstzweck gedeutet werden und deren Aufhebung in einer utopischen Zukunft nicht nur unmöglich, sondern auch nicht wünschenswert wäre. Verglichen mit diesem Standpunkt stellt die Transzendentalpragmatik m. E. einen Rückfall dar – gerade was ihren Anspruch angeht, Philosophie der Intersubjektivität zu sein. Denn insofern sie es bisher nicht zu einer Institutionenlehre gebracht hat, hat sie noch nicht jenes Medium erfaßt, das allein intersubjektiven Relationen Stabilität und Würde geben kann.

Aus dem Gesagten folgt, daß der dritte Teil von Hegels »Grundlinien« nicht als Deskription eines faktischen Ethos verstanden werden darf, sondern als *normative* Institutionenlehre, die die abstrakten zivil- und strafrechtlichen Bestimmungen des ersten Teils und die formalen moralischen Grundsätze des zweiten Teils insofern vollendet, als sie deren *Realisierung* konzipiert. Dabei will dieser dritte Teil eine bestimmte Form des Zusammenlebens von Mann und Frau – die Monogamie –, eine bestimmte Form der wirtschaftlichen Ordnung – eine auf den Prinzipien der Arbeitsteilung und einer formalrechtlichen Gleichheit basierende Marktwirtschaft, die maßvollen staatlichen Interventionen ausgesetzt ist – und eine bestimmte Staatsform – die konstitutionelle Monarchie – als verbindlich auszeichnen. Es ist hier nicht der Ort, zu entscheiden, ob Hegels Optionen unter einem sachlichen Gesichtspunkt wirklich akzeptabel sind; unbestreitbar scheint mir aber, daß Hegels Intentionen mit dem eben Gesagten philologisch einigermaßen zutreffend erfaßt sind. Allerdings nur einigermaßen. Zwei Einschränkungen müssen gemacht werden. Aus Gründen, die hier nicht weiter zu erörtern sind, die aber im wesentlichen mit der Überordnung des absoluten Geistes über den objektiven Geist zusammenhängen, geht Hegel erstens davon aus, daß die philosophische Erkenntnis des normativ Verbindlichen nur nach dessen Realisierung stattfinden kann – und zwar obwohl das Kriterium für normative Geltungsansprüche nicht die Faktizität, sondern die Selbstbewegung des reflexiv letztbegründeten Begriffs ist. Aufgrund dieser in besonders prägnanter Form in der Vorrede zu den »Grundlinien« exponierten geschichtsphilosophischen These – die m. E. falsifizierbar ist, auch wenn ihr eine gewisse Wahrheit nicht abgesprochen werden kann – nimmt Hegel daher an, daß das normativ Verbindliche im kulturellen Kontext, dem er als Philosoph entstammt, auch schon wirklich sein muß; er ist daher bemüht, in seinen normativen Erörterungen die Gegenwart nicht zu transzendieren. Ohne daß ihm das selbst bewußt gewesen sein dürfte, passen sich daher seine Deduktionen in den »Grundlinien« immer wieder an die Gegenwart an, akkomodieren sich also an die Faktizität; ja, Hegel widerspricht dabei sogar eigenen kategorialen Optionen, wie sie etwa in der »Wissenschaft der Logik« zu finden sind.[16]

Der zweite Punkt ist in unserem Kontext wichtiger. Hegel ordnet dem zweiten und dritten Teil der »Grundlinien« nicht nur bestimmte Normeninhalte zu – also der »Moralität« Normen, die das Verhältnis eines Subjekts zu sich selbst betreffen, der »Sittlichkeit« Normen, die sich aus institutionalisierten Subjekt-Subjekt-Relationen ergeben –, sondern zugleich bestimmte ethische Bewußtseinsformen. Moralisch ist demnach eine Reflexionshaltung, die alles Geltende auf die Subjektivität zurückführt, es hinterfragt und, da sie über kein verbindliches Kriterium verfügt, Normen zu begründen, schließlich nur zersetzen kann, während sittlich eine Attitüde ist, die sich in gläubigem Zutrauen an den tradierten Institutionen orientiert.[17] Diese Zuordnung ist deswegen recht überraschend, weil auch für Hegel klar ist, daß das »thetische« sittliche Bewußtsein, auch wenn es unter bestimmten Umständen der Beliebigkeit moralischen Räsonierens vorzuziehen ist, doch eine einfachere und primitivere Stufe darstellt als das moralische. In der »Phänomenologie des Geistes« ist ja Sittlichkeit im ersten Teil des »Geist«-Kapitels thematisch, während die Moralität erst im dritten Teil abgehandelt wird; und in seinen Vorlesungen über die Geschichte der Philosophie erkennt Hegel es als Neuerung von Sokrates an, daß mit ihm die moralische, d. h. reflektierende Betrachtung sittlicher Gegenstände eingeführt wurde: »Die Athenienser vor Sokrates waren sittliche, nicht moralische Menschen; sie haben das Vernünftige ihrer Verhältnisse getan, ohne Reflexion, ohne zu wissen, daß sie vortreffliche Menschen waren« (18.445).

Es ist nun erstaunlich, daß Hegel in den »Grundlinien« keine dritte ethische Bewußtseinsstufe außer dem zu seiner historisch gewachsenen Gemeinschaft sich bekennenden naiven Ethos und der auflösenden Reflexion anzuerkennen scheint – nämlich das vernünftig betrachtende Bewußtsein, das verbindlich Normen begründet und das daher die stabile Zuverlässigkeit der »thetischen« Stufe mit dem formalen Moment selbständigen Nachdenkens der »antithetischen« Stufe verbindet. Dies ist um so verblüffender, als dies Hegels eigener Standpunkt ist – die »Grundlinien« entstammen, wenn sie als normative Theorie verstanden werden, offenbar einem ethischen Bewußtsein, das weder von gläubigem Zutrauen noch von der Bodenlosigkeit herumtaumelnder Reflexion gekennzeichnet ist.[18] Auf die Thematisierung einer solchen kritischen, reflektierten Sittlichkeit glaubt aber Hegel wohl deswegen verzichten zu können, weil er ja voraussetzt, daß die Wirklichkeit im großen und ganzen vernünftig ist: Eine Kritik der Institutionen kommt demnach auch für den Philosophen nicht in Frage, so daß seine Position letztlich, wenigstens inhaltlich, auf dasselbe hinausläuft wie diejenige gläubigen Vertrauens. Der Gedanke, daß das Subjekt unter bestimmten Bedingungen sich zu Recht gegen die *faktische* Sittlichkeit wenden könnte (wenn es auch natürlich immer danach wird streben müssen, die eigenen moralischen Ideen zu objektivieren und d. h. zu versittlichen), hat in Hegels »Rechtsphilosophie« keinen Platz.

Wir sehen somit, daß Hegel mit dem Wort »Sittlichkeit« zwei ganz verschiedene Dinge bezeichnet: Einerseits ist sittlich nur eine soziale Welt, die in ihren Institutionen bestimmten, in den »Grundlinien« ausgezeichneten normativen Standards entspricht, andererseits ist sittlich das unbefangene Ethos einer jeden Kultur, die nicht durch Reflexion gestört ist. Eine unsittliche Sittlichkeit[19] ist somit eine Kultur, die ihr eigenes Ethos ohne weiteres kritisches Nachdenken lebt, deren Institutionen aber nicht dem Begriff entsprechen; und eine solche Kultur ist nach Hegel die indische.

Hegels »Vorlesungen über die Philosophie der Geschichte« thematisieren den Fortschritt im Bewußsein der Freiheit in der universalhistorischen Entwicklung der Menschheit (vgl. 12.32). Obgleich man aufgrund des systematischen Ortes der Weltgeschichte in Hegels System – am Ende der Philosophie des objektiven Geistes[20] – vermuten müßte, jene Vorlesungen beschränkten sich auf die Darstellung der Entwicklung von Recht, Moralität und Sittlichkeit, ist in ihnen auch von der Geschichte des absoluten Geistes (Kunst, Religion, Philosophie) die Rede[21]; zu Recht meint Hegel, daß es nicht möglich ist, etwa die Rechtsentwicklung einer Kultur zu verstehen, wenn man von der Entfaltung ihres religiösen Bewußtseins abstrahiert. Den Inbegriff der Prinzipien der Kultur – und d. h. des objektiven und absoluten Geistes – eines Volkes nennt Hegel »Volksgeist«; die Philosophie der Weltgeschichte hat daher erstens die Aufgabe, aus den Grundbestimmungen eines gegebenen Volksgeistes dessen reale Erscheinung als ein organisches Ganzes zu deduzieren (vgl. 12.73). Zweitens aber hat die Geschichtsphilosophie die Prinzipien der verschiedenen Volksgeister selbst in einen Ordnungszusammenhang zu bringen. Ihre Abfolge gehorcht nämlich nach Hegel einer inneren Logik, nach der ein späterer Volksgeist die inneren Widersprüche des vorangegangenen aufhebt, freilich selbst neue hervorbringt, die erst in einer späteren Stufe aufgehoben werden; und der Prozeß der Ablösung der Volksgeister durch einander konstituiert den weltgeschichtlichen Fortschritt. Die wichtigsten Stufen in dieser Bewegung betitelt Hegel »Reiche«, deren es bei ihm vier gibt: das orientalische, griechische, römische und germanische Reich.[22] In der patriarchalischen Welt des Orients ist die Grundkategorie die der Substanz; die Individuen sind noch nicht zu Selbstbewußtsein erwacht und haben noch nicht so etwas wie Subjektivität entfaltet; sie gehen völlig in der Gemeinschaft auf, die sich um einen absoluten Herrscher als Mittelpunkt dreht (135 f.). In der griechischen Welt entzündet sich die Subjektivität; das Subjekt entwindet sich der Einheit mit der Substanz, ohne aber doch schon die moderne Innerlichkeit auszubilden: Das Individuum gelangt einerseits zu Fürsichsein, setzt sich aber andererseits in unbefangener Sittlichkeit für die

Polis ein, aus der es noch nicht in sich reflektiert ist; die Sittlichkeit ist hier noch nicht durch die Moralität vermittelt (137 f.). Die liebenswürdige Grazie der griechischen Welt löst sich in der abstrakten Allgemeinheit des römischen Weltreiches auf, dessen kennzeichnendstes Resultat die Ausbildung der privatrechtlichen Person ist, die sich aus der Verantwortung für das öffentliche Leben zurückzieht, das, zumal im Kaiserreich, der Despotie eines einzelnen Individuums untersteht. Der Bruch, der sich hier zwischen Individuum und Gemeinschaft anbahnt, führt zum ungeheuersten Bedürfnis nach Versöhnung; und diese Versöhnung ist nur möglich, indem das aus der Sittlichkeit zurückgestoßene Subjekt sich als absolut erfaßt, was in der Sprache der Vorstellung in der Überzeugung ausgedrückt wird: Gott ist Mensch geworden (138 ff.).[23] Das Christentum eröffnet das germanische Reich mit dem härtesten Gegensatz, der sich zunächst aus dem christlichen Prinzip ergibt: dem mittelalterlichen Dualismus von Kirche und Staat. Ziel der Geschichte ist aber die Überwindung dieses Dualismus: Die individuelle Freiheit als die wichtigste Entdeckung des Christentums hat sich der Wirklichkeit einzubilden, und das geschieht, durch den Protestantismus ermöglicht (539), in der Neuzeit (140 f.). Diese ist somit durchaus die Vollendung des Christentums, dessen angemessene Verwirklichung Hegel im Zustand der europäischen Staaten des frühen 19. Jahrhunderts erkennen zu können glaubt.

Innerhalb dieser vier Reiche ist die wichtigste Zäsur zweifelsohne zwischen dem ersten und dem zweiten anzusetzen. Der entscheidende Unterschied zwischen der orientalischen Welt und der griechisch-römisch-germanischen besteht darin, daß nur die Übergänge jenseits der orientalischen Welt als eigentlich historisch zu bezeichnen sind – nur hier wird eine Kultur auf reale Weise durch eine andere abgelöst, die, auch wenn ihr Träger im allgemeinen ein neues Volk ist, doch kontinuierlich aus der vorangegangenen hervorwächst und deren Erbe übernimmt. Der Übergang von der orientalischen zur griechischen Welt und zumal die Binnenübergänge innerhalb der orientalischen Welt sind aber keine historisch nachprüfbaren Ereignisse: Griechenland geht nicht aus Ägypten, Indien nicht aus China hervor. Und auch innerhalb der einzelnen orientalischen Hochkulturen gibt es nach Hegel keine eigentliche Geschichte, keine eigentliche Entwicklung. Während die griechische und römische Welt verschiedene Gestalten durchlaufen und auch in ihrem Untergang etwas Höherem den Weg bereiten, bleiben die orientalischen Staaten, bei allen chaotischen Umwälzungen, im Grunde dieselben: »Die Staaten, ohne sich in sich, oder im Prinzip, zu verändern, sind in unendlicher Veränderung gegeneinander, in unaufhaltsamem Konflikte, der ihnen schnellen Untergang bereitet ... Auch diese Geschichte ist selbst noch überwiegend geschichtslos, denn sie ist nur die Wiederholung desselben majestätischen Untergangs« (136 f.). Dennoch hält Hegel es für legitim, den Orient gegenüber Griechenland und dann die einzelnen orientalischen Kulturen linear derart zu ordnen, daß die (in seiner Reihenfolge) spätere Stufe auch wertmäßig höher steht als die erste. Die wertmäßige Ordnung, die er zugrunde legt, kann sich Hegel zufolge freilich durchaus an einem äußeren Parameter orientieren – zwar nicht, wie die Geschichtsphilosophie ab dem griechischen Reich, an der Zeit, aber doch an dem Raum: Die synchronen Hochkulturen des Orients unterliegen einem Ost-West-Gefälle, nach dem die östlichsten Kulturen den ersten Grad in der Realisierung der Freiheit einnehmen. »Die Weltgeschichte geht von Osten nach Westen, denn Europa ist schlechthin das Ende der Weltgeschichte, Asien der Anfang« (134).

Wenn wir die beiden Grundthesen Hegels bezüglich der orientalischen Welt auf ihre Wahrheit hin überprüfen – also seine Bestreitung eines Fortschritts *innerhalb* der einzelnen Kulturen und seine Behauptung einer Entwicklung von Osten nach Westen *über* die einzelnen Kulturen *hinweg* –, so läßt sich die erste als einigermaßen sinnvoll begreifen: Auch wenn Hegel die interne Entwicklung Chinas oder Indiens durchaus unterschätzt[24], so spricht es doch letztlich für seine These, daß die wichtigsten Veränderungen in der Verfassung des indischen und chinesischen Staates sich dem 19. und 20. Jahrhundert verdanken – und zwar offenbar europäischen Einflüssen. Wenn etwa K. F. Leidecker in seinem Aufsatz »Hegel and the Orientals«[25] behauptet, die moderne Geschichte habe Hegels Orientdeutung völlig widerlegt, sei doch China auf dem Wege zu einem gerechten sozialistischen Staat und Indien die volksreichste Demokratie der Welt, so übersieht er, daß weder das sozialistische System noch die parlamentarische Demokratie eine originäre Erfindung Chinas bzw. Indiens sind[26]; die staatliche Einigung des indischen Subkontinents ist eine Leistung der Briten und nicht der Inder gewesen.[27]

Fragwürdiger ist allerdings das zweite Prinzip Hegels, nach dem von Osten nach Westen ein kontinuierlicher Fortschritt stattfinde. Ganz allgemein dürfte es von vornherein unwahrscheinlich sein, daß Hochkulturen, die im wesentlichen *neben*einander bestehen, in ihrer Totalität eine der anderen übergeordnet werden können: Auch wenn klare Maßstäbe zur Verfügung stünden, wäre nicht gesagt, daß eine Kultur in *allen* ihren Erscheinungen einer anderen vorzuziehen ist. Es ist vielmehr von der trivialen Annahme auszugehen, daß unter *einigen* Aspekten die eine Kultur der anderen überlegen, unter *anderen* ihr jedoch unterlegen ist; eben diese Annahme vermißt man aber bei Hegel, der die – an sich unleugbare – organische Einheit der verschiedenen Ausdrucksformen einer Kultur eindeutig überschätzt und daher die Volksgeister auf eine *eindimensionale* Wertskala projizieren zu können glaubt. Dagegen wird man durchaus der Ansicht sein können, daß etwa die ägyptische Kultur in ihrer sozialen Struktur der indischen vorzuziehen ist, wenn auch ihre Religion der indischen nachsteht, die ja sogar eine Basis für philosophische Überlegungen abgeben konnte.[28]

Aber auch unabhängig davon ist unmittelbar klar, daß Hegels konkrete These einer »Westbewegung« der orientalischen Kulturen nicht aus apriorischen Gründen hergeleitet werden kann, auch wenn Hegel das allen Ernstes zu suggerieren scheint. Allerdings wäre auch nicht auszuschließen, daß sie faktisch einen gewissen Wahrheitsgehalt hat – nur fragte man sich dann, ob sie nicht zu den vielen Richtigkeiten gehörte, die den Begriff nichts angehen. Doch auch auf rein empirischer Ebene läßt sich leicht feststellen, daß sie falsch ist. Sie ergibt sich nämlich ausschließlich deswegen, weil Hegel nur einige wenige der alten Hochkulturen abhandelt – aufgrund des Wissensstandes seiner Zeit ignoriert er etwa die mesoamerikanischen und andinen Hochkulturen, die vom Typ her ebenfalls zur orientalischen Welt zu rechnen wären; Japan ist nicht einmal erwähnt; von Mesopotamien ist nur im Zusammenhang mit Persien die Rede: Hegel behandelt die Babylonier nach der awestischen Religion (225–232). Ähnlich irritierend ist die Einordnung Ägyptens, das Hegel nach der Ausgabe von Karl Hegel am Ende des persischen Reichs als dessen Bestandteil abhandelt (245–271)[29], obgleich natürlich auch er weiß, daß das ägyptische Reich wesentlich älter ist als das persische; und auch unter wertenden Gesichtspunkten ist schwerlich zu bestreiten, daß der persische Vielvölkerstaat administrativ-politisch eine höhere Kulturleistung darstellt als das ägyptische Reich.

Hegels These von einem kontinuierlichen Fortschritt in Richtung Westen ist, so können wir abschließend festhalten, nicht akzeptabel. Ein sehr partieller Sinn läßt sich mit ihr allerdings insofern verbinden, als die orientalischen Kulturen, die näher an Europa grenzen, tatsächlich eher in den Sog der historischen Bewegung geraten, der von der nicht-orientalischen Welt ausgeht. In der Tat ist nach Hegel die Entwicklung über die drei Stufen hinweg, in die er die orientalische Welt gliedert, zugleich ein Weg hin zur Geschichtlichkeit, die mit Griechenland erst richtig einsetzt. Diese drei Stufen sind China, Indien und Persien. Dabei hängen China und Indien insofern enger zusammen[30], als sie in ganz anderem Maße geschichtslos sind als Persien: »Die Perser sind das erste geschichtliche Volk, Persien ist das erste Reich, das vergangen ist. Während China und Indien statarisch bleiben und ein natürliches vegetatives Dasein bis in die Gegenwart fristen, ist dieses Land den Entwicklungen und Umwälzungen unterworfen, welche allein einen geschichtlichen Zustand verraten« (215).

Während sich also Vorderasien durch die hellenistische Kultur und dann den Islam wenigstens temporär[31] der orientalischen Welt zu entwinden vermag, bleiben China und Indien in den Fängen der Substanz. Dabei besteht zwischen China und Indien folgender entscheidender Unterschied: China verweilt in seinem ruhigen patriarchalischen Zustand ohne Störung, seine Geschlossenheit wird nicht von außen bedroht[32]; Indien hingegen ist ein Land, das stets von fremden Völkern heimgesucht wird – ist es doch seit der Antike »das Land der Sehnsucht« (174), das immer wieder gesucht, ja erobert wird: »Es ist fast keine große Nation des Ostens noch des neueuropäischen Westens gewesen, die sich nicht dort einen kleineren oder größeren Fleck erworben hätte« (178). Die Tragik Indiens besteht also darin, daß es einerseits nicht wie China den gemächlichen Weg einer statarischen Kultur gehen konnte[33], daß es aber andererseits nicht wie Vorderasien den Anschluß an die geschichtliche Welt der Freiheit gewann; und diese Tragik ist der tiefste Grund für die innere Zerrissenheit Indiens.[34]

Diese geographische wie kulturelle Zwischenstellung Indiens ist nun gewissermaßen das Prinzip, das Hegel seiner Indiendeutung zugrunde legt und aus dem er die mannigfaltigen Aspekte dieser Kultur abzuleiten versucht. Während China das Land des prosaischen Verstandes ist und in Griechenland der Durchbruch zu begrifflicher Erkenntnis stattfindet, ist Indien gekennzeichnet durch die Negation unmittelbarer Sinnlichkeit, die aber nur den gegebenen sinnlichen Eindruck, nicht die Sphäre der Sinnlichkeit als solche transzendiert – also durch die *Phantasie*, die, wie Hegel ausdrücklich sagt, durch die tropische Vegetation mitangeregt wird (16.337).[35] Die indische Kunst wird in der »Ästhetik« unter dem Titel »Die phantastische Symbolik« abgehandelt, und die indische Religion heißt in den religionsphilosophischen Vorlesungen »Religion der Phantasie«. Ihr ist die göttliche Welt »ein Reich der Einbildung« (337); und da die Religion das Zentrum des menschlichen Bewußtseins ist, ist auch die Art und Weise, die endlichen Dinge aufzufassen, bei den Indern durch die Phantasie imprägniert.

Trefflich faßt Hegel die indische Anschauungsweise als »Pantheismus der Einbildungskraft, nicht des Gedankens« (12.176). Das ist sowohl ein Lob als auch eine Kritik. Denn als Pantheismus ist die indische Weltanschauung ein »Idealismus des Daseins« (175): Sie nimmt dem Unmittelbaren seine Schwere, bezieht es auf etwas Höheres und Allgemeineres; allein mit dieser Einstellung ist so etwas wie Philosophie denkbar. Gleichzeitig aber ist dieser Idealismus »begrifflos« (a.a.O.) – statt die Dinge auf ihr klar umrissenes Wesen zurückzuführen, beschränkt er sich auf die Negation des Faktischen; dies führt zu einer völligen Unfähigkeit, ein einzelnes als solches objektiv zu fassen; das Vermögen, scharf zwischen Wahrnehmung und Einbildung, Sinneseindruck und Assoziation zu unterscheiden, ist kaum vorhanden. Hegel faßt das indische Bewußtsein daher als kollektiven Traum – dessen Inhalt allerdings das Absolute ist. »Es ist Gott im Taumel seines Träumens, was wir hier vorgestellt sehen« (a.a.O.). Die zahllosen Wundergeschichten[36] der Inder deutet Hegel daher zu Recht nicht als Lüge oder Betrug der Priester – überhaupt hält Hegel die aufklärerischen Vorstellungen von der Religion als einem Betrug der Priester für absurd (18.83); die Inder sind nach ihm *unfähig,* »einen Gegenstand in verständigen Bestimmungen festzuhalten, denn dazu gehört schon Reflexion« (12.197; vgl. 16.334 ff.).

Diese Zwischenstellung zwischen Substantialität und Idealität ist nach Hegel ferner einer der Gründe für die Tatsache, daß die Inder, anders als die Völker der späteren Reiche, aber auch anders als die Chinesen, keine Geschichtsschreibung haben: »Alles Geschehene verflüchtigt sich bei ihnen zu verworrenen Träumen. Was wir geschichtliche Wahrheit und Wahrhaftigkeit, verständiges, sinnvolles Auffassen der Begebenheiten und Treue in der Darstellung nennen – nach allem diesen ist bei den Indern gar nicht zu fragen« (12.203; vgl. 13.432). Hegel hat hiermit ein sehr wichtiges Spezifikum der indischen Kultur erfaßt[37] – ihr (schon von Albīrūni gerügtes) absolutes Unvermögen, zwischen Mythos und Geschichte eine Trennungslinie zu ziehen; man lese nur das (von den buddhistischen Kirchengeschichten auf Ceylon abgesehen) einzig wirklich historische Werk Indiens – Kalhanas kaśmīrische Königschronik aus dem 12. Jahrhundert –, und man wird feststellen, daß selbst dieses Buch die Phantasie in einer Weise mit der Historie verquickt, die selbst den bescheidensten historischen Standards nicht genügt. Aber immerhin ist die Rājataraṅgiṇī als Quelle für die Geschichte Kaśmīrs benutzbar – für die Geschichte des restlichen Indiens sind wir, für Antike und Mittelalter, primär auf griechische, chinesische und arabische Quellen angewiesen.[38]

Der Pantheismus der Phantasie hat nach Hegel ferner zur Folge, daß die indische Religion[39] zwei ganz verschiedene, unversöhnte Bestandteile hat – einerseits läßt ihre Mythologie an Bizarrheit nichts zu wünschen übrig, die Phantasie verzerrt alle Gestalten ins Maßlose und Fratzenhafte; andererseits führt das pantheistische Moment zur Entwicklung eines abstrakten Gottesbegriffs. Was jenen ersten Punkt angeht, so ordnet Hegel in der »Ästhetik« die indische Kunst der symbolischen Kunstform zu, deren Hauptmerkmal – im Gegensatz zur allein wahrhaft schönen klassischen Kunstform – das *Suchen* des absoluten Inhalts ist (13.107f.). Denn da in den Kulturen, die symbolische Kunstwerke hervorbringen, der Geist noch nicht sich selbst als das Absolute erfaßt hat, sondern ein ihm externes, teils naturhaftes, teils abstrakt-unsinnliches Wesen als Gottheit verehrt, kann er noch nicht den geistdurchdrungenen menschlichen Leib als den vollkommensten Ausdruck des Ideals begreifen; und da er seinen abstrakten Gott in natürlichen Formen nicht adäquat zu versinnlichen vermag, versucht er ihm durch Steigerung, Überhöhung alles Vertrauten gerecht zu werden: Das Absolute ist zwar nicht in einem Elephanten angemessen dargestellt, aber doch in einem großen Elephanten; nicht in einem gewöhnlichen Menschen, aber doch in einem Menschen mit sechs Armen usf. »Hier ist es denn vornehmlich die verschwenderischste Übertreibung der Größe, in der räumlichen Gestalt sowohl als auch in der zeitlichen Unermeßlichkeit, und die Vervielfältigung ein und derselben Bestimmtheit, die Vielköpfigkeit, die Menge der Arme usf., durch welche das Erreichen der Weite und Allgemeinheit der Bedeutungen erstrebt wird« (437). Das Sinnliche *soll* etwas Geistiges darstellen; doch die indische Kunst pendelt nur zwischen Symbol und Bedeutung, ohne deren Versöhnung anders erreichen zu können als durch Verzerrung (431 f.; vgl. 16.338).[40]

Dieser Mangel der Form entspricht, wie gesagt, einem Mangel des Gehalts: Als gärende Phantasie kann das menschliche Bewußtsein das Absolute noch nicht als Geist wissen. Zu Recht erkennt Hegel in indischen Lehren wie derjenigen der Metempsychose eine völlige Bewußtlosigkeit von der Zäsur, die den Geist von der Natur scheidet (vgl. 16.388 f.); auch die Tierverehrung hält er nur für denkbar in einer Kultur, die vom Gedanken der Menschenwürde nichts weiß (372 f.). Selbst in Mythen, die bei oberflächlichem Hinsehen an christliche Glaubensinhalte erinnern, sieht Hegel spezifische Differenzen, die sie deutlich als Produkte der orientalischen Welt ausgeben: Wenn Viṣṇu sich im Menschen inkarniert, so ist das vor dem Hintergrund richtig zu würdigen, daß er sich auch in einem Eber, einer Schildkröte usf. inkarniert; der christliche Gedanke der Menschwerdung kann davon nicht scharf genug abgegrenzt werden. »Bei dieser allgemeinen Vergöttlichung alles Endlichen und eben damit Herabwürdigung des Göttlichen ist die Vorstellung der Menschwerdung, der Inkarnation Gottes nicht ein besonders wichtiger Gedanke. Der Papagei, die Kuh, der Affe usf. sind ebenfalls Inkarnationen Gottes ...« (12.177; vgl. 17.277). Ähnlich distanziert bewertet Hegel die indische Trimurti, die zwar durchaus »das Auffallendste und Größte in der indischen Mythologie« sei (16.343), der christlichen Trinität jedoch klar untergeordnet werden müsse: Erstens fehle ihr »die geistige Subjektivität als Grundbestimmung«, so daß es nicht berechtigt sei, bei ihr von Personen zu reden (a.a.O.), und zweitens sei die dritte Gestalt, Śiva, nicht ein Prinzip der Rückkehr, ein Prinzip, das geistige Einheit stifte, sondern ein Gott der Zerstörung: »Jenes dritte Prinzip ist seiner Bestimmung nach das Auseinanderfahren der substantiellen Einheit in ihr Gegenteil, *nicht die Rückkehr derselben* zu sich, – das Geistlose vielmehr, nicht der Geist« (5.389; vgl. 16.351, 18.158). »Man muß sich deshalb sehr hüten,« mahnt Hegel, »in solchen ersten Ahnungen der Vernunft schon die höchste Wahrheit wiederfinden und in diesem Anklange, der dem Rhythmus nach allerdings die Dreiheit enthält, welche eine Hauptvorstellung des Christentums ausmacht, bereits die christliche Dreieinigkeit erkennen zu wollen« (13.443).

Dieser wilden Phantasie, die durchaus von Prolepsen des Begriffs durchzogen ist, die jedoch nicht überschätzt werden dürfen, da der Kontext, in dem sie stehen, sie unmittelbar entwertet, dieser exaltierten Mythologie, die im Lingam-Yoni-Kult ihren sinnlichen Charakter deutlich manifestiert (12.196, 13.435, 16.351), steht auf der anderen Seite der Brahman-Kult gegenüber. In ihm negiert der Geist nicht nur das einzelne Sinnliche, sondern die Sinnlichkeit überhaupt. In der Konzeption Brahmans als eines abstrakt Allgemeinen sieht Hegel eine Tendenz, den Polytheismus der Vorstellung zu überwinden; immer wieder betont er ferner, daß auch der Pantheismusvorwurf in seiner gewöhnlichen Fassung Brahman gegenüber nicht zutreffe. Überhaupt sei die Vorstellung absurd, irgend jemand sei je der Ansicht gewesen, Gott sei Alles; gerade bei morgenländischen und zumal indischen Dichtern könne man deutlich erkennen, daß das Absolute nur als das *Wesen* von allem konzipiert werde. In der langen Anmerkung zu § 573, unmittelbar vor den drei Schlüssen der Philosophie, am Ende der »Enzyklopädie«, erklärt Hegel, selbst in den sinnlichsten Schilderungen der Bhagavadgītā gebe sich »*Krischna* (und man muß nicht meinen, außer Krischna sei hier noch sonst Gott oder ein Gott; wie er vorhin sagte, er sei Schiwa, auch Indra, so ist von ihm nachher ... gesagt, daß auch Brahma in ihm sei) nur für das *Vortrefflichste* von Allem, aber nicht für *Alles* aus; es ist überall der Unterschied gemacht zwischen äußerlichen, unwesentlichen Existenzen und einer *wesentlichen* unter ihnen, die *er* sei« (10.384). Nicht zu Unrecht meine daher Colebroke, daß die indische Religion in ihrem Wesen Monotheismus sei (385).

So wie im Brahman-Gedanken anerkennt Hegel auch in der Brahman gewidmeten Meditation zunächst einmal etwas Positives: »Diese Konzentration des Sichselbstbestimmens enthält den Anfang der Geistigkeit« (16.331). Freilich ist dies nur ein *Anfang;*

Hegel kann daher genausogut bestreiten, daß Brahman wirklich ein Objekt des reinen *Gedankens* sei: »Denn zum Denken gehört das Selbstbewußtsein, das sich einen Gegenstand setzt, um darin sich zu finden ... Die indische Art der Vereinigung aber des menschlichen Selbsts mit Brahman ist nichts als das stets gesteigerte Hinaufschrauben zu dieser äußersten Abstraktion selber, in welcher nicht nur der gesamte konkrete Inhalt, sondern auch das Selbstbewußtsein untergegangen sein muß, ehe der Mensch zu derselben hinzugelangen vermag. Deshalb kennt der Inder keine Versöhnung und Identität mit Brahman in dem Sinne, daß der Menschengeist sich dieser Einheit *bewußt* werde, sondern die Einheit besteht ihm darin, daß gerade das Bewußtsein und Selbstbewußtsein und damit aller Weltinhalt und Gehalt der eigenen Persönlichkeit total verschwinde« (13.433). Hegel leugnet zwar nicht, daß dem Ertränken des Partikulären in der allgemeinen orientalischen Substanz eine reinigende Wirkung zukomme – in den philosophiehistorischen Vorlesungen betont er im Kapitel über den orientalischen Philosophen par excellence der neueren Philosophie, über Spinoza, das Denken müsse sich auf den Standpunkt der morgenländischen Anschauung bzw. des Spinozismus einmal gestellt haben: »Die Seele muß sich baden in diesem Äther der einen Substanz, in der alles, was man für wahr gehalten hat, untergegangen ist. Es ist diese Negation alles Besonderen, zu der jeder Philosoph gekommen sein muß; es ist die Befreiung des Geistes und seine absolute Grundlage« (20.165). Dennoch hält Hegel es für eine absolute Unmöglichkeit, in diesem Denken der Substanz die Subjektivität auszuschalten; es gehe vielmehr darum, das Allgemeine mit der Subjektivität zusammenfallen zu lassen, und d. h.: es als *konkrete* Subjektivität zu denken. Dazu aber ist der indische Geist nicht in der Lage: Er *bestimmt* mit aller Kraft das Absolute als das *Bestimmungslose*[41] und verfällt daher in seinen Meditationen in ein »Vereinsamen der Seele in die Leerheit«, in eine »Verstumpfung, die vielleicht selbst den Namen Mystizismus gar nicht verdient und die auf keine Entdeckung von Wahrheiten führen kann, weil sie ohne Inhalt ist« (11.161). Hegel zieht interessante Parallelen zwischen dieser »*abstrakte(n) Andacht*« (151), die mit aller Kraft die Reflexion ausschließen möchte, und der zeitgenössischen Unmittelbarkeitsideologie eines Jacobi (181 f.); und mit großer Klarheit zeigt er, daß das Bedürfnis, das eigene Denken auszuschalten, auch wenn es von einem Schmachten nach Objektivität geprägt ist, in Wahrheit dem hemmungslosesten Subjektivismus Tür und Tor öffnet: »Dagegen muß dies, was der *Hindu* in und zu sich selbst sagt: ›Ich bin *Brahman*‹, seiner wesentlichen Bestimmung nach mit der modernen, subjektiven und objektiven *Eitelkeit*, mit dem als identisch erkannt werden, zu was das Ich durch die oft erwähnte Behauptung, daß wir von Gott nicht wissen, gemacht wird.« Denn auch wenn dieses Unbestimmte das eigentliche Sein sein soll, so ist doch »Sein« eine zu vage Kategorie, um ihm Gestalt und Konturen zu verschaffen: »Es heißt leeres Stroh dreschen, jenes Negative meiner, das Außer oder Über mir, für eine behauptete oder wenigstens geglaubte, anerkannte Objektivität ausgeben zu wollen ... – denn vielmehr ist eben die inhaltslose Form der Objektivität, [da] ohne Inhalt, eine leere Form, ein bloß *subjektiv Gemeintes*« (16.348 f.; vgl. 18.168). Besonders bemerkenswert ist an diesen Ausführungen, daß Hegel die durch die Indomanie der Romantik belegte Affinität zwischen Subjektivismus und indischem Substantialismus – scheinbar diametral entgegengesetzten Positionen – durchschaut: Im Gewande der Treue zur Objektivität kann die Romantik ihre Partikularität und Subjektivität um so ungestörter ausleben.

Doch dieser Zusammenhang zwischen Abstraktheit und Willkür gilt auch für Indien selbst: Mit tiefem Blick erkennt Hegel, daß die bunte Wildheit des indischen Polytheismus und die auf Abtötung von Fleisch und Geist zielende Meditation Brahmans zwei Seiten desselben sind. An der oben zitierten Stelle aus der »Enzyklopädie« heißt es, die indische Religion sei zwar ein Monotheismus – »aber diese Einheit Gottes ... ist so wenig konkret in sich, sozusagen so kraftlos, daß die indische Religion die ungeheure Verwirrung ist, ebensosehr der tollste Polytheismus zu sein ... Der indische Monotheismus ist übrigens selbst ein Beispiel, wie wenig mit dem bloßen Monotheismus getan ist, wenn die Idee Gottes nicht tief in ihr selbst *bestimmt* ist. Denn jene Einheit, insofern sie abstrakt in sich und hiermit leer ist, führt es sogar selbst herbei, *außer* ihr das Konkrete überhaupt, sei es als eine Menge von Göttern oder von empirischen, weltlichen Einzelheiten, selbständig zu haben« (385 f.). Da Brahman, wie Hegel prägnant schreibt, nur *das* Eine, nicht *der* Eine ist (16.347) – und auch Brahmā ist nach Hegel nur eine Personifikation ohne jede Persönlichkeit (11.186) –, kann von ihm nichts Bestimmendes ausgehen; denn wenn das Höchste bestimmungslos ist, kann die Welt nicht durch es gestaltet sein: Sie ist daher dem unvernünftigen Chaos einer bizarren Phantasie überlassen. In unausgeglichener Weise pendelt somit die indische Kultur zwischen der unkontrolliertesten Sinnlichkeit und der grausamsten Askese, zwischen der Ausschweifung und der Selbstpeinigung (12.196 f.)[42]; beides soll das Bewußtsein auslöschen, in dem der Inder nicht für sich sein kann. Einen analogen Widerspruch sieht Hegel in der Bhagavadgītā – nämlich zwischen der Aufforderung zum Handeln einerseits und der Hochschätzung der starren und bewegungslosen Kontemplation andererseits. Die Auflösung dieses Widerspruchs ist nach Hegel Indien deshalb nicht gelungen, »weil das Höchste des indischen Bewußtseins, das abstrakte Wesen, Brahman, in ihm selbst ohne Bestimmung ist, welche daher nur außer der Einheit und nur äußerliche, natürliche Bestimmung sein kann. In diesem Zerfallen des Allgemeinen und des Konkreten sind beide geistlos, – jenes die leere Einheit, dieses die unfreie Mannigfaltigkeit; der Mensch, an diese verfallen, ist nur an ein Naturgesetz des Lebens gebunden; zu jenem Extrem sich erhebend, ist er auf der Flucht und in der Negation aller konkreten, geistigen Lebendigkeit« (11.158). Allgemeinheit und Besonderheit, Einheit und Vielheit werden von den Indern nicht versöhnt; »ihr Geist ist deswegen nur der haltungslose Taumel von dem einen zu dem anderen und zuletzt die Unglückseligkeit, die Seligkeit nur als Vernichtung der Persönlichkeit ... zu wissen« (183).[43]

Aus der Abstraktheit Brahmans läßt sich nichts ableiten[44] – auch keine Normen; im Gefühl der Identität mit ihm verschwinden alle Tugenden und Laster (16.364). Da das geistige Prinzip leer ist, können die konkreten Bestimmungen, deren ein soziales und politisches Dasein auch in Indien bedarf, nur aus der Äußerlichkeit, aus der Natürlichkeit entnommen werden. »Was nur innerlich, nur abstrakt ist, ist nur äußerlich; dies *nur Abstrakte* ist nun also unmittelbar das *Sinnliche*, sinnliche Äußerlichkeit« (16.366). Konkret führt dies nach Hegel zum Kastensystem – der beherrschenden Institution Indiens. Hegels Argumentation ist zwar nicht völlig überzeugend: Statt das Kastensystem als Folge der Leerheit Brahmans zu deuten, muß man wohl eher davon ausgehen, daß jenes System Ausdruck eines Bewußtseins ist, das der Natürlichkeit verhaftet bleibt und das in der Brahman-Religion ansatzweise überwunden wird. Allerdings nur ansatzweise – Hegel ist sicher darin zuzustimmen, daß ein abstraktes Absolutes nicht die Kraft hat, eine vernünftige soziale Ordnung zu etablieren, ja auch nur eine unvernünftige in Frage zu stellen. Es ist jedenfalls kennzeichnend für Hegels politischen Sinn, daß er in seiner Abhandlung zur Bhagavadgītā mit Nachdruck darauf verweist, »daß auch in diesem Gedichte, welches dies große Ansehen indischer Weisheit und Moral genießt, die bekannten Kastenunterschiede ohne die Spur einer Erhebung zur moralischen Freiheit zugrunde liegen« (11.154), während Humboldt das ganze Kastenproblem, das in jenem Gedichte offenbar eine große Rolle spielt, umgeht.[45] Hegel dagegen wird nicht müde, das Kastensystem als eine der unsittlichsten, begriffswidrigsten Institutionen der Weltgeschichte, die »durchaus wider das Recht schlechthin« ist (GPh 396), zu verurteilen. Zwar ist Hegel der Ansicht, daß eine Differenzierung in Stände sinnvoll und unvermeidlich ist; was ihn aber am Kastensystem empört, ist erstens, daß diese Unterschiede nicht aus Freiheit stammen, sondern aus Natur (12.181). Bei Platon – dessen Vorstellungen in der »Politeia« Hegel in der »Rechtsphilosophie« bei Behandlung der Frage der freien Berufswahl scharf kritisiert und in die Nähe des indischen Systems rückt (§ 206 A,7.358) – ist es immerhin ein Vorsteher, der die Zuordnung der einzelnen zu ihren Ständen besorgt; in Indien aber ist – gemäß dem allgemeinen Prinzip des Orients, der die subjektive Wahl noch nicht anerkennt[46] – »die Natur dieser Vorsteher« (12.184). Zweitens aber sind diese Unterschiede nicht nur im weltlichen Leben fest – sie gelten auch und gerade unter religiösem Aspekt. Im mittelalterlichen Feudalsystem, meint Hegel, konnten sich alle wenigstens vor Gott gleich wissen – in Indien ist es die wichtigste Aufgabe der Religion, die prinzipielle Ungleichheit aller zu lehren (184 f.). Es gibt keine Rechte und Pflichten, die dem Menschen als Menschen zukommen; jede Kaste hat *ihre* Rechte und *ihre* Pflichten (185).

Zumal die Sonderstellung der Brahmanen und die Benachteiligung der Śudras und Kastenlosen erregen Hegels Abscheu. Seine Ausführungen zum indischen Recht zeugen von beachtlichen Kenntnissen – Hegel hat die Manusmṛti genau gelesen. Mag auch einiges an seinen Aussagen tendenziös sein[47] – es ist ihm sicher zuzustimmen, daß der Begriff formaler Gleichheit, wie er in klassischer Weise im römischen Recht ausgebildet wurde, in

Indien völlig fehlt; und mag auch jener Begriff durchaus kritik-
würdig und seine weitere Entwicklung wünschenswert sein –
vergleicht man ihn mit den Rechtsvorstellungen der Inder, begreift man, welch große weltgeschichtliche Leistung er darstellt.
Hegel verweist u. a. auf den verschiedenen Zinsfuß, der für die
verschiedenen Kasten gilt (12.191 mit Bezug auf Manusmṛti, VIII
142), und besonders auf die verschiedenen Strafen, die den einzelnen Kasten bei demselben Vergehen drohen (12.193) – in der Tat
lesen wir bei Manu, daß etwa die Tötung eines Brahmanen eine
Todsünde ist (IX 235), während ein Brahmane für die (vorsätzli-
che!) Tötung von Menschen aus anderen Kasten je nach deren
Stellung verschiedene Geldstrafen zu bezahlen hat (XI 127 ff.); die
Strafe für die Tötung eines Śudra entspricht dabei genau derjenigen für die Tötung eines Frosches, einer Katze usf. (XI 132).[48] In
derartigen Bestimmungen sieht Hegel eine völlige Mißachtung
der Würde des menschlichen Lebens: »Die Brahmanen sind von
Hause aus zweimal geboren, und ihnen widerfährt die ungeheure
Verehrung; wogegen alle anderen Menschen keinen Wert haben«
(16.367). Aber nicht nur die Caṇḍālas gelten dem Brahmanen wie
Tiere (GPh 381); die Witwenverbrennung (392) und der Kinder-
mord (409) zeigen ganz allgemein, daß bei den Indern »das
Moralische, das in der Achtung eines Menschenlebens liegt«,
nicht vorhanden ist (a.a.O.). Typisch für den Inder ist nach
Hegel, »daß er kein Tier tötet, reiche Hospitäler für Tiere,
besonders für alte Kühe und Affen, stiftet und unterhält, daß aber
im ganzen Lande keine einzige Anstalt für kranke und alters-
schwache Menschen zu finden ist« (391). Dieselbe Menschenver-
achtung zeigt sich in den barbarischen Strafformen, die Manu
festlegt (380). Als besonders grausam empfindet Hegel z. B. die
Strafen für mangelnde Ehrerbietung eines Śudra gegenüber dem
Angehörigen einer höheren Kaste – wenn ein Śudra einen solchen
schmäht, soll ihm ein zehn Finger langer, glühend heißer Eisen-
stab durch den Mund gestoßen werden usf. (12.191, 16.367 mit
Bezug auf VIII 271 ff.). Die Sonderstellung der Brahmanen findet
Hegel um so merkwürdiger, wenn er ihre Würde an den Vorschriften mißt, die ihnen Manu gibt – eine Unsumme äußerlicher
Rituale, in deren Beachtung der Brahmane seinen ganzen Ehrgeiz
setzen muß; sarkastisch verweist Hegel auf die höchst detaillier-
ten Bestimmungen über die Verrichtung der Notdurft (11.173;
12.189 f. mit Bezug auf IV 45 ff.). Wichtig ist, daß Hegel in der

Äußerlichkeit derartiger Vorschriften einen maßgeblichen Grund sieht für die Unsittlichkeit der Inder: Sie haben keine Sittlichkeit, weil sie keine Innerlichkeit haben (GPh 393) – und d. h. weil sie keine Moralität haben.

Das Kastensystem zerstört nicht nur jede Humanität und Rechtlichkeit; das Kastensystem zerstört auch den Staat: Hegel erkennt, daß die tiefgreifenden Kastenunterschiede jede staatliche Einigung aufs höchste erschweren.[49] Weder die subjektive Freiheit des Okzidents noch die patriarchalische Macht des chinesischen Kaisers ist hier die beherrschende Bestimmung, sondern die Differenzen zwischen den Kasten – »es kann also gar kein eigentlicher Staat vorhanden sein« (12.201). Ist China ganz Staat, so ist Indien ganz Volk; die politische Ordnung ist instabil, despotisch, ohne daß ein Selbstgefühl vorhanden wäre, das sich gegen die Tyrannei auflehnte (201 f.). In der Tat belegt etwa ein Werk wie der Kautalyārthaśāstra (den Hegel noch nicht kannte), daß die Politik sich in Indien nicht als Realisierung des *Rechts* verstanden hat; der Dharma betrifft die religiös fundierte Kastenordnung, und die Politik ist ein Spiel von Machtverhältnissen ohne sittliche Grundlage. Daß Indien zu keiner staatlichen Einigung gefunden hat, erwähnt Hegel mit Nachdruck (180); und es spricht letztlich für ihn, daß auch der größte Monarch Indiens, Aśoka, dem erstmals eine weitgehende Einigung des Subkontinents gelang, zum Buddhismus konvertierte, wohl weil er (wie später in analoger Weise Konstantin) in dieser Religion eine staatstragendere Macht erkannte als im Brahmanismus.

Für das Fehlen eines effektiven, zentralen Staates – wie ihn etwa China und Persien ausgebildet haben – führt Hegel ferner als Grund die schon erwähnte Tatsache an, daß die Inder kein Geschichtsbewußtsein haben. Denn nur durch die Historie wird sich ein Volk seiner geschichtlichen – und d. h. immer auch: staatlichen – Aufgaben bewußt; nur durch das *Bewußtsein* von so etwas wie Fortschritt kann es überhaupt *realen* Fortschritt verwirklichen. Denn nur die Geschichtsschreibung fixiert das Vergangene; sie ist daher »ein wesentliches Mittelglied in der Entwicklung und Bestimmung der Verfassung, d. h. eines vernünftigen, politischen Zustandes; denn sie ist die empirische Weise, das Allgemeine hervorzubringen, da sie ein Dauerndes für die Vorstellung aufstellt. – Weil die Inder keine Geschichte als Historie haben, um deswillen haben sie keine Geschichte als Taten (*res gestae*), d. i. keine Herausbildung zu einem wahrhaft politischen Zustande« (204; vgl. 83). Ohne Historie mußte also Indien, bei allem Wechsel, allen Eroberungen, allen Umwälzungen, in seinem Grundbestand – seiner Religion und seinem Kastensystem – unverändert bleiben: »Alle politischen Revolutionen gehen ... gleichgültig an dem gemeinen Inder vorüber, denn sein Los verändert sich nicht« (194).

III

Hegels Indienkritik – wie ich sie eben dargestellt habe – kann heute nahezu geschlossener Ablehnung sicher sein. Das dumpfe, selten auf genauen Kenntnissen der realen geschichtlichen Entwicklung beruhende, dennoch aber sehr verbreitete Schuldgefühl des durchschnittlichen europäischen Intellektuellen gegenüber dem Vorgang der Kolonisation ist der tiefste wissenssoziologische Grund dafür, daß eine der Hegelschen affine Position sofort mit dem Prädikat des Eurozentrismus belegt und mit einem ironischen Lächeln oder ärgerlichem Kopfschütteln abgetan wird. Dennoch, scheint es mir, lohnt es, der (zugegebenermaßen europäischen!) Tradition kritischer Prüfung treu zu bleiben und zu untersuchen, ob »Eurozentrismus« mehr als ein modisches Schlagwort ist, das zwar die ideologische Funktion der Absicherung einer bestimmten Richtung der öffentlichen Meinung trefflich wahrzunehmen weiß, aber noch nicht deswegen einen Erkenntniswert beanspruchen darf. Denn auch wenn jenes Schuldgefühl partiell berechtigt ist, ist doch nicht gesagt, daß die aus ihm abgeleitete Schlußfolgerung, »eurozentrisches« Denken (was auch immer das sei) sei zu verwerfen, wirklich die sinnvollste Reaktion darstellt, mit ihm fertig zu werden.[50]

Versuchen wir, um ihn überhaupt analysieren zu können, jenen Vorwurf des Eurozentrismus genauer zu explizieren. Soweit ich sehe, kann er Hegels Indienkritik gegenüber auf dreifache Weise zur Geltung gebracht werden. Man kann erstens behaupten, in Hegels Darstellung fänden sich aufgrund seiner vorgefaßten Meinungen faktische Unrichtigkeiten. Zweitens kann man Hegel vorwerfen, seine Konstatierung einzelner Phänomene sei zwar richtig, ihre Deutung aber aus dem von ihm zugrunde gelegten Prinzip des indischen Volksgeistes sei unsinnig und gewaltsam. Drittens kann grundsätzlicher bemängelt werden, daß Hegel überhaupt werte; dies sei nicht legitim, da Wertungen über Kulturen hinweg prinzipiell nicht möglich seien.

Wir wollen unter diesen drei Gesichtspunkten rückblickend zu Hegels Indienkritik Stellung beziehen.

1. Was die faktische Richtigkeit von Hegels Behauptungen angeht, so ist zunächst festzustellen, daß Hegel über beeindruckende Kenntnisse der indischen Kultur verfügte – ihres sozialen und politischen Lebens, ihrer Kunst, ihrer Religion. Nicht nur hat sich Hegel über keine orientalische Kultur so umfassend geäußert wie über Indien[51] – auch im Vergleich mit anderen Philosophen läßt sich durchaus sagen, daß kein Denker von Rang so viele Informationen über Indien verarbeitet hat wie Hegel. Das gilt selbst im Verhältnis zu Schopenhauer – Hegels Gegenpol, auch und gerade was die Indiendeutung angeht –, da dieser nahezu keine indische Kunst und Literatur rezipiert, »in seinem Zugang zur indischen Tradition viel stärker selektiv verfährt als Hegel«, ja »sich nur auf solche Materialien ernsthaft einläßt, die seinen systematischen Intentionen entgegenkommen.«[52]

Die Primärquellen, die Hegel eingesehen hat, umfassen dagegen zahlreiche literarische, religiöse, philosophische und auch rechtliche Texte. Besonders scheint mir Hegels gründliche Analyse der Manusmṛti bemerkenswert – während seine romantischen Zeitgenossen sich an indischer Poesie und Philosophie berauschten und so etwas Profanes wie rechtliche Texte ignorierten, hält Hegel es für eine der wichtigsten Pflichten eines Historikers, das Studium von Gesetzbüchern bei der Analyse einer Kultur nicht unberücksichtigt zu lassen. Daß er auch die für uns ungewöhnlichsten Bestimmungen der Manusmṛti philologisch korrekt exponiert, kann ja wohl schwerlich als Eurozentrismus verbucht werden, sondern belegt im Gegenteil nur eine beeindruckende Nicht-Selektivität im Umgang mit einer fremden Kultur.

Wegen seines Interesses am öffentlichen Leben greift Hegel bei den Sekundärquellen, aus denen er sich über Indien informiert, meist auf Berichte britischer Offiziere zurück, zu denen er ein weitaus größeres Vertrauen hat als zu den indologischen Werken deutscher Philosophen wie Schlegel und Humboldt.[53] Dies ist ihm öfters vorgehalten worden – aber Hegel hat gute Gründe für seine Präferenzen. Erstens lagen, trotz der zugegebenermaßen propagandistischen Tendenz mancher britischer Informanten, hier – und nur hier – Berichte von Personen vor, die das Land aus eigener Anschauung meist sehr gründlich kannten; und zweitens sind Hegels Vorbehalte gegenüber der romantischen Indomanie[54] – als der alternativen Sekundärquelle – durchaus berechtigt. Ihr wirft er vor, erstens äußerst unklare begriffliche Kategorien zu verwenden und zweitens ebendaher nicht einmal wahrhaft historisch, sondern willkürlich und selektiv vorzugehen: Die Indomanen versuchen krampfhaft, in indischen Texten und Mythologemen – wie der Trimurti – eigene, vermeintlich tiefe Gedanken wiederzufinden, reißen jene zu diesem Zwecke aus ihrem Kontext und unterstellen ihnen eine Bedeutung, die sie nicht haben.[55] Um ein Beispiel anzuführen: Während etwa Humboldt der Ansicht ist, nie sei »die Nothwendigkeit und die Schuldlosigkeit des Handelns, des Kämpfens, ja des Mordens (sic!) ... mit grösseren, mehr umfassenden, und zur tiefsten Ansicht des Seyns und Nicht-Seyns hinabsteigenden Argumenten geschehen« als in der Bhagavadgītā (op. cit., 159), schreibt Hegel sarkastisch, das erste Argument, das Kṛṣṇa am Anfang des Werkes (II 11 ff.) anführe, um Arjuna davon zu überzeugen, es sei rechtens, in den Kampf gegen seine Verwandten zu ziehen, führe »nicht sogleich zu jener Höhe fort«, die man von der Rede Kṛṣṇas erwarte, der sich, wie es einige Zeilen vorher heißt, gerade anschicke, »die höhere, alles überfliegende Metaphysik loszulegen« (11.140); denn bei jenem Argument – man würde ohnehin nur Leiber töten, während die Seelen unsterblich seien – fänden wir »ohne Zweifel, daß, was zuviel beweist (aus dem Töten überhaupt wird in solcher Vorstellung nicht viel gemacht), gar nichts beweist« (141). Und auch Humboldts Lob der reinen Gesinnung der Bhagavadgītā, die dazu auffordere, die Pflicht um der Pflicht willen zu tun, hält Hegel entgegen, es komme wesentlich darauf an, als was diese Pflicht bestimmt sei (136 f., 152). Mit Bezug auf die Schlegelsche Übersetzung von I 40 erklärt Hegel, der Satz »religione deleta per omnem stirpem gliscit impietas« »klingt nach unserem europäischen Sinne so im allgemeinen genommen sehr gut. Nach den gemachten Bemerkungen aber heißt *religio* Kuchenopfer und Wassersprengungen, und die *impietas* heißt teils das Unterbleiben von solchen Zeremonien, teils das Heiraten in niedrigere Kasten, – ein Gehalt, vor dem wir weder religiöse noch moralische Achtung haben« (139 f.). Vergleicht man also Humboldts und Hegels Bhagavadgītā-Abhandlungen, wird man sagen müssen, daß trotz der unvergleichlich größeren indologischen Kenntnisse

Humboldts Hegel objektiver vorgeht: Wir erfahren von ihm Genaueres über die moralischen Grundüberzeugungen dieses Werkes als von Humboldt, der, insofern er den Indern ohne weiteres europäische Moralvorstellungen und philosophische Kategorien des Abendlands unterstellt, weitaus eher den Tadel verdient, »eurozentrisch« vorzugehen.

2. Was den zweiten möglichen Vorwurf betrifft, Hegel würde Phänomene der indischen Kultur zwar adäquat erfassen, unter ihnen aber unsinnige Zusammenhänge herstellen, so ist zunächst anzuerkennen, daß es ein berechtigtes Anliegen ist, die zahlreichen Momente einer Kultur aus einem Grundbegriff zu erklären zu versuchen. Hinter die Einsicht Vicos und Montesquieus, daß Kulturen Ganzheiten sind, daß etwa ihr Rechtswesen und ihre Religion zusammenhängen, kann man schwerlich zurück; Hegels Intention ist daher *im Prinzip* positiv zu sehen. Aber auch im einzelnen scheinen mir viele der Zusammenhänge, die er aufdeckt, tatsächlich zu bestehen, ja selbst sein Versuch, Indien vom Prinzip des träumenden Geistes her zu verstehen, ist m. E. hermeneutisch fruchtbarer, als man auf den ersten Blick vermuten würde. Hegel fühlt sich durchaus in den indischen Volksgeist ein – er bemüht sich, ihn als Ganzheit zu erfassen und ernst zu nehmen. Hegel kritisiert z. B. nicht einfach das Kastensystem – er zeigt vielmehr, wie eng dieses mit der indischen Religion verwoben ist.

Allerdings wird man monieren müssen, daß erstens einige Bezüge, die Hegel herstellt, wenig plausibel sind und daß zweitens Hegel den »Organizitätsgrad« der indischen Kultur (wie auch anderer Kulturen) überschätzt. In jeder Kultur, auch in denen der orientalischen Welt, sind Momente am Werk, die sich nicht bruchlos dem Prinzip der Kultur fügen, sondern einerseits historisch erklärbare Relikte früherer Formen darstellen, andererseits über die betreffende Kultur hinausweisen (man denke etwa an das moralische Potential der sog. Achsenzeit). Das ist eine Grundeinsicht, die sich gerade aus Hegels Deutung der Geschichte als eines dialektischen Prozesses der Entfaltung von Widersprüchen ergibt – und die übrigens auch von einem Transzendentalpragmatiker leicht nachvollzogen werden kann. Denn wenn die Grundnormen vernünftiger Argumentation immer schon implizit anerkannt sind, dann muß in *jeder* Kultur, als einem Werk des Geistes, die höchste Stufe der rationalen Erfassung der Gesetze verbindlicher Argumentation irgendwie schon da sein. So kann man darauf verweisen, daß auch schon in der Brahman-Religion (wie dann im Jainismus und Buddhismus, die ja aus ihr hervorgegangen sind) durchaus ein Ansatzpunkt zur Überwindung des Kastensystems steckt – freilich ein so abstrakter und schwacher, daß er nicht zufälligerweise nicht zum Tragen kommen konnte. Zur gerechten Würdigung einer Kultur gehört jedenfalls beides: die Einsicht, daß sie *in nuce* den Keim des Wahren und des Rechts immer schon enthält, ebenso wie das Zugeständnis, daß sie *actualiter* diesen Keim nur bis zu einem bestimmten Entwicklungsgrad gebracht hat; und es ist kein Zufall, daß Hegel, der Geschichtsphilosoph der Vergangenheit, nur auf das aktuell Erreichte, das, was sich real intersubjektiv durchgesetzt hat, achtet und auf eine geschichtsphilosophische Deutung des Noch-nicht-Vorhandenen, aber Angelegten verzichtet.[56]

3. Was den dritten und grundsätzlichen Vorwurf angeht, so ist zunächst klar, daß Hegel wertet – und zwar ausdrücklich und energisch. Gerade dadurch unterscheidet sich sein Vorgehen von dem des historistischen Kulturrelativismus des 19. und 20. Jahrhunderts, den er zugleich, in der umfassenden Analyse der Ganzheit einer Kultur, vorwegnimmt. Doch ist für Hegel nicht wie für Ranke jede Zeit unmittelbar zu Gott – es gibt Maßstäbe einer überzeitlichen normativen Institutionenlehre, die er in seiner Geschichtsphilosophie bei den verschiedensten Kulturen anlegt. Und vor diesen Maßstäben schneidet die familiäre[57], soziale und staatliche Ordnung der Inder – wie überhaupt der orientalischen Welt – sehr schlecht ab. »Personne n'avait ainsi arraché de l'Orient à l'exotisme en le faisant apparaître comme l'humble point de départ d'une aventure spirituelle dont l'Occident représenterait l'aboutissement triomphal ... Mais, aussi bien, aucun penseur n'a davantage contribué à détruire l'image à la fois traditionnelle et romantique de l'Orient comme source de la sagesse et de la science« (Hulin, op. cit., 139).

Rückblickend wirft dieses entschiedene Werten noch einmal Licht auf Hegels Sittlichkeitsbegriff – dieser hat mit demjenigen gegenwärtiger neoaristotelischer Strömungen nicht nur nichts zu tun; er ist vielmehr von seitdem kaum je wieder erreichter normativer Potenz. Freilich ist gerade dieser normative Impetus Hegel von einem der bekanntesten deutschen Indologen sehr übel genommen worden; obgleich er Hegel kaum konkrete Fehler

nachzuweisen vermag, hat H. v. Glasenapp in seinem Buch über
»Das Indienbild deutscher Denker« Hegels Indienbild ein »Zerr-
bild« genannt (40), das daraus resultiere, daß Hegel bei seiner
Kritik etwa am Kastensystem »von der willkürlichen Anschauung« ausgehe, »daß jede Gesellschaftsordnung, die nicht seinen
vorgefaßten Meinungen entspricht, notwendig schlecht sein
müsse« (43), während man umgekehrt gerade den durch das
Kastensystem geförderten statarischen Charakter Indiens als etwas Positives ansehen könne (44). Überhaupt habe Hegels unge-
rechte Würdigung Indiens »seinen letzten Grund darin, daß er als
Prototyp des Abendländers im Denken des Westens das Maß
aller Dinge sah und außerstande war, sich zu einer wirklich die
ganze Erde umfassenden Universalität zu erheben. Trotz seiner
weltumspannenden Bildung und seines bohrenden Scharfsinns
blieb er stets dem engräumigen und kurzfristigen mittelalterlichen Weltbild verhaftet« (59). Sicher, Hegel habe recht: Die
Metaphysiken der Inder seien Träume. »Sind denn aber die
Philosopheme des Westens von Thales bis Hegel selbst etwa
keine Begriffsdichtungen, in denen der Mensch versucht, sich
über das Wesen der unerkennbaren Wirklichkeit klar zu werden?
Der Unterschied besteht nur darin, daß der Vedânta, das Sân-
khya, das Nyâya-Vaisheshika, die Buddhalehre große Träume
sind, die seit zwei Jahrtausenden den indischen Geist beschäftigen, während die Systeme des Westens ... alle nur ein kurzes
Dasein hatten ...« (60).
Trotz der pathetischen, gestelzten Rhetorik Glasenapps ist es
freilich nicht schwer zu erkennen, daß seine Räsonnements
schlicht und einfach inkonsistent sind. Nicht nur übersieht Glasenapp, daß er in seiner Hegelkritik immer schon voraussetzt, daß
wenigstens eine philosophische Richtung – offenbar ein kulturre-
lativistischer Agnostizismus Diltheyscher Provenienz – mehr als
ein Traum, nämlich *wahr* ist (ebenso wie auch die zugehörige
Philosophiegeschichtsphilosophie, die, was ihre Differenziertheit
angeht, an die Vorstellungen des Histomat erinnert: während
nach diesem im 19. Jahrhundert auf den Idealismus mit seinem
Geisterglauben der wissenschaftliche Materialismus gefolgt ist, ist
nach Glasenapp mit der Rezeption östlicher Kulturen in der
Gegenwart an die Stelle der Engstirnigkeit des mittelalterlich-
Hegelschen Weltbildes eine weltumspannende philosophische
Universalität getreten) – der härteste Widerspruch in Glasenapps

Reflexionen besteht vielmehr darin, daß sein Kulturrelativismus ein genuin westliches Produkt ist, ja, daß es gar nichts Westlicheres geben kann als die Überzeugung, die Kulturen des Westens und des Ostens seien gleichberechtigt: Nichts läge einem Inder ferner als die Annahme, Kulturen mit entgegengesetzten Wertvorstellungen könnten trotzdem beide recht haben. Die prinzipielle Inkonsistenz in jedem Kulturrelativismus läuft darauf hinaus, daß das von ihm Behauptete dem von ihm Getanen absolut widerspricht: Die Methode des Kulturvergleichs ist Kulturen, die, wie die indische, nicht durch die Aufklärung hindurchgegangen sind, so wesensfremd, daß derjenige, der sich ihrer befleißigt, immer schon, auch wenn er sich darüber keine Rechenschaft abgibt, die Überlegenheit westlicher Methoden präsupponieren muß.[58] *Wäre es ihm wirklich ernst mit seiner These von der indischen Welt als einer Alternative zur europäischen, dann würde er, wie jeder Inder, loyal und ohne weitere Reflexionen zu der angestammten Kultur stehen müssen.*[59]

Aber auch weitere Argumente, die unabhängig von Glasenapp angeführt werden könnten, um den Eurozentrismusvorwurf zu stützen, erweisen sich leicht als inkonsistent. So könnte – in Anlehnung an P. Winchs Übertragung von Kategorien des späten Wittgenstein auf die Sozialwissenschaften[60] – die These vertreten werden, wir könnten das Wesen fremder Kulturen prinzipiell nicht erfassen und sie daher a fortiori nicht beurteilen. Aber, so muß man hier kritisch fragen, wie soll man denn wissen können, daß das Wesen einer Kultur bisher nicht adäquat dargestellt wurde, wenn wir nicht zumindest feststellen können, daß und warum eine Interpretation falsch ist? Und wie soll das möglich sein, ohne zumindest Einblicke in das Wesen einer Kultur in Anspruch zu nehmen? Kurz, die These von der absoluten Inkommensurabilität der Kulturen ist pragmatisch widersprüchlich und daher notwendig falsch. – Doch wie steht es mit der vorsichtigeren These, man müsse zwar zugeben, daß eine fremde Kultur *erkennbar* sei, doch bedeute dies noch nicht, daß man sie auch *verurteilen* dürfe? Diese Behauptung ist sicher schwerer zu widerlegen, und zwar ist dies gründlich nur möglich, wenn nachgewiesen werden kann, daß a priori Normen als allgemein verbindlich ausgezeichnet werden dürfen. Dies zu zeigen ist nun sicher nicht Aufgabe der Geschichtsphilosophie, sondern einer normativen Theorie des objektiven Geistes; und eine solche ist im

Rahmen dieser Abhandlung nicht thematisch.[61] Ich muß mich daher hier mit der (an anderer Stelle näher ausgeführten) Versicherung begnügen, daß es einerseits durchaus Normen gibt, zu deren *Geltungs*bedingungen ein bestimmter historischer Rahmen gehört – so sind z. B. Gesetze gegen Wasserverschwendung in wasserarmen Regionen gerecht, in Ländern, in denen langfristig die Wasserversorgung gesichert ist, hingegen überflüssig und als unbegründete Einschränkung der Freiheit daher ungerecht. Aber die Existenz derartiger Normen schließt auf der anderen Seite nicht aus, sondern setzt in Wahrheit voraus die Existenz von Normen, die a priori allein aus dem Begriff des Menschen als Geistwesen folgen und deren logische Geltung daher keinen historischen Rahmenbedingungen unterliegt[62], auch wenn natürlich die Erkenntnis ihrer Wahrheit und erst recht ihre Realisierung nur in der Geschichte möglich ist. Aber ebensowenig wie der Satz des Pythagoras (im euklidischen Universum) im Paläozoikum falsch war, nur weil er noch nicht bekannt war, ebensowenig sind die Sklaverei oder das Kastensystem je rechtens gewesen, nur weil sie in bestimmten Kulturen soziale Akzeptanz genossen – und zwar auch und gerade bei den Opfern. Denn letzter Geltungsgrund von Normen ist nicht, ob sie Zufriedenheit erzeugen oder nicht, sondern ihre Verträglichkeit mit logischen Prinzipien.[63]

Wenn nun Normen existieren, deren Geltung a priori einzusehen ist, so folgt unweigerlich, daß ihnen widersprechende Zustände mit dem Prädikat des Unrechts versehen werden müssen.[64] Nicht folgt jedoch, daß man die Menschen, die in diesen Zuständen leben, in dem Sinne verurteilen darf, daß sie eine *Schuld* an jenen Zuständen hätten – Unrecht und Schuld sind, wie wir auch aus dem Strafrecht wissen, zweierlei; Schuld setzt ja Unrechtsbewußtsein voraus. Aber eben wegen der Differenz von Unrecht und Schuld impliziert Fehlen von Schuld umgekehrt keineswegs Rechtmäßigkeit des Handelns.[65]

Wie soll nun gegenüber Kulturen gehandelt werden, die sich in diesem Zustande kollektiven und daher schuldlosen Unrechts befinden? Ja, ist überhaupt die Aufhebung dieses Unrechts ein legitimes geschichtsphilosophisches Ziel? Bezeichnenderweise läßt uns Hegel bei der Beantwortung dieser Fragen in Stich. Denn da nach ihm die orientalische Welt notwendig geschichtslos ist, müßte etwa Indien immer so bleiben, wie es zu seiner Zeit ist –

seine Unsittlichkeit müßte perennieren. Das hieße aber, daß ihm die Sittlichkeit Europas nie vermittelt werden könnte, obgleich sie nach objektiven Maßstäben die überlegene ist. Hegel lobt in diesem Sinne folgendes Verhalten der Engländer in Indien: »Sie sehen dem Verbrennen der Witwen ruhig zu und liefern Waffen zu den einheimischen Kriegen« (GPh 365). Hiermit aber suggeriert paradoxerweise auch und gerade Hegel relativistische Schlußfolgerungen im Sinne inkommensurabler Sprachspiele, wie Hulin zu Recht moniert: »A la limite, nous sommes confrontés à l'absurdité de trois humanités incapables, par principe, de communiquer entre elles. De plus, seuls les Occidentaux sont ›sauvés‹, puisque les Africains et les autres primitifs paraissent définitivement murés dans l'état de nature et les Asiatiques à jamais prisonniers de l'esprit substantiel« (op. cit., 139 f.).

Offenbar rächt sich hier Hegels oben (S. 163 f.) berührte Auffassung von den orientalischen Kulturen als tendenziell geschlossenen Einheiten. Man wird dagegen darauf beharren, daß in jeder Kultur, allein schon insofern sie eine Religion hat, noch so bescheidene universalistische Momente stecken, an die daher anzuknüpfen ist, um über die unrechtlichen Institutionen in ihr hinauszuführen, die ohnehin nur dann wirklich beseitigt werden können, wenn ihre Unrechtlichkeit auch von allen Betroffenen als solche eingesehen wird. Paradigmatisch ist in dieser Hinsicht die Entwicklung Indiens: Das englische Verbot der Witwenverbrennung und der Kindestötung in Indien konnte nur durchgesetzt werden, weil es den Briten – über äußeren Druck hinaus, der freilich auch erforderlich und daher legitim war – gelang, zahlreiche Brahmanen davon zu überzeugen, daß diese Bräuche den Prinzipien ihrer eigenen Religion widersprachen[66]; und die zentrale Symbolfigur Indiens im 20. Jahrhundert, Gandhi, verdankte ihren Erfolg bei den eigenen Landsleuten u. a. der geglückten Internalisierung westlicher Normen, wie etwa der Ablehnung der schlimmsten Auswüchse des Kastensystems.

In der Tat läßt sich geschichtsphilosophisch über Hegel hinaus sagen, daß die geschichtliche Bewegung Europas nicht zufällig schließlich auch auf die geschichtslosen Länder übergreifen und die eigene historische Kraft damit unter Beweis stellen mußte, daß sie diese aus dem Banne der Substanz befreite, sie aus ihrer ahistorischen Versteinerung zu sittlicherem Leben erweckte. Dieser geschichtliche Übergriff Europas war a priori zu fordern –

und er fand auch real statt in der Kolonisation des 19. und 20. Jahrhunderts, in der eine aktuelle Geschichtsphilosophie einen der wichtigsten historischen Vorgänge der nachhegelschen Zeit erblicken muß. Dieses Ereignis – dessen Schattenseiten nicht bestritten werden sollen[67] – muß m. E., trotz allen mit ihm verbundenen Unrechts, in seiner universalhistorischen Bedeutung positiv gewertet werden, stellt es doch den energischsten Schritt zu so etwas wie einer Weltkultur dar. Sicher hat die totale Verflechtung der Welt im 20. Jahrhundert auch desolate Folgen – die Wirren einer Weltwirtschaft, deren Einflußsphären nicht mit denen staatlicher Macht zusammenfallen, auch Weltkriege hat erst unser Jahrhundert kennengelernt. Aber das alles ändert nichts daran, daß der Weg in Richtung auf eine universale Solidargemeinschaft der Menschheit nicht nur ein irreversibler Prozeß ist, dessen Umkehrung nicht mehr möglich ist, sondern auch ein unabdingbares Erfordernis einer Vernunft, die sich – wie im deutschen Idealismus – als absolut, als universal begriffen hat. Dieser Prozeß der Vereinheitlichung von Grundwerten in der Welt stellt jedoch nicht nur unter formalen Gesichtspunkten etwas Positives dar – positiv ist auch, daß die Normen, die wenigstens auf dem Papier nahezu aller Verfassungen der Welt stehen, von inhaltlichen Vorstellungen geprägt sind, die sich der europäischen Philosophie verdanken, in der sich die Vernunft, zum ersten Mal in der Geschichte des uns bekannten Kosmos, als letzte Instanz aller Normen erfaßt hat.

Daß Japan nach seiner (relativ autonom erfolgten) Öffnung gegenüber dem Westen deutsches und französisches Recht rezipiert hat, darf ohne weiteres positiv bewertet werden, auch und gerade für das Land selbst (dasselbe gilt für die Tatsache, daß die USA nach dem Zweiten Weltkrieg Japan eine liberale, demokratische Verfassung aufgezwungen haben); daß in der Türkei durch die kemalistischen Reformen die Scheria durch Gesetze aus dem Schweizer Zivil-, dem italienischen Straf- und dem deutschen Handelsrecht ersetzt wurde, daß durch sie Frauen Wahlrecht erhielten und ihnen die Berufswelt geöffnet wurde, sollte ohne Hemmungen als Fortschritt gewürdigt werden – wie umgekehrt die Regressionen im Gefolge z. B. der Revitalisierung des Islam als das bezeichnet werden sollten, was sie sind: Barbarei.[68] Wer hierin einen illegitimen Eurozentrismus sieht, vergißt, daß die Grundlage, von der aus er ungerechtfertigte Übergriffe Europas auf fremde Kulturen verwerfen könnte, durch zutiefst europäische Werte bestimmt ist – die Kategorie der *Selbstbestimmung* ist ein Gedanke, der sich einer mehrere Jahrtausende währenden europäischen Tradition verdankt, die in der Philosophie des deutschen Idealismus ihre bisher umfassendste theoretische Klärung gefunden hat. Wer also z. B. sagt, der Iran dürfe nicht durch die *westliche* Verwerfung von Folter, Todesstrafe, religiöser Intoleranz usf. diffamiert werden, sondern müsse seinen *eigenen*, ihm *nicht von außen* vorgeschriebenen Weg *frei* finden, argumentiert, auch in der Negation der Allgemeingültigkeit europäischer Werte, noch mit inkonsistenten Restbeständen europäischer Ethik.[69]

Sollte sich freilich diese Argumentations- und Betrachtungsweise in Europa noch weiter durchsetzen – was das Ausscheiden Europas aus der Weltgeschichte endgültig besiegeln würde –, wäre freilich wirklich zu wünschen, daß auf andere Länder möglichst wenig europäischer Einfluß ausgeübt würde. Denn gegenüber dem verzweifelten Räsonier-Relativismus einer zerfallenden Kultur hat in der Tat selbst jede noch so barbarische unsittliche Sittlichkeit ein überlegenes Recht: Ihrem Weg haben wir daher Glück zu wünschen.

Anmerkungen

1 Siehe etwa O. Marquard, »Hegel und das Sollen«, in: *Philosophisches Jahrbuch* 72 (1964/65), 103-119.

2 Auf die nicht bloß etymologischen Beziehungen zwischen »Sittlichkeit« und »Sitten« spielt Hegel schon im Naturrechtsaufsatz an (2.504; s. auch R. § 151, 7.301). – Hegel wird i. f. zitiert nach der Theorie-Werkausgabe in 20 Bänden von E. Moldenhauer und K. M. Michel (Frankfurt 1969-1971), und zwar mit Angabe der Band- und Seitenzahl; bei Werken mit Paragraphenzählung (also der »Enzyklopädie« – abgekürzt: E – und der »Rechtsphilosophie« – abgekürzt: R –) wird außerdem noch der Paragraph angegeben, um das Nachschlagen in anderen Ausgaben zu erleichtern. – Bei den »Vorlesungen über die Philosophie der Weltgeschichte« habe ich auch auf die Edition von J. Hoffmeister bzw. G. Lasson zurückgegriffen (Bd. I: Hamburg ⁵1980; Bd. II-IV: Hamburg ²1976); ich kürze sie mit »GPh« ab. – Weitere Ausgaben, die ich benutzt habe, habe ich jeweils eigens angegeben.

3 In: *Kant oder Hegel? Über Formen der Begründung in der Philosophie*, hg. von D. Henrich, Stuttgart 1983, 597-624.

4 J. Habermas, *Zur Rekonstruktion des historischen Materialismus*,

Frankfurt 1976, 63-91; K.-O. Apel, in: *Funk-Kolleg Praktische Philosophie/Ethik: Dialoge*, 2 Bde., hg. von K.-O. Apel/D. Böhler/G. Kadelbach, Frankfurt 1984, I, 70-136.

5 Das Mißlichste an diesem Versuch ist, daß die Einteilungskriterien aus der empirischen Psychologie bezogen werden, ohne selbst philosophisch legitimiert zu werden. – Ich selber habe in *Wahrheit und Geschichte – Studien zur Struktur der Philosophiegeschichte unter paradigmatischer Analyse der Entwicklung von Parmenides bis Platon* (Stuttgart-Bad Cannstatt 1984) eine strenger a priori vorgehende Theorie der Philosophiegeschichte entworfen, die übrigens in vielem mit der Apelschen übereinstimmt, die ich seinerzeit noch nicht kannte.

6 H. Welzel, *Naturrecht und materiale Gerechtigkeit,* Göttingen [4]1962, 175.

7 Das Grundproblem der Diskursethik zeigt sich m. E. in folgender Alternative: Entweder soll der Konsens *vernünftig* sein – dann aber muß die Vernunft a priori *material* expliziert werden können; ansonsten kommt man zur zirkelhaften Erklärung: Vernünftig ist, wenn man vernünftig miteinander redet. Oder aber jeder Konsens ist *als solcher* schon zu akzeptieren – dann aber läuft die Diskursethik auf einen Dezisionismus der Intersubjektivität hinaus, den sie doch gerade überwinden wollte. Auch die *unbegrenzte* Kommunikationsgemeinschaft hilft hier nicht weiter: Denn da sie nicht gegenwärtig ist, kann sie nicht zur Bestimmtheit einer Entscheidung verhelfen – es sei denn, wir haben schon ein Kriterium, um *a priori* über die Vernünftigkeit materialer Normen zu entscheiden. Die Ansprüche und Bedürfnisse der unbegrenzten Kommunikationsgemeinschaft sind jedenfalls nicht etwas, das jetzt schon antizipiert werden könnte, eben weil Ansprüche und Bedürfnisse zum Kontingentesten gehören, was es gibt. – Zur näheren Kritik des transzendentalpragmatischen Formalismus in der Ethik vgl. V. Hösle, »Die Transzendentalpragmatik als Fichteanismus der Intersubjektivität«, erscheint in: *Zeitschrift für philosophische Forschung* 40 (1986).

8 *Subjektivität und Intersubjektivität. Untersuchungen zu Hegels System,* Habilitationsschrift Tübingen 1985, noch unveröffentlicht. – Der erste Abschnitt vorliegender Abhandlung stellt im wesentlichen eine knappe Zusammenfassung von Überlegungen dar, die ich in Kap. 7 jener Arbeit näher entwickelt habe.

9 Vgl. »System der Sittlichkeit«, in: *Schriften zur Politik und Rechtsphilosophie,* hg. von G. Lasson, Leipzig [2]1923, 461.

10 Dies ist die Pointe von M. Theunissens Aufsatz »Die verdrängte Intersubjektivität in Hegels Philosophie des Rechts« (in: *Hegels Philosophie des Rechts. Die Theorie der Rechtsformen und ihre Logik,* hg. von D. Henrich und R.-P. Horstmann, Stuttgart 1982, 317-381). Ob-

gleich Theunissen in den »Grundlinien« zu Recht eine Verdrängung der Intersubjektivitätsproblematik erkennt, hebt er doch an ihnen positiv hervor, daß sie eine Kritik der neuzeitlichen Rechts- und Moralphilosophie unter dem Gesichtspunkt enthielten, diese würden nur einen präsozialen Freiheitsbegriff zugrunde legen, nach dem Freiheit auch ohne Bezug zum anderen denkbar sei.

11 Vgl. Kant, »Zum ewigen Frieden«, B 61/A 60.

12 Vgl. Fichte, »Grundlage des Naturrechts«, Werke 3.244. – Fichte wird zitiert nach der »Werke«-Ausgabe von I. H. Fichte (Berlin 1834-1846, Nachdruck Berlin 1971), mit Angabe der Band- und Seitenzahl.

13 Kant, »Über ein vermeintes Recht aus Menschenliebe zu lügen«; Fichte, 4.287 ff., 11.99.

14 G. W. F. Hegel, *Philosophie des Rechts. Die Vorlesung von 1819/20 in einer Nachschrift*, hg. von D. Henrich, Frankfurt 1983, 119.

15 Auch hier ist eine Konvergenz zur Transzendentalpragmatik zu konstatieren: Apel will Kants Gesinnungsethik durch eine Verantwortungsethik überwinden (vgl. Apels Beitrag in diesem Band, S. 217 ff.)

16 So stülpt Hegel in § 275 die in § 273 angegebene Ordnung der drei Gewalten um (die allein seiner Begriffslogik entspricht), um auf diese Weise die Monarchie legitimieren zu können. Siehe dazu etwa K. H. Ilting, »Die Struktur der Hegelschen Rechtsphilosophie«, in: *Materialien zu Hegels Rechtsphilosophie*, hg. von M. Riedel, Frankfurt 1975, II, 52-78, 69 f.

17 Vgl. R. § 140 zur Moralität und § 147 zur Sittlichkeit.

18 Ähnlich will auch Platons ethisch-politischer Standpunkt in der »Politeia«, wie besonders aus dem Anfang des ersten Buches erhellt, eine Synthese kephalischer Sittlichkeit und sophistischer Negativität sein.

19 Diese Wendung findet sich zwar bei Hegel nicht ausdrücklich, aber folgende Stelle aus dem Indienkapital der »Geschichtsphilosophie« kommt ihr doch recht nahe: »Alles Sittliche hält sich auf diesem Standpunkte und breitet sich auf ihm aus. Bei dieser Selbstlosigkeit des konkreten Lebens können Staat, Vernunftgesetze, Sittlichkeit nicht vorhanden sein« (GPh 369). Vgl. auch 390: »Was den *sittlichen* Zustand der Inder betrifft, so kann das indische Volk in dieser Knechtschaft des Äußerlichen durchaus keine Sittlichkeit haben.« Analog heißt es bezüglich der Religion: »Religion ist genug da, aber nicht genug Religiosität« (370).

20 Vgl. E. §§ 548 ff., 10.347 ff.; R. §§ 341 ff., 7.503 ff.

21 Vgl. nur 12.68 ff. – Ob daraus nicht folgt, daß die Geschichte bei Hegel einen systematisch inakzeptablen Ort einnimmt, kann hier nicht weiter verfolgt werden; erinnert sei nur daran, daß der Hegelschüler C. L. Michelet in seinem »System der Philosophie als exacter Wissenschaft« (4 Bde., Berlin 1876-1881) die Geschichte ganz am Ende der Geistphilosophie einordnet.

22 Aus der Geschichtsphilosophie gliedert Hegel Afrika und Amerika aus – jenes, weil es »das Geschichtslose und Unaufgeschlossene« sei, »das noch ganz im natürlichen Geiste befangen ist und das hier bloß an der Schwelle der Weltgeschichte vorgeführt werden mußte« (12.129), dieses, weil es als »das Land der Zukunft« die Philosophie nichts angehe (114). – Wichtig ist, daß »orientalisch« und »germanisch« Strukturtypen politisch-kultureller Ordnung sind und nicht notwendig mit bestimmten Völkern und geographischen Gegenden etwas zu tun haben: »Der Mohammedanismus« ist bei Hegel ein Kapitel des Teils über die germanische Welt (428-434).

23 Es ist ein verbreiteter Irrtum, daß Hegels »Religionsphilosophie« etwa beweisen wolle, daß Gott Mensch geworden sei. Sie will vielmehr zeigen, warum es zu einem bestimmten Zeitpunkt der geschichtlichen Entwicklung der Menschheit notwendig und sinnvoll war, daß diese den Glauben an die Menschwerdung Gottes ausbildete, der in der Philosophie Hegels schließlich seine adäquate Übersetzung in die Sprache des Begriffs erfährt.

24 Zu Recht tadelt etwa H. v. Glasenapp, Hegel übersehe sowohl geographische als auch zeitliche Differenzen innerhalb der indischen Kultur, die er zu einseitig als einheitliches Phänomen fasse (*Das Indienbild deutscher Denker*, Stuttgart 1960, 47, 59). Ähnlich kritisiert R. Leuze, Hegel vernachlässige historische Entwicklungen in Indien (*Die außerchristlichen Religionen bei Hegel*, Göttingen 1975, 81). – Dennoch, scheint mir, muß zugestanden werden, daß, während etwa die Geschichte der römischen Republik entscheidend von Fortschritten in der Rechtsstellung der Plebejer geprägt ist, Indien zumindest in seiner Sozialgeschichte insofern geschichtslos ist, als trotz der zahllosen Umwälzungen eine durch die Inder selbst bedingte Verbesserung der Lage der Śudras nicht stattgefunden hat.

25 In: *New Studies in Hegel's philosophy,* hg. von W. E. Steinkraus, New York u. a. 1971, 156-166, 158.

26 Ähnlich hat A. Chi-lu Chung in seinem Aufsatz »A Critique of Hegel's Philosophy of History« (in: *Chinese Culture* 5, 1964, Heft 4, 60-77) Hegels Orientdeutung einer heftigen Kritik unterzogen und darauf verwiesen, die Völker des Ostens hätten sehr wohl einen Fortschritt im Bewußtsein der Freiheit zu verzeichnen. Da aber auch er vornehmlich die marxistische Revolution in China anführt, muß er sich denselben Einwand gefallen lassen wie Leidecker.

27 Auch die nationalistische indische Bewegung wäre ohne britischen Einfluß undenkbar gewesen. P. Griffiths nennt drei Faktoren, die zum indischen Nationalbewußtsein führten und die sich alle der britischen Präsenz verdankten: erstens eine einheitliche Regierung, die eine bisher unbekannte Homogenität des Rechtssystems in allen indischen Staaten einführte; zweitens die Vermittlung englischer Bildung, die

den höheren Mittelstand unter den Einfluß westlichen Gedankenguts gerade zu einem Zeitpunkt brachte, als in Europa der Nationalismus die mächtigste Ideologie war, sowie die Einführung der englischen Sprache, die sich als das geeignetste Medium der Kommunikation erwies; drittens die Institution der Presse, die den Indern die Möglichkeit gab, ihre politischen Ziele allgemein zu verbreiten (*The British Impact on India*, London 1952, 481; vgl. auch 237-244: »Indian nationality«).

28 Auf Hegels Deutung der indischen Philosophie kann hier nicht eingegangen werden. Auch wenn Hegel natürlich nur wenige Quellen kennen konnte – er erwähnt nur das Sānkhya und die Nyāya-Vaiśeṣika-Philosophie; gerade zum Vedānta wären aber Äußerungen seinerseits von besonderem Interesse gewesen –, enthalten doch seine Ausführungen einige bemerkenswerte Beobachtungen: So verweist er auf die gleitenden Grenzen zwischen Philosophie und Religion (18.147 f.), gibt allerdings durchaus zu, daß zahlreiche indische Texte eindeutig zur Philosophie gerechnet werden müßten (11.142 f.); er kritisiert das Chaos in den Grundprinzipien der philosophischen Systeme (18.152 f.; vgl. allerdings sein Lob der Triade der *guṇas*, 157) und die ideologisch-weltanschauliche Zielsetzung der Philosophie (164 f.); besonders bemängelt er die Abstraktheit des indischen Absoluten und das Fehlen einer Freiheit des Denkens (167 ff.). Man wird Hegel sicher zugeben, daß eine Loslösung des Denkens von den Prinzipien der Tradition in Indien nie stattgefunden hat – eine Aufklärungsphilosophie ist Indien versagt geblieben, das nur phantasievolle Metaphysiken und empiristisches Räsonieren, nicht aber eine radikale kulturkritische Philosophie gekannt hat, die übrigens die Voraussetzung für die Ausbildung transzendentaler, also wirklich stringenter Argumente gewesen wäre. – Zu Hegels Interpretation der indischen Philosophie vgl. den Aufsatz von W. Ruben (»Hegel über die Philosophie der Inder«, in: *Asiatica, Festschrift Fr. Weller*, Leipzig 1954, 553-569), der freilich nur referiert bzw. seine aus seinen Büchern zur indischen Philosophiegeschichte bekannten materialistischen Überzeugungen wiederholt.

29 Lasson hat in seiner Ausgabe Westasien und Ägypten aus Persien ausgegliedert, so daß er zu einer Fünfteilung kommt. Wenn auch seine Begründung sachlich einleuchtend ist – es sei nicht sinnvoll, jene Kulturen »darum, weil sie schließlich nach dem Verfall der eigenen Blüte dem persischen Reiche einverleibt worden sind, gleichsam nur für Bestandteile dieses Reiches auszugeben« (GPh II,x) –, so ist seine Einteilung freilich damit noch nicht philologisch legitimiert.

30 In seinem ausgezeichneten Buch *Hegel et l'Orient. Suivi de la traduction annotée d'un essai de Hegel sur la Bhagavad-Gîtâ* (Paris 1979) spricht M. Hulin daher von einem »schéma dualiste« (Hinterasien-

Vorderasien) und einem »schéma ternaire« (China-Indien-Vorder-asien) in Hegels Orienteinteilung (64-69).

31 Obgleich Hegel den Islam innerhalb der germanischen Welt abhandelt (vgl. oben Anm. 22), ihn also einer hohen Kulturstufe zuordnet, geht er von dessen allmählichem Rückfall auf die Ebene der orientalischen Welt seit dem Ende des Mittelalters aus: »Der Orient selbst aber ist, nachdem die Begeisterung allmählich geschwunden war, in die größte Lasterhaftigkeit versunken, die häßlichsten Leidenschaften wurden herrschend ... Gegenwärtig nach Asien und Afrika zurückgedrängt und nur in einem Winkel Europas durch die Eifersucht der christlichen Mächte geduldet, ist der Islam schon längst von dem Boden der Weltgeschichte verschwunden und in orientalische Gemächlichkeit und Ruhe zurückgetreten« (12.434).

32 Allerdings vermutet Hegel, daß auch China einst den Europäern unterworfen werden wird: »Denn es ist das notwendige Schicksal der asiatischen Reiche, den Europäern unterworfen zu sein, und China wird auch einmal diesem Schicksale sich fügen müssen« (12.179). – Die Ausbeutung Chinas durch die europäischen Mächte, wie sie seit dem Opiumkrieg einsetzte, kann übrigens nicht scharf genug von der britischen Kolonialpolitik in Indien abgesetzt werden; beide Vorgänge analog zu bewerten, zeugt nur von mangelnden historischen Kenntnissen und/oder verqueren normativen Maßstäben.

33 H. Roetz hat kürzlich in seinem Buch *Mensch und Natur im alten China* (Frankfurt/Bern/New York 1984) eine »Kritik des Klischees vom *chinesischen Universismus*« vorgelegt, das, von Hegel energisch vertreten (vgl. Roetz, op. cit., 23-26), aber auch bei Sinologen verbreitet, im wesentlichen besagt, daß es bei den Chinesen keinen Subjekt-Objekt-Gegensatz gebe. Zwar vermag Roetz in seiner sehr informativen und differenzierten Studie nachzuweisen, daß jener Gegensatz auch in der chinesischen Philosophie, zumal im Daoismus, eine wichtige Rolle spielt – aber man wird wohl trotzdem daran festhalten müssen, daß jener Gegensatz in China doch weniger stark als im Abendland ausgebildet wurde, und darauf kommt es ja in einer kulturvergleichenden Geschichtsphilosophie primär an.

34 Treffend schreibt Hulin, Hegels Orientdeutung habe sich anhand Indiens gebildet: »Cette figure est essentiellement tragique. L'Extrême-Orient forme un monde paisible et sans stance ... l'Inde apparaît comme une figure maudite, un nouvel avatar de la ›conscience malheureuse‹« (op. cit., 112).

35 Vgl. 12.203: »Dieser Zug (sc. der phantastischen Maßlosigkeit) ist absolut charakteristisch, und durch ihn allein ließe sich der die indische Geist in seiner Bestimmtheit auffassen und aus ihm alles Bisherige entwickeln.« – Hegel nennt in den einleitenden Ausführungen zur orientalischen Welt (12.144; vgl. 180) als Prinzip der indischen Kultur

allerdings die Auflösung der Einheit des Staates (wie sie in China zu finden war) und das Heraustreten von Unterschieden (nämlich der Kasten); freilich ergänzen beide Prinzipien einander, insofern sie gleichermaßen zur antithetischen Stellung Indiens passen.

36 Allerdings meint Hegel, man könne eigentlich gar nicht von Wundern reden – »denn alles ist ein Wunder, alles ist verrückt und nichts durch einen vernünftigen Zusammenhang der Denkkategorien bestimmt« (16.353; vgl. 415, 17.63 und GPh 399).

37 Mit dem Fehlen verständigen Denkens paßt allerdings schlecht die Tatsache zusammen, daß die Inder eine sehr bemerkenswerte Astronomie, Mathematik und besonders Grammatik haben, was Hegel durchaus weiß und anerkennt (12.202), auch wenn er die zu seiner Zeit verbreiteten Ansichten von einem dem der Griechen überlegenen Stand der indischen Wissenschaften bestreitet: »Die Vorstellungen von den Wissenschaften der Inder und Chinesen sind falsch« (19.138). Immerhin wird man jedoch sagen können, daß selbst die bedeutendste wissenschaftliche Schöpfung der Inder – eine synchrone Analyse der Sprache, deren Niveau in Europa erst im 19. Jahrhundert erreicht wurde – eine Leistung des indischen *Altertums* ist (das wohl allgemein die größte Zeit Indiens darstellt) und daß nach Pāṇinis genialem Wurf zwar durchaus noch Fortschritte erzielt wurden, jedoch kein Paradigmenwechsel mehr stattfand; ferner, daß in Mathematik und Astronomie praktische Interessen dem strengen theoretischen Interesse etwa der Griechen an einer konsistenten axiomatisierten Theorie übergeordnet waren.

38 Vgl. Hegel, 12.204 f., der zudem auf die zahllosen Interpolationen in indischen Werken verweist (205; vgl. 11.132).

39 Ein Mangel an Hegels Ausführungen zur indischen Religion ist sicher, daß sie diese als einheitliches Phänomen fassen und nicht zwischen Vedismus, Brahmanismus und Hinduismus unterscheiden (vgl. die Kritik von H. J. Schoeps, »Die außerchristlichen Religionen bei Hegel«, in: *Zeitschrift für Religions- und Geistesgeschichte* 7 (1955), 1-34, 5). Obgleich Hegel die Sikhs als eigene Religionsgruppe aufführt (12.179 f.), ignoriert er ferner nicht-hinduistische Religionen Indiens wie den Jainismus; auch vom Buddhismus hat er höchst vage und konfuse Vorstellungen – was freilich dem Wissensstand der Zeit entspricht. Da Hegel den Buddhismus (den er in einigen Vorlesungskursen vor, in anderen nach Indien einordnete) vornehmlich in Gestalt des Mahāyāna-Buddhismus und Lamaismus kennt und daher primär als Religion Chinas und der Mongolen behandelt (vgl. GPh 332-342, 411-413; 12.209-214; 16.374-390), braucht hier nicht näher auf seine diesbezüglichen Erörterungen eingegangen zu werden. Erwähnt sei nur, daß er ihn dem Hinduismus entschieden vorzieht – jene Religion sei »menschlicher als die brahminische (GPh 412). – Trotz Hegels

mangelnder Differenzierungen innerhalb der indischen Religion muß jedoch anerkannt werden, daß Hegel gegen das allgemeine Gerede von indischer Religion und Philosophie überhaupt immer wieder darauf verweist, es gebe massive Unterschiede z. B. zwischen den einzelnen indischen Kosmogonien (11.133, 12.200, 13.444, 16.345). »In so vielen deutschen Schriften, in welchen indische Religion und Philosophie ausdrücklich oder gelegentlich dargestellt ist, wie auch in den vielen Geschichten der Philosophie, wo sie ebenfalls aufgeführt zu werden pflegt, findet man eine aus irgendeinem Schriftsteller geschöpfte partikuläre Gestalt für indische Religion und Philosophie *überhaupt* ausgegeben« (11.133 f.) Hegel begrüßt daher Humboldts Forderung, die einzelnen indischen Werke zunächst für sich zu studieren, bevor man sie vergleicht und allgemeine Bestimmungen herausarbeitet (133).

40 Phantastischen Vorstellungen wie den im ersten Buch des Rāmāyana geschilderten vermag Hegel keinen poetischen Reiz abzugewinnen (13. 444 ff.); kennzeichnend für die indische Anschauung ist nach ihm die »unbeschwichtigte Versöhnungslosigkeit« (447). – Freilich kennt Hegel von der indischen Kunst nur manches aus der *Poesie* (vgl. 15. 396 ff., 464, 535); von Architektur und Skulptur weiß er nur vom Hörensagen, Malerei und Musik sind ihm nicht zugänglich gewesen.

41 Immerhin lobt Hegel (11.190) die Tatsache, daß die Inder ihr abstraktes Absolutes nicht als Sein bestimmen (was sofort den Gegensatz zum Nichtsein und damit Bestimmtheit mit sich führen würde), sondern sowohl als Sein als auch als Nichtsein. Hegel bezieht sich dabei auf Bhagavadgītā IX 19 und Humboldts Erklärung hierzu (Ueber die unter dem Namen Bhagavad-Gîtâ bekannte Episode des Mahâ-Bhârata. I (1825) und II (1826), in: *W. v. Humboldts Gesammelte Schriften. Erste Abtheilung: Werke*, hg. von A. Leitzmann, Bd. v, Berlin 1906, Nachdruck Berlin 1968, 190-232; 325-344; hier: 203), erwähnt freilich, daß sich der Gedanke auch sonst finde (vgl. in der Tat Bhagavadgītā XI 37 und XIII 12; meines Wissens zuerst in Ṛg-Veda X 129,1).

42 Dieses unvermittelte Nebeneinander von Erotik und Askese zeigt sich auch darin, daß zu den vier Lebenszielen der Inder kāma (Eros) und mokṣa (Erlösung) gehören. In diesem Sinne zitiert das Kāmasūtra bei seiner langweiligen Abhandlung erotischer Positionen immer wieder aus heiligen Schriften. – V. Pisanis indischer Literaturgeschichte (*Storia delle letterature antiche dell'India*, Milano ²1959, 250) entnehme ich, daß 1524 Rāmacandra ein poetisches Werk mit dem Titel »Rasikarañjana« verfaßte, in dem jede Strophe sowohl im erotischen als auch im asketischen Sinne gelesen werden kann.

43 Treffend schreibt W. Halbfass, nach Hegel finde das indische Denken durchaus den Weg zum Allgemeinen und Einen – »jedoch findet es den Weg nicht zurück zur konkreten Besonderheit der Welt« (*Indien und Europa. Perspektiven ihrer geistigen Begegnung*, Basel/Stuttgart

1981, 110). »Einheit und Ordnung werden nicht *in* der Welt gesucht; das Eine wird nicht zum Prinzip der Erklärung und des Begreifens des Endlichen und Mannigfaltigen. Es gibt hier nichts, das dem Grundsatz der »Rettung der Phänomene«, diesem Leitmotiv europäischer Wissenschaft und Philosophie, entspräche« (111).

44 Überzeugend erklärt Hegel damit die Monotonie der indischen Aussagen über das Absolute, z. B. über Kṛṣṇa in der Bhagavadgītā. Da alles, was von ihm prädiziert wird, ohne jede Regel und Ordnung aufeinanderfolgt, so bleibt »dieses Aufzählen ..., welch ein Reichtum der Phantasie sich zunächst auch darin auszubreiten scheint, ... eben dieser Gleichheit des Inhalts wegen höchst monoton und im ganzen leer und ermüdend« (13.473; vgl. 11.192, 204).

45 Vgl. dazu F. Kreis, »Hegels Interpretation der indischen Geisteswelt«, in: *Zeitschrift für Deutsche Kulturphilosophie* 7 (1941), 133-145, 138.

46 Das zeigt sich nach Hegel auch darin, daß in Indien der Vater oft genug die Tochter verheiratet, ohne sie zu fragen (GPh 386).

47 Immerhin hat R. Leuze die meisten von Hegels Kritikpunkten mit Stellen aus Manu genau belegt (op. cit., 97-104).

48 Übrigens besitzt Hegel die Objektivität, die einzige Ausnahme zu dieser Regel zu erwähnen: Bei Diebstahl sind die Strafen für die höheren Kasten strenger (12.193 mit Bezug auf VIII 337 f.).

49 Dies wird selbst von einem Kritiker Hegels wie H. v. Glasenapp anerkannt (op. cit., 43); und auch ein von Hegel völlig unbeeinflußter Autor wie P. Griffiths betont, das Kastensystem sei das größte Hindernis auf dem Wege zum Nationalstaat gewesen: »Unfortunately, the operative part of the tradition was based mainly on the caste system, so that the emphasis was always on division rather than on unity. Hinduism was essentially not a collection of doctrines but a social code; and since religion was a dividing force, social tradition could not be otherwise. It could not, therefore, provide a foundation for a Hindu nationality« (op. cit., 242).

50 Einen Hinweis, daß dies in der Tat der falsche Weg sein dürfte, gibt folgende Überlegung: Motiviert ist die Kritik am Eurozentrismus durch den Wunsch nach Wiedergutmachung von Unrecht, das die Europäer fremden Kulturen angetan haben. In Wahrheit beraubt sich aber der Eurozentrismuskritiker auch der Möglichkeit, das Verhalten der Europäer gegenüber ihren Kolonien zu verurteilen – denn es ist schlicht und einfach nicht einzusehen, mit welchem Recht derjenige, der etwa die Menschenopfer der Azteken für prinzipiell nicht kritisierbar hält, sich anmaßt, das (in der Tat höchst tadelnswerte) Verhalten der Spanier gegenüber den Azteken zu bemängeln, zumal ja das katholische Spanien des 16. Jahrhunderts für den heutigen Intellektuellen eine fast genauso fremde Welt darstellt wie die mesoamerikanischen Kulturen. Vgl. auch Anm. 65.

51 So zu Recht E. Schulin, *Die weltgeschichtliche Erfassung des Orients bei Hegel und Ranke,* Göttingen 1958, 76.

52 W. Halbfass, op. cit., 135. Vgl. auch 123.

53 Vgl. I. Viyagappa, *G. W. F. Hegel's concept of Indian philosophy,* Roma 1980, 60: »He (sc. Hegel) was sharply critical of certain authors, especially his own countrymen, who hoped to discover a pristine and unsullied *Urreligion* in the distant past. But at the same time, he was not equally censorious over some other sources, such as, for instance, the reports of British military officials.« – Allgemein meint Viyagappa, von den zwei Strömungen in Hegels Quellen – einer älteren, z. T. von Missionaren getragenen, und einer neueren, enthusiastischen – favorisiere Hegel die erstere: »Now between this hesitation and fervour Hegel appears rather a ›conservative‹, who falls in with the traditional mode of thinking and treats Indian philosophy ... and the whole of the Oriental ›wisdom‹ only as ›preliminary‹ to the actual history of philosophy« (246).

54 Paradigmatisch steht für sie Fr. Schlegels »Über die Sprache und Weisheit der Indier« (1808; jetzt in: *Kritische Friedrich-Schlegel-Ausgabe,* Bd. 8, *Studien zur Philosophie und Theologie,* eingeleitet und hg. von E. Behler und U. Struc-Oppenberg, München/Paderborn/Wien/Zürich 1975, 105-433) mit der Hoffnung, das Studium der orientalischen Kultur würde neue Quellen der Weisheit erschließen (309 ff.). Abschätzig heißt es bei Hegel zu diesem Werk und seinem Autor: »Er ist einer der ersten Deutschen, der sich mit indischer Philosophie beschäftigt hat; indessen hat dies nicht viel gefruchtet, denn er hat eigentlich nichts weiter gelesen als das Inhaltsverzeichnis zum *Ramajana*« (18.149). Übrigens ist auch die Rezension von Humboldts Bhagavadgītā-Abhandlung in Wahrheit, trotz aller Bezeugungen von Hochschätzung für den »höchstverehrte(n) Herr(n) Verfasser« (z. B. 11.131), eine scharfe Kritik – wie gerade Humboldt nicht entgehen konnte, der sich zwar bei Hegel artig bedankte *(Briefe von und an Hegel,* hg. von J. Hoffmeister, Bd. III, Hamburg ³1969, 152), aber Gentz verärgert schrieb: »Die ganze Rezension ist aber auch gegen mich, wenngleich versteckt, gerichtet und geht deutlich aus der Überzeugung hervor, daß ich eher alles als ein Philosoph bin« (ebd., 406).

55 Symptomatisch ist in diesem Sinne Schopenhauers Umgang mit der indischen Philosophie. Auch methodisch unterscheidet sich Schopenhauer, wie Halbfass zu Recht bemerkt (op. cit., 129), dadurch völlig von Hegel, daß er oft seine eigene Lehre mit derjenigen Buddhas und diese mit derjenigen Eckharts vergleicht, während für Hegel »ein von den geschichtlichen Besonderheiten absehendes Vergleichen und Parallelisieren abstrakt und nichtig ist.« (In der Tat zeugen auch Schopenhauers enthusiastische Äußerungen über die Oupnekhats [*Parerga*

179

und Paralipomena, 11 § 184, in: A. Schopenhauer, *Sämtliche Werke*, ... hg. von A. Hübscher, Bd. 6, Wiesbaden 1947, 422] von einer völlig unhistorischen Auseinandersetzung mit der indischen Philosophie: Schopenhauer geht es nicht darum, anhand des Originals zu verstehen, was der Verfasser jener Texte ursprünglich sagen wollte, sondern darum, durch »das Persisch-Latein dieses unvergleichlichen Buches« »rein gewaschen« zu werden »von allem ... früh eingeimpften jüdischen Aberglauben und aller diesem fröhnenden Philosophie«.) – In der Gegenwart finden sich solche undifferenzierten Vergleiche indischer und europäischer Lehren in manchen Arbeiten, die sich als Beiträge zur »comparative philosophy« ausgeben, sowie in Werken indischer Gelehrter. Bezeichnend ist in diesem Sinne S. Radhakrishnans M. Gandhi gewidmete kommentierte Ausgabe der Bhagavadgītā (deutsch: Wiesbaden o. J.), die in der Einleitung wie in den Anmerkungen bei beliebigen Anlässen auf Stellen aus der Bibel, Plotin oder Emerson verweist. – Mir selbst scheint (auch wenn dies Ergebnis durchaus enttäuschend ist), daß die europäische Philosophie von der indischen nur wenig zu lernen hat – gemeint ist: unter systematischer Perspektive; für die historische Betrachtung ist dagegen das Studium der Philosophie einer anderen Kultur sehr fruchtbar. Bisher ist es jedenfalls m. W. niemandem gelungen zu zeigen, inwiefern die Begegnung mit einem indischen Philosophen in gleicher Weise sachlich stimulierend sein kann wie etwa die Auseinandersetzung mit einem griechischen Philosophen.

56 Eine sinnvolle Geschichtsphilosophie muß dagegen auch und gerade die Momente hervorheben, die in einer Kultur als über sie hinausweisend hervortraten, aber unterdrückt wurden – etwa Echnatons religiöse Reform in Ägypten, die in vielem die Religiosität der orientalischen Hochkulturen sprengt. Freilich ist es kein Zufall, daß sich diese Reform nicht durchgesetzt hat; es wäre daher unsinnig, dies übersehend zu sagen, daß *im Grunde* die ägyptische Kultur das gleiche Niveau habe wie etwa das christliche Mittelalter.

57 Auf die indische Familie geht Hegel kaum ein; doch kritisiert er scharf die indische Polygynie und gelegentliche Polyandrie (GPh 386 f.). – A. L. Basham (*The wonder that was India,* London ³1967, 175) verweist darauf, daß für die Inder bei Sterilität der Ehefrau Polygamie geradezu religiöse Pflicht ist – es sind ja Nachkommen für die Weiterführung der Ahnenopfer erforderlich.

58 Vgl. die analoge Kritik bei H. Putnam, »Why reason can't be naturalized«, in: *Synthese* 52 (1982), 3–23, bes. 10 ff. Nach Putnam ist der Kulturrelativismus im Grunde nur eine Form des Kulturimperialismus.

59 Ein ganz analoger Widerspruch eignet auch der Position jener konservativen Verfechter einer unreflektierten Sittlichkeit, wie sie in jeder

Krisenzeit auftreten, um gegen die zersetzende moralische Reflexion zu polemisieren: Der Einsatz für die Sittlichkeit mit dem ausdrücklichen Argument, sie sei in ihrer Unbegründetheit völlig in Ordnung, widerspricht jedem natürlichen sittlichen Empfinden, das selbstverständlich eine »Begründung« seiner Lebensform – etwa durch Gott, durch die Autorität der Väter usf. – für möglich hält, und ist selbst nur Produkt einer kranken Moralität.

60 *Die Idee der Sozialwissenschaft und ihr Verhältnis zur Philosophie* (englisch 1958), Frankfurt 1966.

61 Ich verweise dazu auf Ch. Jermanns und meine kritische Rekonstruktion der Hegelschen »Grundlinien« in unseren Vorträgen auf dem Neapolitaner Kolloquium über »Anspruch und Leistung von Hegels Rechtsphilosophie« im März 1984, die in dem Band mit den Akten erscheinen werden (hg. von A. Villani, Stuttgart/Bad Cannstatt 1986).

62 Gegen den Versuch, selbst allgemeinste Metanormen auf kulturspezifische Kontexte zu relativieren, vgl. W. Kuhlmann, *Reflexive Letztbegründung*, Freiburg/München 1985, 231 ff.

63 Hegels (letztlich auf Kants deontologische Ethik zurückgehende) Auffassung, die Perioden des Glücks einer Kultur seien die historisch uninteressantesten (12.42; vgl. 4.327), mag brutal erscheinen; in Wahrheit ist sie allein in der Lage, fortschrittliche Bewegungen zu legitimieren, während eine Ethik des Glücks nur einen Beitrag zum Neokonservativismus darstellt. Denn natürlich kann man nie a priori wissen, ob etwa die Sklaven in der Antike unglücklicher waren als die modernen Massenmenschen; ja, es ist sogar wahrscheinlich, daß in Zeiten des Umbruchs, bei historischen Neuerungen, in denen notwendig eine alte Geborgenheit verlorengeht, zumindest vorübergehend ein Glücksverlust selbst bei den früher Unterdrückten stattfindet. (Man denke an das Los jener ersten indischen Witwen, die nicht verbrannt wurden und die sicher ein trauriges Leben zu verbringen hatten.) Aber daraus folgt nur, daß Glück kein Kriterium für geschichtlichen Fortschritt ist – eben weil Glück etwas so Vages ist, dessen Vorhandensein oder Fehlen intersubjektiv (und oft genug auch subjektiv) nicht präzise auszumachen ist. (Was die leichter objektivierbare Kategorie des physischen Wohls angeht, kann man freilich durchaus davon ausgehen, daß die Verbrennung bei lebendigem Leib auch von den indischen Witwen, trotz des verschiedenen kulturellen Kontextes, in dem sie lebten, nicht als Vergnügen empfunden wurde.)

64 Ferner folgt daraus, daß allein ein evolutionistisches Geschichtsmodell akzeptabel ist, zu dem die Alternative entweder ein Kulturrelativismus ist, der zwar Unterschiede zwischen den einzelnen Kulturen anerkennt, deren Bewertung jedoch für unzulässig erklärt, oder aber ein nicht gerade durch Konkretheit ausgezeichneter Standpunkt, nach dem es zwar durchaus verbindliche Werte gibt, diese aber eigentlich

und an sich bei allen Völkern verwirklicht sind. Will man diese beiden gleichermaßen inkonsistenten und unfruchtbaren Positionen vermeiden, so bietet sich wohl nur ein wie auch immer modifizierter Evolutionismus an.

65 Auf einer schlichten Verwechslung von Unrecht und Schuld basiert die verbreitete Auffassung, wir dürften eine Kultur nur dann verurteilen, wenn in ihr selbst schon Kritik an ihr laut geworden sei – so sei es etwa legitim, die Spanier in ihrem Verhalten zu den Indianern zu kritisieren, weil schon Bartolomé de Las Casas dies getan habe; eine Verurteilung der Azteken sei aber nicht möglich, weil die Praxis der Menschenopfer bei ihnen prinzipiell nicht in Frage gestellt worden sei. Diese Auffassung hat freilich das merkwürdige Resultat zur Folge, daß eine Kultur um so höher steht, je weniger kritische Geister sie in ihren eigenen Reihen hat; ohne Las Casas wäre demnach Spanien ein rechtlicheres Land gewesen!

66 Vgl. dazu P. Griffiths, op. cit., 210-225.

67 Ich nenne hier nur die rücksichtslose Zerstörung sinnvoller und bewährter Institutionen, die – nicht notwendig! – mit der Beseitigung naturrechtswidriger Sitten Hand in Hand ging. Im Falle Indiens ist besonders an die Auflösung der historisch gewachsenen Dorfstruktur zu erinnern, die einer übersteigerten Zentralisierung zum Opfer fiel. Ohnehin ist übrigens klar, daß der Export kontingentester Konsumgüter des Westens in die Entwicklungsländer zum Zwecke der Aufrechterhaltung ihrer wirtschaftlichen Abhängigkeit – die sog. »Coca-Colonisation« – abzulehnen ist; aber es zeugt von einem merkwürdigen Verständnis der Menschenrechte, wenn ihr »Export« auf die gleiche Stufe gestellt wird wie derjenige von Nestlé-Babymilch.

68 Aufgrund des unbestreitbaren Zusammenhanges von Religion und Rechtssystem wird man davon ausgehen können, daß auch die Christianisierung Lateinamerikas und eines großen Teils von Schwarzafrika (wie seinerzeit die der Kelten und Germanen) etwas universalgeschichtlich Positives darstellt – zumal vor dem Hintergrund der Bekehrung zum Islam als der nächstliegenden Alternative.

69 Die Forderung nach Anerkennung fremder, gegen den eigenen ordre public verstoßender Rechtssysteme als gleichberechtigt mit dem eigenen mag fortschrittlich klingen – sie beinhaltet freilich u. a. die Legitimation der Auslieferung von Kriminellen oder auch politisch Verfolgter an Staaten mit Folter, Todesstrafe usf. Hier zeigt sich, wie die in der Gegenwart von allen möglichen Lagern propagierte Kritik am Eurozentrismus in Wahrheit einen der energischsten Beiträge zur Gegenaufklärung darstellt, die immer dort eintritt, wo die Aufklärung sich selbst eines verbindlichen, ihre eigene Kritik letztbegründenden Fundaments beraubt hat.

Axel Honneth
Diskursethik und implizites Gerechtigkeitskonzept

Eine Diskussionsbemerkung*

Von der Diskursethik die normativen Gesichtspunkte für eine Konzeption sozialer Gerechtigkeit herleiten zu wollen, ist nach Auffassung ihrer Vertreter ein unlauteres Ansinnen. Sowohl Jürgen Habermas als auch Albrecht Wellmer haben in neueren Publikationen die starken Ansprüche, die ursprünglich mit dem Projekt einer kommunikationstheoretisch begründeten Ethik verknüpft schienen, auf ein bescheideneres Maß zurückgeschnitten; danach enthält die Diskursethik nunmehr weder einen praktischen Vorgriff auf eine ideale Lebensform noch eine theoretische Auszeichnung von bestimmten Gerechtigkeitsvorstellungen, sondern vermag allein das prozedurale Verfahren zu rechtfertigen, durch das Fragen der Gerechtigkeit einer rationalen Klärung zugeführt werden können. Den inhaltlichen Neutralismus, der mit dieser theoretischen Selbsteingrenzung der Diskursethik auf ein formales Rationalitätsprinzip verbunden ist, will ich im folgenden in Frage stellen; zwar ist das schon in verschiedenen Beiträgen unternommen worden, aber die darin vorgebrachten Argumente verfehlen ihr Ziel meines Erachtens deswegen, weil sie sich statt auf die Dimension von Gerechtigkeitsfragen von vornherein auf die ethisch schwer zugängliche Dimension von Fragen einer idealen Lebensform, des »guten Lebens« also, beschränken. Ich will meine Argumentation statt dessen auf den moralischen Gesichtspunkt der sozialen Gerechtigkeit konzentrieren; die These, die ich entwickeln möchte, soll zeigen, daß die Diskursethik einen theoretischen Vorgriff nicht auf eine Lebensform, aber auf ein Prinzip sozialer Gerechtigkeit zwingend macht, im Hinblick auf das die strikte Unterscheidung von »formal« und »inhaltlich« selbst fragwürdig wird. In einem ersten Schritt möchte ich das zur Diskussion stehende Problem kurz an der Diskursethik erläutern (1); anschließend will ich herausarbeiten, warum sich die Diskursethik gerechtigkeitstheoretischen

Folgerungen gar nicht entziehen kann und somit den engen Rahmen einer reinen Verfahrensethik überschreiten muß (II). In einem dritten Schritt schließlich möchte ich thesenartig die gerechtigkeitstheoretischen Prämissen vorstellen, die die Diskursethik in Form von negativen und positiven Implikationen enthält (III).

I

Die von Habermas (und K.-O. Apel) im Laufe des vergangenen Jahrzehnts ausgearbeitete Diskursethik versteht sich als eine kommunikationstheoretische Fassung des kategorischen Imperativs. Ihre zentrale Errungenschaft besteht darin, das von Kant als ein Verfahren zur moralischen Überprüfung von Handlungsnormen vorgeschlagene Prinzip der Verallgemeinerbarkeit in eine Regel umgedeutet zu haben, in welcher die moralisch-praktischen Diskussionen zwischen Subjekten eine rationale Grundlage finden können; anstatt also wie Kant das Verfahren, in dem Normen in ihrer ethischen Gültigkeit dadurch überprüft werden, daß sie auf ihre Universalisierbarkeit hin befragt werden, als einen Test des einsamen Subjekts mit sich selber zu verstehen, verlegt die Diskursethik das moralische Prüfungsverfahren in einen kommunikativen Akt, der nicht im Sinne der Vertragstheorien als ein einmaliger Kontrakt bloß fingiert, sondern als eine real durchzuführende Diskussion gefordert wird.[1] Dementsprechend gilt allein der zwanglose Dialog im Kreis aller von einer strittigen Norm Betroffenen als ein Prüfstein dafür, ob diese Norm auf begründete Zustimmung rechnen darf; und umgekehrt hat eine Handlungsnorm letztendlich Gültigkeit nur dann, wenn alle von ihr Betroffenen als Teilnehmer eines faktischen Gesprächs einen Konsens darüber erzielt haben, daß die Norm in Kraft treten oder bleiben soll.

Nun führen weder Habermas noch Apel den Universalisierungsgrundsatz, den sie der Ethik Kants entnehmen, als ein letztes in sich unbegründbares Prinzip einfach ein; die Eigenart der Diskursethik besteht nicht allein in der kommunikationstheoretischen Umdeutung des Verallgemeinerungsprinzips in ein Prüfungsverfahren moralischer Dialoge, sondern in dem über vergleichbare Ansätze hinausgehenden Versuch, die Geltung dieses Verallgemeinerungsprinzips nun seinerseits aus den sprachlichen

Implikationen des moralischen Argumentierens oder des kommunikativen Handelns zu begründen.

Sowohl Habermas als auch Apel führen den Nachweis, der nötig ist, um eine solche Begründung zu erbringen, in Form einer sprechakttheoretischen Analyse der universalen Voraussetzungen der menschlichen Kommunikation durch; beide sind davon überzeugt, daß in den allgemeinen und notwendigen Präsuppositionen, die derjenige implizit erheben muß, der in eine moralische Argumentation eintritt, jener Universalisierungsgrundsatz bereits enthalten ist, den die an Kant anschließenden Moralphilosophen sonst nur als ein weiter nicht begründbares Prinzip behaupten können. Anders als Apel verknüpft Habermas freilich mit diesem universalpragmatischen Beweisverfahren keinen Letztbegründungsanspruch; er versteht den Nachweis eines redeimmanenten Moralprinzips der Verallgemeinerung als eine empirisch prinzipiell fallible Nachkonstruktion von jenen Argumentationsvoraussetzungen, die unterstellen muß, wer überhaupt in einen moralisch-praktischen Diskurs eintritt. Zu den Voraussetzungen solcher Art rechnet Habermas die Unterstellung einer zwanglosen und chancengleichen Teilnahme aller argumentationsfähigen Subjekte an einem Diskurs; der kontrafaktische Vorgriff auf eine Argumentationssituation, die auf eine einzigartige Weise gegen Repression und Ungleichheit gesichert ist, gehört zu den Präsuppositionen, die jeder Argumentationsteilnehmer erheben muß, wenn er sich nicht in performative Widersprüche verwickeln will. Diesen redeimmanenten Idealisierungen entnimmt Habermas nun bekanntlich den Hinweis auf die Strukturmerkmale einer idealen Sprechsituation; aus ihnen schließt er, wie K. O. Apel, auf die implizite Geltung des Universalisierungsgesetzes, weil jeder Diskursteilnehmer mit den genannten Idealisierungen zugleich intuitiv das Verallgemeinerungsprinzip als die einzig legitime Verfahrensregel zur Klärung moralischer Probleme akzeptiert. Damit ist freilich, wie unschwer zu erkennen ist, der normative Gehalt des mit dem Begriff einer idealen Sprechsituation behaupteten Argumentationsmodells noch gar nicht vollständig abgegolten: denn wir unterstellen, wenn die von Habermas und Apel durchgeführten Nachkonstruktionen der implizit erhobenen Argumentationsvoraussetzungen triftig sind, nicht nur, daß eine Norm nur dann Gültigkeit beanspruchen kann, wenn sie von allen Argumentationsteilnehmern zwanglos akzeptiert wird, sondern wir setzen ebenso und in gleichem Maße voraus, daß ein jeder praktische Diskurs unter den Bedingungen einer freien und chancengleichen Teilnahme aller betroffenen Subjekte stattzufinden hat. Welche Rolle kommt diesen impliziten Idealisierungen, die unzweifelbar einen normativen Gehalt besitzen, im Rahmen einer Diskursethik zu?

II

Ursprünglich hatte Habermas den Begriff der idealen Sprechsituation in dem Sinn eines »Vorscheins auf eine ideale Lebensform« zu interpretieren versucht. Diese Formulierung mußte den irreführenden Eindruck erwecken, daß die Diskursethik unmittelbar einen Maßstab für die normative Auszeichnung von bestimmten Lebensformen abgeben könnte; weil jede historische Lebensform jedoch, wie vor allem Albrecht Wellmer eingewandt hat, ein einzigartiges Amalgam aus kulturell vertrauten Praktiken, Identitätsentwürfen, Einstellungen und Deutungsmustern darstellt, verbietet es sich, die Ganzheit einer sozialen Lebensweise unter den von der Diskursethik angebotenen Kriterien zu beurteilen – während nämlich jene Kriterien einzig die formalen Bedingungen normativ auszeichnen, unter denen Fragen der Gerechtigkeit rational geklärt werden können, sind mit der Beurteilung historisch besonderer Existenzformen unvermeidlich Fragen nicht nach einem gerechten, sondern nach einem geglückten Lebenszusammenhang verknüpft.[2] Habermas hat sich diesen Einwand freilich nicht nur zu eigen gemacht, sondern ihn, wie Wellmer selbst auch, zugleich noch radikalisiert: weil jede inhaltliche Anwendung der Diskursethik mit der unlösbaren Schwierigkeit konfrontiert wäre, über die historisch und kulturell einzigartigen Bedingungen einer Gesellschaft hinweg normative Aussagen machen zu müssen, verbietet es sich, in der Diskursethik mehr als nur die Begründung für das Universalisierungsprinzip sehen zu wollen, das in faktischen Diskursen erst immer zur Anwendung gelangen muß. Jede über den Verallgemeinerungsgrundsatz hinausgehende Norm wird somit von dem Ausgang eines praktischen Diskurses abhängig gemacht, weil die Diskursethik über eine andere Norm als die einer formalen Prozedur nicht verfügt: »Alle Inhalte«, so sagt Habermas, »auch wenn sie noch so fundamentale Handlungsnormen berühren, müssen von realen (oder ersatzweise vorgenommenen, advokatisch durchgeführten) Diskursen abhängig gemacht werden.«[3]

Mit dieser Formulierung verliert die Idee der idealen Sprechsituation nunmehr allerdings nicht nur die Bedeutung des Vorscheins auf eine *ideale Lebensform*, sondern darüber hinaus zugleich auch die Bedeutung des Vorscheins auf eine *gerechte Gesellschaftsordnung*; die Diskursethik verhält sich nicht nur gegenüber Fragen des guten Lebens, sondern auch gegenüber Fragen der Gerechtigkeit strikt neutral. Dadurch jedoch gerät sie, wie ich glaube, in eine merkwürdige Inkonsequenz. Einerseits versucht die Diskursethik, den Universalisierungsgrundsatz als eine Argumentationsregel für praktische Diskurse dadurch zu rechtfertigen, daß sie die impliziten Idealisierungen aufhellt, die jeder an einem Dialog Beteiligte intuitiv vornimmt; aus dem bewußt gemachten Umstand, daß jeder Argumentierende unvermeidlich eine zwanglose und chancengleiche Teilnahme aller Beteiligten unterstellt, schließt sie auf die normative Geltung des Verallgemeinerungsprinzips; dieses gewinnt in der Diskursethik dann die Gestalt eines Grundsatzes, der besagt, daß eine Norm nur dann Geltung beanspruchen darf, wenn alle von ihr potentiell Betroffenen als Teilnehmer eines praktischen Diskurses sich über ihre Geltung auch faktisch geeinigt haben. Andererseits aber nimmt die Diskursethik nun jene idealisierenden Unterstellungen des Dialogs, auf die sich doch ihre Rechtfertigung des Universalisierungsgrundsatzes stützt, nicht selbst in ihre eigenen normativen Grundsätze mit auf; denn dann müßte sie doch zugleich mit der Prozedur der diskursiven Willensbildung auch die sozialstrukturellen Verhältnisse auszeichnen, die die Inkraftsetzung solcher Formen der Willensbildung überhaupt erst ermöglichen. Die Diskursethik macht von den normativen Gehalten der Dialogvoraussetzungen, auf die ihr ganzer Anspruch sich gründet, einen halbherzigen Gebrauch: sie geben den quasi-transzendentalen Grund für die Rechtfertigung einer diskursiven Prozedur, nicht aber für die Beurteilung der sozialen Bedingungen dieser Prozedur ab. Würde das hingegen geschehen, dann ließe sich der gerechtigkeitstheoretische Neutralismus, den Habermas behauptet, nicht länger vertreten: es würde verlangen, auch jene gesellschaftlichen Verhältnisse normativ auszuzeichnen, die von ihrer institutionellen Infrastruktur und ihrem kulturellen Selbstverständnis her die Einrichtung zwangloser Diskurse prinzipiell überhaupt erst ermöglichen. Die Diskursethik könnte nicht länger »alle Inhalte« von realen Diskursen abhängig machen, sondern müßte zwangsläufig jene Gerechtigkeitsnormen, die die Bedingungen für die Ermöglichung solcher Diskurse festlegen, in den Katalog ihrer eigenen Handlungsnormen aufnehmen.

Um diesen Einwand begründen zu können, ist eine kategoriale Unterscheidung der normativen Infrastruktur einer Gesellschaft von ihrer praktischen Lebensform notwendig. Jede konkrete Gesellschaft gibt sich zwar immer nur als ein einzigartiges Geflecht aus Konventionen, Kulturpraktiken, Identitätsmustern und Institutionen zu erkennen; sie existiert überhaupt nur als ein historisch jeweils individualisierter Sozialzusammenhang. Der je besonderen Lebensweise einer Gesellschaft wohnt jedoch stets auch eine normative Infrastruktur inne, die die Bedingungen an sozialer Gerechtigkeit festlegt, unter denen die kulturellen Konventionen und sozialen Institutionen entstehen und sich reproduzieren[4]; solche normativen Regelungen bestimmen gewissermaßen den sozialen Spielraum an Freiheit und Gerechtigkeit, den eine Gesellschaft für die Ausbildung und Schaffung von Persönlichkeitsmustern und Kulturpraktiken, also für ihre sittlichen Verhältnisse, bereithält. Normative Regelungen solcher Art stellen in ihrer Gesamtheit die moralische Infrastruktur der sittlichen Totalität einer Gesellschaft dar. Auf diese Ebene der normativen Infrastruktur einer Gesellschaft bezieht sich nun die These, daß die Diskursethik auch die sozialstrukturellen Bedingungen ihrer eigenen Anwendung normativ auszeichnen muß: nur *die* Gesellschaft darf im Sinne einer Diskursethik letztlich als gerecht gelten, die in ihrer normativen Infrastruktur die Voraussetzungen für herrschaftsfreie Dialoge bereithält und also all ihren Mitglieder die Chance einer zwanglosen und gleichberechtigten Aushandlung von strittigen Normen überhaupt erst gewährt.

Daher weist die Diskursethik zwingend über den Rahmen eines bloß formalen Prinzips hinaus auf ein intersubjektivitätstheoretisch erweitertes Konzept materialer Gerechtigkeit: zwar ist ein Gerechtigkeitskonzept dieser Art in dem Sinne formal, daß es keine bestimmten Institutionengebilde und Verteilungsregelungen, erst recht keine sittlichen Lebensverhältnisse normativ präjudiziert; andererseits scheint es aber in dem Sinn auch material gehaltvoll, daß es die normativen Infrastrukturen auszeichnet, unter denen solche institutionellen Regelungen überhaupt erst in diskursiver Form getroffen werden können. Die strikte Unterscheidung zwischen einer formalen Verfahrensethik und einer materialen Gerechtigkeitstheorie läßt sich gar nicht aufrechterhalten, wenn das normativ ausgezeichnete Verfahren nur unter Erfüllung bestimmter sozialer Voraussetzungen überhaupt stattfinden kann; anders als im Falle jener Verfahrensethiken, die das moralische Prüfungsverfahren als einen einmaligen Akt vertragstheoretisch bloß fingieren oder wie Kant als einen einsamen Reflexionsvorgang konzipieren, muß die Diskursethik nämlich, weil sie sich das moralische Prüfungsverfahren als einen tatsächlich zu vollziehenden Dialog vorstellt, auch die Ermöglichungsbedingungen jenes Dialogs zu ihren eigenen moralischen Prämissen erheben. Mit der kommunikationstheoretischen Wendung verliert daher eine in der Kantischen Tradition stehende Verfahrensethik ihre gerechtigkeitstheoretische Unschuld; sie muß zwangsläufig die engen Grenzen des ethischen Formalismus auf ein materiales Gerechtigkeitskonzept hin überschreiten, das jene sozialen Organisationsformen normativ auszeichnet, die eine egalitäre Partizipation an dem Verfahren des zwanglosen Diskurses prinzipiell gewähren.

In zwei Schritten möchte ich nun zeigen, inwiefern die Diskursethik ein Konzept sozialer Gerechtigkeit impliziert, das über ein rein prozedurales Moralprinzip notwendig hinausweist: zunächst kann die Diskursethik sich deswegen schon nicht neutral gegenüber den alternativen Gerechtigkeitskonzeptionen verhalten, weil sie in ihren eigenen Grundbegriffen bereits bestimmte, vor allem rein verteilungstheoretische Ansätze ausschließt; über diese negativen Implikationen hinaus enthält die Diskursethik aber auch positive Hinweise auf ein intersubjektivistisch erweitertes Gerechtigkeitskonzept, in dessen Zentrum die Idee einer egalitären Freiheit zur moralischen Stellungnahme steht.

III

Meine These lautet, daß die Diskursethik in Form negativer und positiver Implikationen Hinweise auf ein Konzept sozialer Gerechtigkeit enthält; der Konsequenz solcher material gehaltvollen Implikationen kann sie sich nicht entziehen, weil sie das Verallgemeinerungsprinzip als das normativ ausgezeichnete Verfahren von faktisch durchzuführenden Diskursen ansieht. Die kritischen Implikationen der Diskursethik treten hervor, sobald der Begriff der moralischen Person erläutert wird, den sie in ihrem konzeptuellen Rahmen voraussetzt. In der Idee eines argumentativ zu erzielenden Einverständnisses rechnet die Diskursethik mit moralischen Handlungssubjekten, die erst auf dem Weg einer intersubjektiven Anerkennung zu dem Grad an individueller Autonomie gelangen, der es ihnen erlaubt, zu moralisch umstrittenen Normen frei Stellung zu beziehen; nur weil dem moralischen Diskurs ein Prozeß der kommunikativen Vergesellschaftung vorausgedacht wird, kann dessen mögliches Ergebnis überhaupt als ein Akt der intersubjektiven Übereinstimmung begriffen und muß somit nicht als eine Form der Kompromißbildung präjudiziert werden. Die Diskursethik sieht den moralischen Dialog, in dem wir über die Verallgemeinerungsfähigkeit von Normen befinden, als eine Prozedur an, die der Möglichkeit nach das an kommunikativen Gemeinsamkeiten zu Bewußtsein bringt, an dem alle Beteiligten als vergesellschaftete Subjekte schon vorgängig partizipieren; nicht die atomisierte, ihr individuelles Interesse kalkulierende Person, sondern das auf kommunikativem Weg autonomisierte Individuum gibt daher das Modell ab, nach dem hier das moralische Subjekt gedacht wird. Mit einem solchen Personenkonzept aber setzt die Diskursethik sich implizit bereits in einen Gegensatz zu all den Traditionen, in denen Gerechtigkeitsprobleme auf die Frage nach einer »gerechten« Verteilung von materiellen oder immateriellen Gütern verkürzt werden. Gerechtigkeitstheorien dieser Art gehen von vereinzelten Personen aus, die nach Maßgabe ihrer individuellen Interessenkalküle über eine gerechte Form der Verteilung aller lebenswichtigen Güter entscheiden; außer acht müssen hierbei jedoch, wie sich an den bahnbrechenden Überlegungen Rawls zur »Selbstachtung« als eines Grundgutes zeigen läßt, die Entstehungsbedingungen der zu verteilenden Güter selbst bleiben.[5] Sobald hingegen, wie in der Diskursethik, die Autonomie des Subjekts nicht mehr einfach vorausgesetzt, sondern als das Resultat eines Prozesses der intersubjektiven Anerkennung betrachtet wird, gelangt zu Bewußtsein, daß Gerechtigkeitsfragen auch die Struktur und Form jenes Anerkennungsprozesses als solchen berühren. Mit den Prämissen einer Theorie distributiver Gerechtigkeit ist die Diskursethik unvereinbar, weil sie auf seiten der moralischen Person ein bestimmtes Maß an individuellen Freiheiten und sozialen Fähigkeiten voraussetzt, das nur durch eine »gerechte« Form der kommunikativen Vergesellschaftung selbst gewährleistet zu werden vermag; nicht die Verteilung von Gütern, sondern die Struktur sozialer Anerkennungsverhältnisse stellt das gerechtigkeitstheoretische Schlüsselproblem dar, auf das die Diskursethik indirekt verweist.

Das wird deutlich allerdings erst, wenn nun genauer nach den gesellschaftlichen Voraussetzungen gefragt wird, die in der Forderung nach zwangloser und chancengleicher Teilnahme an moralischen Diskursen enthalten sind. Damit gehe ich zu den positiven Implikationen über, die die Diskursethik im Hinblick auf ein Gerechtigkeitskonzept enthält. Ein praktischer Diskurs von der Form, die im Begriff der idealen Sprechsituation beschrieben wird, setzt negativ die Freiheit von all den institutionellen und kulturellen Zwängen voraus, die ein von einer moralischen Handlungsnorm betroffenes Subjekt von der Aushandlung dieser Norm fernhalten könnten; das impliziert natürlich nicht, daß in allen gesellschaftlichen Bereichen praktische Fragen generell diskursiv entschieden werden müssen, aber doch soviel, daß jedes Subjekt zwanglos an einem praktischen Diskurs teilnehmen können muß, in dem über die Ausgrenzung bestimmter sozialer Materien oder Institutionen aus der generellen Verpflichtung zur konsensuellen Einigung entschieden wird. Interessanter als der *negative Aspekt der Zwanglosigkeit,* der freilich unter dem Gesichtspunkt der Organisationsform einer zukünftigen Gesellschaft schon brisant genug scheint, ist der *positive Aspekt der egalitären Freiheit zur moralischen Stellungnahme.*[6] Unter diesem zweiten Gesichtspunkt, der in den Diskussionen um die Bedingungen sozialer Gerechtigkeit zumeist vernachlässigt wird, treten die kulturellen und institutionellen Voraussetzungen in den Blick, die die Äußerung und die Behauptung von eigenen moralischen Intuitionen, Ansichten und Urteilen überhaupt erst ermöglichen. Eine chancengleiche Teilnahme an praktischen Diskursen verlangt nämlich einerseits eine egalitäre Zugangsmöglichkeit zu jenen sozialen Informationen und kulturellen Bildungstraditionen, die nötig sind, um die eigenen moralischen Überzeugungen im Kreise von Diskussionsteilnehmern argumentativ behaupten zu können; die Formulierung und Begründung von moralischen

Stellungnahmen erfordert nämlich nicht nur eine Kenntnis der empirischen Rahmenbedingungen, auf die die umstrittene Norm sich bezieht, sondern auch eine Vertrautheit mit dem ganzen Spektrum an moralischen Alternativen, durch die der entsprechende Konflikt gelöst werden könnte. Eine chancengleiche Teilnahme an praktischen Diskursen verlangt darüberhinaus auch das Maß an sozialer Anerkennung und entsprechender individueller Selbstachtung, das nötig ist, um die eigenen moralischen Intuitionen öffentlich eingestehen und vertreten zu können; denn die Äußerung moralischer Überzeugungen setzt auf seiten der beteiligten Subjekte das Gefühl voraus, als ein ernsthaft und kompetent Urteilender von allen anderen überhaupt anerkannt zu sein; eine Person muß sich als urteilsfähiges Subjekt geachtet wissen, um sich öffentlich zu den eigenen moralischen Intuitionen bekennen zu können.

Erst wenn wir in diesem weiten Sinn Gerechtigkeit als egalitäre Freiheit und Fähigkeit zur moralischen Stellungnahme interpretieren, zeigt sich der volle Gehalt und die ganze Stoßkraft der in der Diskursethik implizit angelegten Gerechtigkeitsvorstellung: sie zeichnet als letztlich »gerecht« nur die normative Binnenstruktur einer gesellschaftlichen Lebensordnung aus, die für alle Gesellschaftsmitglieder die institutionellen Voraussetzungen des Erwerbs von sozial verfügbarem Wissen und der Erlangung individueller Selbstachtung bereitstellt. Das diskursethische Gerechtigkeitskonzept darf freilich nicht die besonderen kulturellen und lebensweltlichen Bedingungen, unter denen eine Gesellschaft diese Voraussetzungen jeweils individuell realisiert, moralisch bewerten, sondern nur, wie gesagt, deren normative Binnenstruktur.

Aus diesem Gedankengang lassen sich nun, so denke ich, zwei Konsequenzen ziehen: die Diskursethik kann sich einerseits nicht auf das pure Postulat eines formalen Moralprinzips beschränken, an das sie immer dann zu erinnern versucht, wenn moralische Konflikte zwischen Individuen oder sozialen Gruppen entstehen; ihr wohnt vielmehr darüberhinaus auch eine moralische Parteilichkeit für die Herstellung einer Gesellschaft inne, die sich durch eine normative Infrastruktur auszeichnet, die allen Gesellschaftsmitgliedern gleichermaßen die Freiheit zur moralischen Stellungnahme gewährt. Andererseits macht der entwickelte Gedankengang klar, daß der kritischen Gesellschaftstheorie durch das implizite Gerechtigkeitskriterium der Diskursethik eine normative Intention verliehen wird: ihre kritische Aufmerksamkeit muß vor allem jenen materiellen und symbolischen Dimensionen sozialer Ungerechtigkeit gelten, die es verhindern, daß allen Gesellschaftsmitgliedern die gleiche Freiheit zur moralischen Stellungnahme zukommt. Insofern setzt eine diskursethisch motivierte Gesellschaftstheorie die Intention der Marxschen Kritik der Klassengesellschaft auf erweiterter Reflexionsstufe fort.

Anmerkungen

* Hierbei handelt es sich um die überarbeitete und erweiterte Fassung eines Diskussionsbeitrages, den ich zu dem von E. Angehrn und G. Lohmann herausgegebenen Sammelband *Ethik und Marx* (Königstein/Ts.) beigesteuert habe. Für kritische Kommentare und weiterführende Hinweise bin ich Ken Baynes dankbar.

1 A. Wellmer, *Praktische Philosophie und Theorie der Gesellschaft*, Konstanz 1979; J. Habermas, »Diskursethik – Notizen zu einem Begründungsprogramm«, in: ders., *Moralbewußtsein und kommunikatives Handeln*, Frankfurt/M. 1983, S. 53 ff.

2 J. Habermas, »Diskursethik – Notizen zu einem Begründungsprogramm«, a.a.O., S. 113 ff.

3 Ebd., S. 104.

4 Vgl. K. O. Apel, »Ist die Ethik der idealen Kommunikationsgemeinschaft eine Utopie?«, in: W. Voßkamp (Hg.), *Utopie-Forschung*, Band 1, Stuttgart 1982, S. 325 ff., bes. S. 345; etwas Ähnliches scheint auch John Rawls vor Augen zu haben, wenn er von der »basic structure« einer Gesellschaft als dem zentralen Gegenstand einer Gerechtigkeitstheorie spricht. Vgl. John Rawls, »Basic Structure as Subject«, in: A. J. Goldman/J. Kim (Hg.), *Values and Morals*, Dordrecht 1978, S. 47-71.

5 Vgl. John Rawls, *Eine Theorie der Gerechtigkeit*, Frankfurt/M. 1979, S. 479 ff.; kritisch dazu: Gerald Doppelt, »Rawls' System of Justice: A Critique from the Left«, in: *Nous*, Vol. 15/1981, S. 259-307.

6 Bei dieser Unterscheidung stütze ich mich natürlich auf: I. Berlin, »Two Concepts of Liberty«, in: ders., *Four Essays on Liberty*, Oxford 1975, S. 118 ff. Der Unterscheidung Berlins gebe ich freilich eine andere Wendung, indem ich sie im diskursethischen Rahmen fruchtbar zu machen versuche.

Wolfgang Kuhlmann
Moralität und Sittlichkeit

Ist die Idee einer letztbegründeten
normativen Ethik überhaupt sinnvoll?

Mit dem Begriffspaar »Moralität und Sittlichkeit« – es besteht aus
Begriffen, die in der Umgangssprache semantisch kaum unterschieden werden – zielt man in der Philosophie in aller Regel auf
ein Spannungsverhältnis zwischen zwei wichtigen, sich letztlich
ergänzenden, Aspekten des postkonventionellen ethischen Bewußtseins. Aristoteles in seinem Verhältnis zu Plato, Hegel in
seiner Auseinandersetzung vor allem mit der kantischen Moralphilosophie sind die Klassiker dieses Topos.[1] Sie haben das
Spannungsfeld paradigmatisch artikuliert und seine wesentlichen
Aspekte vor allem aus der Perspektive eines Anwalts der substantiellen Sittlichkeit gegen die – wie sie meinen – allzu rigorose,
realitätsferne Moralität auf den Begriff gebracht.

Die wichtigsten hier einschlägigen Gesichtspunkte sind bekanntlich: 1. Die rein philosophisch begründete Moralität sei eine
unrealistisch akademisch überspannte Angelegenheit. 2. Sie sei
wegen ihrer Leere und Formalität nutzlos und überflüssig. 3. Sie
suggeriere ein einseitiges und schiefes Bild vom ethischen Gesamtphänomen. 4. Sie sei wegen der für sie charakteristischen
Radikalität und Rigorosität anfällig für Dogmatismus, für den
Terror der Tugend, und daher nicht nur überflüssig, sondern
sogar gefährlich.

Im Sinne dieser Ideen wird seit einigen Jahren von einer Reihe
von Philosophen, die man in einem weiten Sinn als Neoaristoteliker bezeichnen könnte, zum einen ganz allgemein gegen die
vermeintlichen Anmaßungen der Diskursethiker argumentiert.[2]
Im Sinne dieser Ideen wird zum anderen speziell – und verständ-
licherweise mit besonderer Liebe und Aufmerksamkeit – gegen
die, wie es scheint, geradezu unverständliche Anmaßung der
transzendentalpragmatischen Variante der Diskursethik argumentiert, gegen den Anspruch nämlich, eine transzendentalphilosophische *Letzt*begründung für die normative Ethik zu liefern.[3]

In der Tat bietet ein Unternehmen mit einem derartigen Anspruch offenbar ein geradezu provozierend ideales Angriffsziel. Die vier eben erwähnten alt-ehrwürdigen Gesichtspunkte scheinen auf eine philosophische Ethik, deren Zentrum in dem Versuch besteht, bestimmte Grundnormen wirklich letztzubegründen, natürlich ganz besonders gut zu passen.

Die Idee transzendentalpragmatischer Letztbegründung ganz allgemein und insbesondere qua Letztbegründung normativer Ethik wird aber nicht nur von außerhalb der Diskursethik in Frage gestellt, sondern – und zwar aus durchaus vergleichbaren Gründen – auch von innerhalb, von hier anwesenden Vertretern der Diskursethik.[4]

Ich halte nun die Frage, ob die Idee einer letztbegründeten normativen Ethik sinnvoll ist oder nicht, für wichtig. Ich bin überzeugt davon, daß die Idee sinnvoll ist. Ich glaube sogar, daß die Idee einer Letztbegründung zum Begriff einer wohlverstandenen normativen Ethik, in der mit so etwas wie bindenden Verpflichtungen von Normensubjekten gerechnet werden soll, notwendig hinzugehört. Und ich möchte diesen Beitrag dazu verwenden, die wichtigsten Argumente, die sich für die Idee einer letztbegründeten normativen Ethik anführen lassen, noch einmal zusammenzustellen. – Dabei werde ich so vorgehen, daß ich zunächst die drei Hauptgründe, die m. E. für die Idee der Letztbegründung sprechen, vorstelle und der Reihe nach diskutiere und danach am Schluß des Vortrags noch kurz auf einige Standardeinwände gegen die hier vertretene Idee antworte.

Hier also die drei Hauptgründe. Für die Idee einer letztbegründeten normativen Ethik spricht 1. der ganz selbstverständliche, ja triviale Grund, daß es auch im Zusammenhang der Bemühung um normative Ethik wirklich etwas herauszubekommen gibt, daß wir auch in diesem Zusammenhang wirklich etwas wissen wollen, bzw. – anders gewendet – daß es auch hier ernst zu nehmende Skeptiker zu besiegen gibt. – Für die Idee spricht 2. daß der Verzicht auf Letztbegründung in einem derart hochstufigen Unternehmen, wie es eine normative Ethik gegenwärtig wohl nur sein kann, in einem Unternehmen, in dem es ohnehin nur um Maßstäbe und Kriterien für Normen, bzw. – noch indirekter – für die Handlungen, durch die Normen etabliert werden, geht, den Moralphilosophen in Selbstwidersprüche verwickeln würde. – Für die Idee spricht 3. daß normative Ethik, sofern sie sich nicht als bloße Klugheitsethik verstehen will, ein Alles-oder-Nichts-Unternehmen ist: Entweder man versucht eine Letztbegründung, oder man hat innerhalb dieser Ethik weder die Chance, jemals mit so etwas wie bindender Verpflichtung zu tun zu haben, noch auch nur die Möglichkeit sicherzustellen, daß es sich bei diesem Unternehmen überhaupt um normative Ethik handelt.

Damit zum *ersten Argument:* Auch im Zusammenhang der Bemühung um normative Ethik gilt, daß wir wirklich etwas herausbekommen, wirklich etwas wissen wollen, und dieses Interesse führt uns unausweichlich auf die Idee der Letztbegründung.

Denken wir uns, wir stünden vor einer für uns und andere äußerst wichtigen moralischen Entscheidung, einer Entscheidung, von der für uns und andere praktisch alles Weitere abhängen soll. In einer solchen Situation haben wir ein äußerst großes Interesse, die richtige Entscheidung (was immer das genau heißen mag) zu treffen, und wir unterstellen zugleich – damit die Philosophie überhaupt eine Chance hat, ins Spiel zu kommen – wir hätten verhältnismäßig sehr viel Zeit zum Überlegen. Was werden wir tun? – Ich denke, wir werden versuchen, in dieser Situation so sicher zu gehen, wie nur möglich, um ja nichts falsch zu machen. D. h. wir werden uns bemühen, alle irgend für die Entscheidung relevanten Faktoren zunächst zu unterscheiden und dann für sich und später in ihrem Zusammenspiel zu prüfen und zu kontrollieren. Wir werden dabei auch theoretisch-technische von normativen oder evaluativen Fragen trennen. Und wir werden schließlich bei der möglichst vorurteilslosen Sichtung und Prüfung der sich anbietenden normativen Prinzipien denjenigen den Vorzug geben, die sich am besten begründen lassen. Das aber sind nicht diejenigen, die nur im Rekurs auf selbst wieder begründungsfähige und -bedürftige Prämissen legitimiert werden, sondern die, bei denen die Begründungsversuche ein sinnvolles Ende finden. (Daß es derartige Normen gibt, ja geben muß, bzw. daß bestimmte Normen sich so aufdecken lassen, daß dabei zugleich klar wird: Ihre Geltung ist vor jedem möglichen Zweifel sicher, weil jeder Zweifel daran sich unmittelbar selbst zerstören müßte, ist bekanntlich die zentrale These der hier zu verteidigenden transzendentalpragmatischen Diskursethik oder auch Ethik der Kommunikation. Daß diese These wahr ist, wird hier, wo es nur um ihren praktischen Sinn, um ihre Relevanz und ihren Nutzen geht, vorausgesetzt. Freilich werden sich unten – durch das zweite und dritte Hauptargument – noch stützende Evidenzen dafür ergeben.)

Wir sind also interessiert an Handlungsorientierung, angesichts des Ernstes der Situation insbesondere an *sicherer* Handlungsorientierung, und wir geben dem Angebot den Vorzug, das wegen der Stärke seiner Begründung verspricht, so sicher oder gewiß wie nur möglich, das Richtige zu sein. Das heißt, in dieser Situation hat die Begründung und die Stärke der Begründung etwas mit der handlungsorientierenden Kraft einer Norm oder eines Prinzips zu tun.

So weit, so gut, dennoch ist folgender Einwand denkbar: Das ganze Bild sei falsch. In Wirklichkeit verhalte es sich gar nicht so, daß wir in einer derartigen Situation mit einer ganzen Reihe von prima facie gleichberechtigten konkurrierenden Kandidaten zu tun haben, welche wir dann vorurteilslos ausschließlich mit Blick auf die Qualität ihrer möglichst zirkel- und lückenlosen Begründungen hin prüfen. In Wirklichkeit sei es vielmehr so, daß wir immer schon ziemlich genau wissen, was hier das normativ Richtige ist, ja es müsse sogar so sein, daß wir es immer schon wissen. Philosophische Ethik könne doch sinnvoll nicht wesentlich anders vorgestellt werden, denn als Rekonstruktion unserer vor aller Philosophie selbstverständlich immer schon vorhandenen und im übrigen auch vor aller Philosophie immer schon jedermann zugetrauten, ja zugemuteten moralischen Alltagsintuitionen. Würde die normative Ethik sich anders verstehen, dann würde sie zu Recht von dem bekannten Vorwurf betroffen, daß es in ihr darum gehe, daß Philosophen sich anmaßten, zu versuchen, anderen Personen vorzuschreiben, was sie zu tun oder zu lassen hätten, bzw. – der Einwand ist etwas schwächer – daß die Philosophie hier den Versuch machte, etwas, das an sich jedermann zugetraut und zugemutet werden könne, als besondere, hermetische, nur Spezialisten wirklich zugängliche Fachdisziplin für sich zu reklamieren. – Den Gegeneinwand, der sich hier dem Verteidiger von Begründung und Letztbegründung aufdrängen könnte, nämlich der Hinweis darauf, daß es doch schließlich nicht wenige Moralskeptiker gebe, gegen die die vom Opponenten ja hier als durchaus verbindlich zugestandene Moral nur mit Argumenten, d. h. Begründung und vielleicht Letztbegründung, verteidigt werden könne, wird der Opponent abweisen mit der Bemerkung: In nennenswertem Umfang fänden sich Moralskeptiker nur im Umkreis von philosophischen Instituten. Sie geben sich normalerweise als solche Skeptiker nur in Situationen zu erkennen, in denen ihre Skepsis nicht *praktisch* auf die Probe gestellt werde. Selbst bei relativ ernstzunehmenden Vertretern dieser Spezies führe die Skepsis in der Regel nur zu theoretischen Folgen, zu Folgen auf der Ebene der philosophischen Rekonstruktion. Auf der Ebene der Praxis dagegen werde üblicherweise das cartesische Rezept von der provisorischen Moral übernommen. Dies alles aber – so unser Opponent – lege es nahe zu denken: Es gibt hier weder für wirkliche Skepsis noch für Begründung und daher schon gar nicht für Letztbegründung eine legitime Rolle.

Aber – so könnten wir jetzt fragen – ist mit alledem das Verhältnis zwischen vorphilosophischer Sittlichkeit (mitsamt den zugehörigen Alltagsintuitionen) einerseits und philosophischer Darstellung dieses Moralbewußtseins andererseits und sind weiter dementsprechend Aufgabe und Funktion philosophischer Rekonstruktion überhaupt richtig getroffen? Schärfer gefragt: Besteht zwischen Sittlichkeit und philosophischer Rekonstruktion tatsächlich *nur* das Verhältnis zwischen nachträglicher Abbildung und dem Abgebildeten selbst, welches schon vor aller Abbildung und unabhängig von dieser fertig da und auch wirksam ist, derart nämlich, daß philosophische Begründungsversuche hier witzlos und überflüssig sind, philosophische Skepsis unernst und leer ist, weil alle Operationen auf der Ebene des nachträglichen reflexiven Wissens die ruhige Sicherheit der vorphilosophischen Intuitionen ohnehin nicht tangieren können?

Ich denke, dies zweite Bild ist sicher nicht besser, nicht weniger einseitig als unser erstes. Es ist wenig plausibel, daß zwischen vorphilosophischer Sittlichkeit und philosophischer Rekonstruktion – also einer normativen Ethik – nur die *eine* Beziehung, die genannt wurde, besteht, die zwischen einer nachträglichen Repräsentation und dem unabhängig davon schon existierenden Vorbild. Dagegen spricht z. B. – ich gebe nur stichwortartige Hinweise –, 1. daß man im Zusammenhang moralischer Überlegungen zwischen moral*philosophischen* Überlegungen zur Begründung von normativen Vorstellungen und einfachen moralischen Intuitionen gar nicht ohne weiteres scharf unterscheiden kann, 2. daß langdauernde Herrschaft philosophischer Skepsis ebenso wie die ihres Gegenteils langfristig sehr wohl die faktische

Wirksamkeit der vortheoretischen Alltagsintuitionen beeinflussen kann (und sei es nur in dem Sinn, daß moralische Alltagsintui-6tionen als irreduzible Privatsachen angesehen werden). Dagegen spricht 3. daß die Evolution des moralischen Bewußtseins – wie sie etwa bei Kohlberg, Piaget und im Anschluß daran bei Habermas und Apel rekonstruiert wird[5] – phylogenetisch kaum ohne Beteiligung des expliziten, rekonstruktiven Wissens von den vortheoretischen Intuitionen gedacht werden kann. Dies explizite Wissen (etwa von inneren Grenzen und zu überwindenden Beschränkungen der jeweils früheren Stadien, das die Evolution wesentlich weitertreiben half) ist nicht immer schon *philosophisches* Wissen.

Ich behaupte daher, es muß über die einsinnige Abbildungsbeziehung hinaus ein Wechselwirkungsverhältnis angenommen werden. Hier mag zwar insgesamt das vortheoretische moralische Wissen das Übergewicht haben. Andererseits aber muß eingeräumt werden, daß die Wirksamkeit des vortheoretischen Wissens durch eine durchsichtig klärende und systematische Rekonstruktion ebenso gestärkt werden kann (Kant spricht hier von der Unschuld, die auf diese Weise vor Verführung bewahrt werden könne[6]), wie es durch skeptische Widerlegungen oder Rekonstruktionsversuche geschwächt, ja sogar neutralisiert werden kann. – Es sind hier übrigens seit Kant, der ja das Moralprinzip nicht wirklich begründete, sondern die bloße Aufdeckung desselben als eines Faktums (per Anamnesis) schon als hinreichend ansah, wichtige neue Gesichtspunkte ins Spiel gekommen, die unsere These stützen, Gesichtspunkte, die die Möglichkeit nichttrivialer Irrtümer bei der expliziten Inbesitznahme des per know how immer schon Gewußten plausibel machen, ja sogar die Möglichkeit grundsätzlicher systematischer Selbsttäuschung. Ich denke vor allem an die postkantischen Disziplinen Ideologiekritik und Psychoanalyse, aber auch an bestimmte Spielarten radikaler Sprachkritik (z. B. R. Rortys »eliminativer Materialismus«[7]), deren Auswirkungen auf Teile gegenwärtiger Moral- und Handlungsphilosophie man z. B. bei Pothast studieren kann.[8] Von diesen Gesichtspunkten her erscheint der einfache Rekurs auf moralische Intuitionen und das dazu gehörige Sprachspiel (zentriert etwa um die Begriffe »Verbindlichkeit«, »Freiheit« und »Verantwortlichkeit«) als etwas, das relativ leicht und gründlich der Naivität überführt werden könnte.

Kann man aber als Moralphilosoph allenfalls mit einem derart komplizierten Verhältnis zwischen Alltagsintuitionen und philosophischer Rekonstruktion rechnen, dann darf die Moralskepsis nicht mehr ohne weiteres als absurd, ohnmächtig und leer angesehen werden.[9] Es reicht dann nicht aus, den Skeptiker en bloc durch globale Hinweise auf seine Eingebundenheit in die an sich intakte Lebenswelt und die dazu gehörigen Sprachspiele abzufertigen.[10] Dieser kann dann schon spezielle Argumente zu seinem je bestimmten Zweifel verlangen. Entsprechend darf dann auch die Bemühung um Normenbegründung, ja – angesichts der Möglichkeit und Realität von Moralskepsis (die ja oft nur als bloße Klugheitsethik oder als schlechter Pragmatismus verkleidet auftritt) – die Bemühung um Normenletztbegründung, nicht mehr als witzlos und überflüssig angesehen werden. Sie sollte vielmehr als sinnvoll und unerläßlich für eine normative Ethik begriffen werden.

Ja wir können sogar, ohne überschwenglich zu sein, mit einer gewissen praktischen Relevanz erfolgreicher Normen*letzt*begründung für die Lebenswelt rechnen. (Wie gesagt: Ich unterstelle hier, wo es nur um Sinn und Relevanz von Letztbegründung geht, daß sie möglich ist.) Diese praktische Relevanz wird sicher nicht darin bestehen, daß bestimmte inhaltliche Regeln oder Normen nun besonders unverbrüchliche soziale Geltung erlangen. Vernünftigerweise erwarten läßt sich vielmehr folgendes: Der durchsichtige Nachweis, daß sich bestimmte normative Prinzipien so begründen lassen, daß sich die sich normalerweise sinnvoll immer erneut stellende Frage nach der Begründung der je letzten Begründung sinnvoll an einem bestimmten Punkt abweisen läßt, ein solcher Nachweis könnte in the long run durchaus eine Klimaveränderung bei der Diskussion praktischer Fragen bewirken, derart, daß dann nicht mehr, wie heute weithin üblich, ganz selbstverständlich als die allein mögliche letzte Auskunft ein »Hier stehe ich und kann nicht anders« unterstellt wird. Soviel zum ersten Punkt.

Wir kommen zum *zweiten Argument.* Es betrifft nicht mehr Sinn und Recht von Begründung allgemein – inklusive Letztbegründung – sondern spezifisch nur noch den von *Letzt*begründung. Es richtet sich an diejenigen, die Möglichkeit und Sinn rationaler Argumentation über Fragen normativer Richtigkeit zugeben, die zugleich aber Möglichkeit und Sinn des Versuchs, normative

Ethik letztzubegründen bestreiten. Die These lautet: Wer die Möglichkeit sinnvoller Argumentation in Richtigkeitsfragen behauptet und zugleich erklärt, es sei witzlos und aussichtslos, eine Letztbegründung normativer Ethik zu versuchen, der widerspricht sich selbst. Die Unterstellung, daß ein solcher Versuch nützlich, sinnvoll und aussichtsreich ist, gehört zu den Voraussetzungen sinnvoller Argumentation in Richtigkeitsfragen.

Mit dieser These stellen wir den Opponenten vor folgende Alternative: Entweder muß er den Sinn von Letztbegründung in der Ethik zugeben, oder er muß überhaupt die Möglichkeit rationaler Argumentation in der Ethik bestreiten. (Entscheidet er sich für die zweite Alternative, dann müßte er z. B. auch zeigen, daß sein Versuch, diese Möglichkeit zu bestreiten, nicht selbst als Argument über (Grund-)Fragen normativer Ethik gezählt werden kann. Anderenfalls liefe er Gefahr, sich selbst durch die Tat zu widerlegen.)

Das Argument hat folgende Form:

1. Wer die Möglichkeit sinnvoller, rationaler Argumentation über Richtigkeitsfragen behauptet, d. h. die Möglichkeit, vernünftige Gründe und Gegengründe dazu vorzubringen und so die Einsicht über derartige Fragen zu befördern, der muß auch zugeben, daß sich im Prinzip hier Gründe und Gegengründe vorbringen lassen, denen jedes vernünftige Wesen qua vernünftiges Wesen zustimmen müßte. Gibt er das nicht zu, so sagt er, daß es kein Argument geben kann, das wirklich die Einsicht in Richtigkeitsfragen fördern würde. Er müßte ja von jedem Argument glauben, daß sich letztlich – wenn man lange genug suchen würde – ein Opponent finden ließe, der es mit triftigen Gegengründen entwertet. Im Ernst könnte er also dann gerade nicht die Möglichkeit sinnvoller, im Prinzip fortschrittsfähiger Argumentation behaupten. – Er kann aber nur glauben, daß sich hier im Prinzip Argumente vorbringen lassen, denen jeder (in dem hier relevanten Sinn) zustimmen müßte, wenn er zugleich unterstellt, es gibt hier letzte Maßstäbe oder Kriterien der Geltung, ferner Verfahren, diese ins Spiel zu bringen, kurz: letzte Regeln der Geltungskonstitution[11], die *alle* vernünftigen Wesen (gemeinsam) immer schon anerkannt haben und bei Zustimmung oder Widerspruch zu einem Vorschlag ins Spiel bringen, auf die sie sich stützen oder berufen. Unterstellt er das nicht, so könnte die geforderte allgemeine Zustimmung nur zufällige allgemeine Zu-

stimmung aus ganz verschiedenen Gründen[12] sein und wäre darum hier ganz wertlos. – Nun sind diese Maßstäbe und Kriterien (mit deren Hilfe wir im Zusammenhang des praktischen Diskurses z. B. die [relative] Richtigkeit von inhaltlichen Vorschlägen bewerten, aber auch die Chancen von Verfahren [in the long run wenigstens], das wirklich Richtige treffen zu helfen) nichts anderes als gerade die Prinzipien oder Metanormen, für die sich der zur Letztbegründung entschlossene normative Ethiker überhaupt nur interessiert. Die für den normativen Ethiker entscheidenden fundamentalsten Normen oder Metanormen stellen gerade das Zentrum der für den praktischen Diskurs zuständigen Regeln der Geltungskonstitution dar. – Es folgt: Wer die Möglichkeit sinnvoller Argumentation in praktischen Fragen einräumt, der muß auch zugeben, daß es sinnvoll und nützlich ist, die von jedem vernünftigen Wesen qua vernünftigem Wesen immer schon anerkannten, für alle identischen und den praktischen Diskurs tragenden letzten Normen explizit als solche anzugeben, zu identifizieren, aufzudecken, und das wäre dann Letztbegründung einer normativen Ethik.[13] Er muß dies zugeben, denn daß derartige Normen existieren, hat er eben einräumen müssen, und daß es – wenn es sie gibt – sinnvoll und nützlich ist, sie explizit anzugeben und sich so in die Lage zu versetzen, ihre Rolle und Wirkung in der Argumentation vollständig zu durchschauen und zu kontrollieren, das kann er als notorischer Freund des praktischen Diskurses (Diskurs ist ja nichts anderes als explizite Prüfung und Kontrolle von Ansprüchen) nicht mehr abstreiten.

2. Nehmen wir nun an, unser Opponent stimmte dem Bisherigen zu. Dann kann er aber immer noch einwenden, daß mit alledem nur ein relativ uninteressanter Begriff von Normenletztbegründung verteidigt worden sei. Letztbegründung werde hier verstanden als so etwas wie Bemühung um Wissen von etwas »Letztem«, um Wissen auf höchster Stufe.[14] Derartiges aber sei im Zusammenhang von Normenbegründung, wo man sich traditioneller- und üblicherweise ohnehin vor allem um die Begründung von Grundnormen kümmere, eher trivial, und dies sei auch nicht die von ihm gemeinte Bedeutung des Wortes. Er bestreite nicht den Sinn der Bemühung um Grundnormen, sondern den Sinn des Versuchs, durch Letztbegründung nicht nur relative Gewißheit hinsichtlich der Geltung von Normen zu gewinnen bzw. zu

vergrößern, sondern absolute Sicherheit, absolute Gewißheit, wirkliches Wissen. Er behaupte, sicheres Wissen zu erwerben von den erwähnten allgemein anerkannten, den praktischen Diskurs tragenden Prinzipien, welche freilich nicht einfach auf der Hand lägen und daher allererst explizit in Besitz zu nehmen, zu rekonstruieren seien, sei nicht möglich, der Versuch dazu daher witzlos. Die Geschichte der Philosophie, die Geschichte des wechselvollen Geschicks des großen Rekonstruktionsversuchs der Vernunft durch sich selbst, liefere dazu unübersehbare Gegenevidenzen. Er füge hinzu, es sei falsch anzunehmen, daß rationale Argumentation ohne die Möglichkeit des Rekurses auf absolute Gewißheit unmöglich sei. Man brauche zu dergleichen nur relative Gewißheit und Differenzen hinsichtlich dieser relativen Gewißheit.

Der Einwand macht in der Tat eine Ergänzung des Arguments erforderlich. Wir behaupten daher zusätzlich: Wer zugibt, sinnvolle Argumentation in praktischen Fragen sei möglich, der muß nicht nur zugestehen, daß sachlich fördernde Argumente möglich sind und es daher auch gemeinsam anerkannte letzte Maßstäbe und Kriterien geben muß, sondern auch dies, daß wir diese letzten Kriterien und Maßstäbe, die wir immer schon anerkannt haben und auf die wir uns im praktischen Diskurs stützen, auch wirklich wissen können, ja in gewissem Sinn immer schon wissen.

Wer zugibt, sinnvolle Argumentation in praktischen Fragen sei möglich, der kann und sollte zwar immer noch vorsichtig und bescheiden mit seinen Ansprüchen sein, aber er muß auch vorsichtig mit seiner Vorsicht und seiner Bescheidenheit sein. Unser Opponent möchte sagen: Wir haben kein Wissen, wir haben die Wahrheit oder das Richtige noch nicht, wir sind allenfalls auf dem Weg dahin. Nach seiner Anfangskonzession kann er aber nun nicht mehr gut bestreiten, daß doch wenigstens dies feststeht, daß wir mindestens auf dem richtigen Weg sind zu Wahrheit und Richtigkeit, daß wir die richtige Richtung dahin kennen, wirklich wissen können. Dies aber impliziert, daß wir im Prinzip wissen können müssen, daß z. B. ein bestimmtes Argument schlechter ist als ein anderes, ein bestimmtes Verfahren zur Förderung der Sache besser ist als ein anderes, was seinerseits enthält, daß wir die erwähnten Maßstäbe und Kriterien, d. h. die letzten normativen Prinzipien des praktischen Diskurses, wirklich zu kennen in der

Lage sein müssen. Wenn wir nicht wissen können, ob wir in der richtigen (für die Sache des praktischen Diskurses förderlichen) Richtung arbeiten, dann ist ausgeschlossen, daß wir irgendwann einmal etwas über die richtige Richtung erfahren können. Denn wenn wir uns – etwa mit Blick auf faktisch existierende Kontroversen auf der Ebene der Methodologien und Argumentationstheorie – auch hier vorsichtigerweise kein endgültiges Wissen, sondern nur verbesserungsfähige, vorläufige Meinungen zutrauen wollen, dann würden wir diesen erbarmungswürdigen Zustand nie transzendieren können. Damit wir uns in die richtige Richtung, nämlich in Richtung auf die wirklichen Fortschritt ermöglichenden Maßstäbe und Kriterien fortbewegen können, müßten wir ja gerade das schon haben, was wir so erst erwerben wollen. Wenn wir uns hier kein Wissen zutrauen, dann werden wir nie welches erreichen können. Alle Vorsicht, alle Bescheidenheit ist unter diesen absurden Voraussetzungen völlig witzlos geworden.

3. Man kann den Widerspruch, dem unser Opponent zum Opfer fällt, auch noch etwas anders beleuchten. Unser Opponent möchte einerseits daran festhalten, daß rationale Argumentation in praktischen Fragen sinnvoll ist, andererseits – als redlicher Denker – so vorsichtig wie möglich sein und auf keinen Fall mehr versprechen oder erwarten, als nach seiner Ansicht vertretbar. Daher bekennt er sich zum radikalen oder konsequenten Fallibilismus (auch in praktischen Fragen). Fallibilist möchte er vor allem sein mit Bezug auf die Möglichkeit von Normenbegründung oder gar Letztbegründung, d. h. insbesondere mit Bezug auf die letzten Normen oder Metanormen. – Jedoch diese Vorsicht ist überdreht und zerstört sich selbst: Unsere Ansichten über diese letzten Maßstäbe und Kriterien, die den praktischen Diskurs tragen, können wir nicht sinnvoll für bloß vorläufig oder fallibel halten, weil *sie* es sind, von denen es abhängt, was »scheitern« und »standhalten« und entsprechend was »fallibel« und »bloß vorläufig« im praktischen Diskurs überhaupt heißen kann. Wenn wir sie fallibel nennen wollten, müßten wir zugleich zugeben, wir wüßten gar nicht wirklich, was wir damit meinen, wir vermuteten nur, daß die Ausdrücke, mit denen wir unsere Vorsicht zu artikulieren suchen, die und die Bedeutung haben, was offenbar absurd ist.[15]

Es folgt aus alledem: Wer die Möglichkeit sinnvoller, die Sache

wirklich fördernder Argumentation in praktischen Fragen einge-
steht, der muß nicht nur zugeben, daß es die erwähnten Normen
und Metanormen wirklich gibt, sondern auch, daß wirkliches
Wissen von diesen Normen möglich ist, daß der Versuch, diese
Normen eigens zu identifizieren, aufzudecken, explizit anzueignen, zu wirklichem Wissen führen kann. Damit aber ist die
Möglichkeit von Letztbegründung in einem nichttrivialen Sinn
zugestanden.

Man sieht im übrigen leicht, daß das Argument nicht davon
abhängt, daß es hier um Argumentation in praktischen Fragen
geht. Es gilt genauso für den theoretischen Diskurs, und daher
können wir auch folgende These vertreten: Wer überhaupt die
Möglichkeit sinnvoller Argumentation über theoretische Fragen
zugibt – das sind offenbar weit mehr als diejenigen, die den Sinn
des praktischen Diskurses einräumen, de facto sind das wohl die
meisten Philosophen –, der widerspricht sich selbst, wenn er Sinn
und Möglichkeit philosophischer Letztbegründung bestreitet,
d. h. Sinn und Möglichkeit des Nachweises, daß bestimmte Aussagen, in denen insbesondere fundamentale Kriterien und Maßstäbe theoretischer Argumentation artikuliert werden, absolut
sicher gelten. Er selbst muß ja solche Aussagen als wahr unterstellen, wenn er – (unvermeidlich) im Sinne dieser Kriterien und
Maßstäbe – vorsichtig und vernünftig sein will. (Daraus folgt
übrigens, daß der transzendentalpragmatische Letztbegründer –
Letztbegründung ist ja mindestens ein Kernstück der Transzendentalpragmatik – zwei Pfeile in seinem Köcher hat. Einmal das
Argument, daß Letztbegründung möglich und sinnvoll sein muß,
und zum anderen die Durchführung des Letztbegründungsargu-
ments selbst. Dies wiederum erleichtert die Aufgabe des Tran-
szendentalpragmatikers sehr, denn es hängt dann nicht das ganze
Gewicht an der je faktischen Durchführung des Letztbegrün-
dungsprogramms selbst.)

Wir wollen die Pointe des zweiten Arguments noch kurz an
einem Beispiel illustrieren. Die Kritischen Rationalisten gehören
gewiß nicht zu den Freunden und Förderern reflexiver Letztbegründung; sie halten die Idee vielmehr bekanntlich für vollständig
absurd. Zugleich aber behaupten sie, man könne über Fragen
normativer Richtigkeit durchaus rational und sinnvoll argumentieren. Nämlich so: Vorschläge für Normen oder normative
Prinzipien können auf ihre Richtigkeit hin geprüft werden, indem

man die Konsequenzen prüft, die sich ergeben würden, wenn man diese Normen tatsächlich in Kraft setzte, indem man also ihre Konsequenzen bewertet.[16] – Ersichtlich kann der Anspruch, hier werde rational über die Richtigkeit von Normen argumentiert, nur aufrechterhalten werden, wenn die Maßstäbe zur Bewertung der Konsequenzen gewisse Bedingungen erfüllen. Wenn die Maßstäbe völlig irrational sind, oder man sich absehbar niemals über sie einigen kann, dann dürfte die These von der Möglichkeit rationaler Argumentation nur schwer zu verteidigen sein. Kann man irgendwie sicherstellen, daß die Maßstäbe diese Bedingung erfüllen? Es gibt nur ein Verfahren, das der Kritische Rationalismus vorsieht, nämlich das geschilderte. D. h. es ist möglich, auch die Maßstäbe nach diesem Verfahren zu testen. Freilich kann man das nur um den Preis, daß die jeweils letzten Maßstäbe, von denen alles abhängt, undiskutiert bleiben. Der letzte und wichtigste Maßstab ist undiskutierbar, und insofern kann die Argumentation, die von diesem Maßstab abhängt, kaum dem Begriff kritischer Prüfung genügen. Ob man hier von rationaler Argumentation reden wird, wird davon abhängen, ob man den Maßstab als rational ansehen wird.

Ist nun dieser Defekt ohne Rekurs auf Letztbegründung, ohne Rekurs auf so etwas wie wirkliches Wissen zu heilen? Es ist leicht zu sehen, daß das unmöglich ist. Der hier relevante Aspekt der Grundidee des Kritischen Rationalismus läßt sich folgendermaßen formulieren: »Wenn dieses M das Richtige, der Maßstab ist, dann haben wir das Problem, ob dieser Normenvorschlag N eine richtige Norm enthält, und zwar richtig im Sinn von M.« Das heißt, wir haben das Problem, das die Idee der kritischen Prüfung nahelegt, nur, wenn wir den Maßstab haben, den Maßstab kennen. Wenn wir den Maßstab nur *vielleicht* kennen, so haben wir nur vielleicht dieses Problem. Aber natürlich hängt der Sinn dieses »vielleicht« daran, daß wir Maßstäbe kennen (wirklich wissen), bei denen wir *nur* nicht wissen, ob sie, die wir kennen oder wissen, in diesem Fall erfüllt sind oder nicht. Wenn wir nichts (wirklich) wissen bzw. erklären, nichts wirklich zu wissen, dann können wir auch überhaupt kein Problem haben oder beanspruchen, ein Problem zu haben. Dann ist die Idee der kritischen Prüfung ebenso wie die Idee rationaler Argumentation witzlos.

Wir gehen über zum *dritten Argument*. Anders als die vorigen ist dieses Argument ganz spezifisch ein Argument zum Problem der Letztbegründung *normativer Ethik*. Die These, die vertreten werden soll, lautet: Normative Ethik ist etwas, das aufs Ganze gehen muß, normative Ethik ist ein Alles-oder-Nichts-Unternehmen. Wer es für sinn- und/oder aussichtslos hält, ethische Normen wirklich letztzubegründen, der sollte auch zugeben, daß er die Existenz von wirklich bindenden Verpflichtungen für nicht nachweisbar hält. Dies aber würde implizieren, daß der Versuch, mit Argumenten zu zeigen, daß z. B. die verbrecherischen Handlungen der Nazis wirklich verboten waren, daß man mit Recht von den Nazis ihre Unterlassung verlangen konnte, grundsätzlich aussichtslos ist. Ich halte ein solches Resultat für kontraintuitiv und würde darin außerdem eine Katastrophe für die philosophische Ethik sehen.

Freilich darf man bei diesen vielleicht provozierend klingenden Thesen nie vergessen, was überhaupt nur als Kandidat für eine mögliche philosophische Letztbegründung in Frage kommt. Es sind keine inhaltlichen Normen, insbesondere keine Normen, die sich auf bestimmte Handlungstypen beziehen (wie z. B. bei den Zehn Geboten). Es geht nur um die Begründung von Metanormen, von Kriterien für Normen, also um sehr formale, zugleich aber auch sehr fundamentale präskriptive Sätze.

Das Argument ist einfach: Wenn Letztbegründung für nicht möglich und/oder nicht sinnvoll gehalten wird, dann bleibt für den, der überhaupt über die Richtigkeit von Normen argumentiert, nur die bedingte Begründung, eine Begründung also relativ auf selbst nicht begründete oder begründbare Prämissen, denen zuzustimmen man andere gerade nicht rational motivieren kann, denen aber die präskriptive Kraft der je begründeten Norm entlehnt werden muß. Dieser Sachverhalt, der analytisch aus der Negierung von Letztbegründung folgt, hat für das Programm einer normativen Ethik eine ganze Reihe von – wie mir scheint – absolut destruktiven Konsequenzen.

Denn:

1. Alles, was in einem solchen Unternehmen erreichbar ist, hat den Status von bloß hypothetischen Imperativen. Kategorische Imperative sind unerreichbar.

2. Die durch Begründung gesicherte Geltung von Normen ist hier keine intersubjektive Geltung. Zustimmen muß nur (zum für den normativen Gehalt entscheidenden Nachsatz aus dem hypo-

thetischen Imperativ), wer den Vordersatz schon anerkannt hat, wozu er freilich durch Argumente nicht gebracht werden kann. Damit wird unsere durch Kant zuerst und vorbildlich herausgearbeitete[17] moralische Grundintuition verfehlt, nach der das spezifisch Moralische, das spezifisch Sittliche gerade im streng intersubjektiv Gültigen, im schlechthin ausnahmslos allgemein Verbindlichen liegt. Daraus folgt:

3. Wer nur bedingte Begründungen für sinnvoll hält und daher strenge Intersubjektivität als Ziel gar nicht mehr ins Auge fassen kann, rechnet von vornherein damit, daß er nicht alle potentiellen Adressaten überzeugen kann, daß nicht jeder Adressat den Vordersatz anerkennen wird. Er muß damit rechnen, daß es Fälle geben wird, wie sie z. B. bei Hare auftreten, der in seiner (auf der sog. Goldenen Regel beruhenden) Konzeption mit dem Fanatiker nicht fertigwerden kann, welcher etwa als Nazifunktionär bereit wäre, die Nazigesetze in aller Härte auch auf sich selbst anzuwenden, wenn sich – wider Erwarten – herausstellen würde, daß seine eigene Großmutter Jüdin war.[18] Daß aber eine solche Ausnahme vorkommt, ja, daß mit derartigen Ausnahmen von Anfang an zu rechnen ist, ist aber nun kein bloßer Schönheitsfehler, der das insgesamt untadelige Bild nur an der äußersten Peripherie ein klein wenig beeinträchtigt. Es ist in Wirklichkeit eine Katastrophe. Der Nazi hat in und nach der Konzeption von Hare ja recht! Wenn, wie dort vorgesehen, bestimmte Normen, die der Moralphilosoph begründen möchte, von bestimmten Subjekten (oder bestimmten Subjekten in bestimmten Situationen) nicht anerkannt werden müssen, und zwar gemäß den Regeln dieser normativen Ethik, dann sind diese Subjekte ja dazu *legitimiert*, gegen diese Normen zu verstoßen. Man kann dem Nazi also gar keine Vorwürfe mehr machen. Das heißt aber; wenn – wie von Hare vorgesehen – das ›normale‹ Normensubjekt und die Ausnahme, der Fanatiker, zugleich recht haben, dann hat in Wirklichkeit keiner recht. Wer strenge Intersubjektivität in der normativen Ethik gar nicht als Ziel anstrebt, der kann letztlich an den Unterschied zwischen »richtig« und »falsch« nicht glauben.

4. Es kann im Rahmen eines solchen Unternehmens durch Argumente nicht einmal sichergestellt werden, daß es sich bei den jeweils begründeten Normen überhaupt um wirklich ethische oder moralische Normen handelt. Wir haben die Gründe soeben und oben bei der Diskussion der Vorschläge der Kritischen

Rationalisten zum praktischen Diskurs kennengelernt: Wenn die jeweils letzte Norm, der letzte Maßstab (der letzte Quell aller normativen oder präskriptiven Kraft) undiskutiert bleiben muß, dann kann man im Ernst nicht mehr dafür sorgen, daß es sich dabei um eine wirklich moralische Norm handelt.

5. Genaugenommen sind unter den genannten Voraussetzungen sogar ausschließlich theoretisch-deskriptive Aussagen der Begründung fähig, nämlich die Wenn-dann-Sätze, die den hypothetischen Imperativen zugrunde liegen. Alles Präskriptive fällt aus der Argumentation heraus, wird durch die Argumente überhaupt nicht tangiert. Denn wer sich bei bedingten Begründungen bescheidet, *begründet* nicht präskriptive Sätze, sondern *expliziert* allenfalls den Sinn von – ohne Argumentation vorausgesetzten – präskriptiven Prämissen.

Soweit das Argument. Zur Erläuterung noch zwei Punkte:

a) Man könnte zu bedenken geben: Wer Letztbegründung für sinnlos hält, der rechne ja nicht mit bestimmten Prämissen, an die man ein für allemal gebunden bleibe und auf die jeweils relativiert werden könne, sondern eher mit verschiebbaren Grenzen der Argumentation. Man sei immer auf dem Weg – und durchaus auch zum kategorischen Imperativ –, aber nie angekommen, wie die Letztbegründer irgendwann einmal von sich glauben müssen. Man sei nur vorsichtig und bescheiden. Die Antwort darauf kann nur heißen: Das ändert nichts. Wenn man Letztbegründung von vornherein für sinn- oder aussichtslos hält und darum im Ernst gar nicht mehr anstrebt, dann gibt man damit eben zu, daß eine genaue Analyse der je faktischen und sogar der optimal möglichen Begründungen auf genau die Verhältnisse stoßen wird, die eben vorgestellt wurden.

b) Wichtiger ist dieser Einwand: Jetzt sei doch praktisch alles zurückgenommen worden, was oben (bei der Diskussion des ersten Hauptarguments) über das Recht und das relative Gewicht der eingelebten substantiellen Sittlichkeit, der vortheoretischen Alltagsintuitionen gesagt wurde. Jetzt werde doch praktisch alles Normative auf eine wenig überzeugende, überspannte Weise von esoterischen philosophischen Letztbegründungsbemühungen abhängig gemacht. – Dazu können wir auf folgendes hinweisen. Erstens: Wir handeln gegenwärtig ohnehin nur über philosophische normative Ethik, über philosophische Argumentation zu Richtigkeitsfragen. Daß im Alltag Zweifel an der Richtigkeit einer Handlungsweise, einer Norm, eines Prinzips anders behoben werden, nämlich so, daß man sich in relativ wenigen Schritten auf die nächsten geteilten moralischen Intuitionen zurückzieht und gerade nicht einen Letztbegründungsversuch anfängt, ist klar und wird selbstverständlich zugestanden. Zweitens: Unsere These ist nur: Wenn man – was nach dem ersten Argument legitim und sinnvoll ist – sich erst einmal auf grundsätzliche und systematische Reflexionen über Richtigkeitsfragen eingelassen hat, dann gibt es kein Halten mehr bei bedingten Begründungen. Bescheidenheit ist hier destruktiv. Dann ist es auch unmöglich, aus der philosophischen Argumentation auszusteigen und sich unmittelbar auf vortheoretische Intuionen zu berufen, und zwar weder auf einzelne noch global auf so etwas wie die funktionierende Lebenswelt im Ganzen oder das Insgesamt intakter Moralintuitionen.[19] Vortheoretische Intuitionen kommen dann legitim *nur* noch als kritisch rekonstruierte bzw. zu rekonstruierende ins Spiel. Denken wir an einen Philosophen wie Hare, der feststellt, mit seinem Argument erreicht er den Fanatiker nicht, was ein zweifellos unerwünschtes Resultat ist. Es ist in einer solchen Situation keine Lösung, sich jetzt unmittelbar auf die Alltagsintuitionen zu berufen. Damit würde man nur aus der Rolle fallen und zugleich global alle systematischen Argumente entwerten, die einen bis an den hier in Frage stehenden Punkt geführt haben. Möglich ist an dieser Stelle nur noch dies: bessere Argumente zu finden. Bei dem Versuch dazu dienen natürlich vortheoretische Intuitionen als Hinweis, aber sie sind auch nicht mehr. – Drittens: Im Lichte des Gesagten könnte man sich außerdem fragen, von welcher Position aus man überhaupt Sittlichkeit gegen Moralität so ausspielen kann, wie das in diesem Einwand eigentlich beabsichtigt war. Prima facie mag es so aussehen, als könne man in Geltungsfragen von einer Position außerhalb die wohlgerundete Sittlichkeit gegen die esoterisch überspannte Moralität ausspielen. Auf den zweiten Blick wird klar, daß derjenige, der das versucht, dies tut als jemand, der sich bereits auf verhältnismäßig grundsätzliche und nur in einem regelrechten Diskurs auflösbare Geltungsprobleme eingelassen hat. Das heißt, die Außenperspektive auf die (vom Diskurs abhängige) Moralität ist nur Schein. – Hier haben wir übrigens ein Beispiel dafür, was mit dem (für die Transzendentalpragmatik so zentralen) Ausdruck »Unhintergehbarkeit der Argumentationssituation« gemeint ist.

Dies sind also die drei Hauptargumente für die Idee einer letztbegründeten normativen Ethik. Das *erste* zeigt, daß auch die Auffassung von normativer Ethik als Rekonstruktion vortheoretischer moralischer Intuitionen Raum läßt für Argumentation, für Skepsis, für Begründung und Letztbegründung; das *zweite*, daß wer sich auf Argumentation in Richtigkeitsfragen einläßt, den Sinn von Letztbegründung normativer Ethik nur um den Preis von Selbstwidersprüchen bestreiten kann; das *dritte,* daß der Sinn normativer Ethik qua eines Alles-oder-Nichts-Unternehmens an der Möglichkeit von Letztbegründung hängt.

Von den eingangs aufgezählten Standardeinwänden aus dem Umkreis des Topos »Moralität versus Sittlichkeit« (die hier aufgefaßt wurden als gerichtet gegen die spezielle transzendentalpragmatische Variante letztbegründeter Moralität), den Einwänden: Philosophische Letztbegründung normativer Ethik sei 1. ein unrealistisch akademisch überspanntes Unterfangen, sie sei 2. wegen der Leere und Formalität ihrer Ergebnisse nutzlos und überflüssig, 3. sie suggeriere ein einseitiges, schiefes Bild vom ethischen Gesamtphänomen und 4. sie sei wegen der mit ihr verbundenen Tendenz zu Dogmatismus und Intoleranz eher gefährlich, eher schädlich als nützlich – von diesen Standardeinwänden sind durch das bisher Vorgetragene der erste (Überspanntheit) ganz, der zweite (Überflüssigkeit, Nutzlosigkeit) zur Hälfte entkräftet worden. Ich möchte nun meine Überlegungen abschließen mit ein paar kurzen und zugestandenermaßen unzulänglichen Bemerkungen zu den restlichen Einwänden.

1. Nachdem gezeigt ist, daß die Idee der Letztbegründung normativer Ethik wichtig, ja – wie ich meine – unverzichtbar ist, ist der Hinweis, daß in philosophischer normativer Ethik sich allenfalls sehr formale, leere, vielleicht auch triviale Prinzipien oder Normen begründen ließen, *kein* vernichtender Einwand mehr. Es ist ja gar nicht die Absicht, per Letztbegründung direkt zu einem inhaltlich reichen System von Normen oder Gesetzen zu kommen oder auch nur die materialen Anfangsgründe dafür zu liefern. Letztbegründung ist nötig, a) weil ohne sie der Begriff bindender Verpflichtung in der normativen Ethik gar nicht vorkommen kann und b) weil ohne sie – ohne Wissen von Kriterien und Maßstäben – die argumentative Bemühung um Fragen normativer Richtigkeit richtungslos und daher witzlos werden würde. – Im übrigen ist die letztbegründete Diskursethik – das ist

die Kehrseite des in dem Einwand Monierten – in geradezu idealer Weise eine fallibilistische Ethik. Und hinter den Fallibilismus in materialen Fragen wird, so denke ich, kaum einer zurückgehen wollen. Ihr wichtigstes Prinzip besteht in der Verpflichtung, alle Streitfragen in einem offenen Diskurs unter sich wechselseitig als gleichberechtigt Anerkennenden konsensuell aufzulösen. Als fallibilistische philosophische Ethik, d. h. als Ethik, die den *offenen* Diskurs vorschreibt, kann sie gar keine materialen Normen, also irgendwelche Inhalte auszeichnen *wollen*. Dies muß sie vielmehr dem jeweiligen Diskurs überlassen, dessen mögliche Resultate sie anderenfalls illegitim präjudizieren und damit entwerten würde.

2. Der Einwand, der Ansatz einer letztbegründeten normativen Ethik suggeriere ein einseitiges, schiefes Bild vom ethischen Phänomen, kann mit ganz ähnlichen Argumenten abgewehrt werden. Gemeint ist, daß so getan würde, als bestünde der ganze Bereich der Ethik ausschließlich aus der Auseinandersetzung mit rational begründeten oder begründbaren rigorosen Forderungen, und dies womöglich vor allem in schwierigen Ausnahmesituationen. Der Alltag, das Übliche, in dem Sittlichkeit nicht nur als Schranke und Forderung, sondern vielmehr als Förderndes, Tragendes empfunden werde, in dem neben dem Gesollten auch das zwanglos Gewollte, neben der Moral auch die Klugheit eine wichtige Rolle spiele, komme hier überhaupt nicht zu seinem Recht.[20] Es gebe eben nicht nur die kantische Frage: »Was sollen wir tun?«, sondern daneben auch die eher aristotelische: »Was will ich eigentlich für ein Leben?«

Auch hier ist zu sagen, daß überhaupt nicht der Anspruch besteht, mit dem Ansatz der Letztbegründung allein das ganze Phänomen der Ethik abzudecken, und außerdem wird gar nicht geleugnet, daß die erwähnten anderen Aspekte der Ethik wichtig sind. Freilich kann die transzendentalpragmatische Diskursethik darauf verweisen, daß die Letztbegründung, die auf den Nachweis der Existenz von bindenden Verpflichtungen hinausläuft, den wichtigsten Teil einer Ethik darstellt. Und dies einfach deshalb, weil bindende Verpflichtungen vor bloßen Empfehlungen, wie sie in der teleologischen Ethik allein möglich sind, und vor Klugheitserwägungen Vorrang haben. Das folgt aus dem Begriff der Verpflichtung.[21] Außerdem ist zu erwähnen, daß ja nur hier – bei der transzendentalen Argumentation – der Philosoph gemäß der Diskursethik, die ja einen *offenen* praktischen Diskurs vorschreibt, ein gewisses Prae hat. In allen anderen praktischen Fragen kommt dem Philosophen keine hervorgehobene Stellung zu.

Zur Diskussion der beiden letzten Einwände kann noch das Folgende ergänzt werden: In der für die transzendentalpragmatische Diskursethik zentralen Idee, daß sich philosophisch ausschließlich die eine oberste, ganz formale Verpflichtung aller Normensubjekte letztbegründen lasse, nämlich die, für alle praktischen Fragen eine konsensuelle Lösung in einem offenen Diskurs unter Gleichberechtigten anzustreben, in dieser Idee spiegelt sich nicht nur, wie bereits erwähnt, daß der Fallibilismus für materiale Fragen praktisch unhintergehbar geworden ist. Es spiegelt sich auch darin, daß die von Hegel noch vertretene Idee einer letztbegründeten *substantiellen* Sittlichkeit heute nicht mehr als vertretbar gelten kann, als sinnvolles Ziel einer Moralphilosophie nicht mehr in Frage kommt. Sinnvoll ist allein noch eine normative Ethik, die sorgfältig trennt zwischen dem philosophisch zu begründenden formalen Teil und dem inhaltlichen Teil, den inhaltlichen Fragen, die der prinzipiell offenen, in gewisser Weise realiter unabschließbaren Diskussion im praktischen Diskurs zu überlassen sind.[22] Daß zu beiden Teilen verschieden starke Geltungsansprüche erhoben werden können, hängt, wie oben gezeigt, damit zusammen, daß der erste Teil, in dem Kriterien, Maßstäbe, regulative Prinzipien für den inhaltlichen praktischen Diskurs angegeben werden, aus logischen Gründen auf einer anderen Ebene liegen muß als die materiale Argumentation im praktischen Diskurs selbst, die diesen Kriterien und Maßstäben gehorchen soll. Es gilt eben: Nur wenn auf der einen Ebene Kriterien und Maßstäbe wirklich feststehen und wirklich gewußt werden können, kann auf der anderen Ebene sinnvolle Bewegung stattfinden, sinnvoll etwas geändert werden, d. h. etwas falsch gemacht und dann korrigiert werden.

3. Zum letzten Einwand, daß die Idee einer letztbegründeten Ethik gefährlich, ja schädlich sei, weil die Vertreter oder Anhänger einer solchen Ethik im Bewußtsein, extrem stark legitimierte Überzeugungen zu vertreten, sehr anfällig für Dogmatismus, ja, wie H. Lübbe meint, sogar für den Terror der Tugend seien[23], zu diesem Einwand, über den es ja schon viel Streit gegeben hat, zum Abschluß noch drei kurze Feststellungen:

a) Die Opponenten gehen natürlich davon aus, daß Letztbegründung ethischer Normen ohnehin nicht möglich sei, opponieren also gegen den Dogmatismus derer, die nur irrtümlich von sich glauben, sie könnten etwas sehr stark legitimieren. Es ändert sich alles, wenn die Möglichkeit von Letztbegründung tatsächlich zugestanden werden muß. Dann läuft der Einwand nämlich auf die Empfehlung hinaus, sich in der Philosophie harmloser zu stellen, als man wirklich ist. Dagegen ist zu erinnern, daß es sich bei der Philosophie in gewissem Sinne tatsächlich um kein Kinderspiel handelt.

b) Da der Versuch der Letztbegründung in Wirklichkeit ja nichts anderes ist, als der Versuch, ohne verfrühte Resignation herauszubekommen, ob es nicht doch so etwas wie verbindliche Verpflichtungen gibt, so läßt sich von dem Einwand sagen, daß er im Namen gewisser Verpflichtungen oder Normen (der Verpflichtung etwa, tolerant zu sein) den Versuch, endgültig herauszubekommen, ob es so etwas wie moralische Verpflichtungen überhaupt gibt, verwirft.

c) Sieht man sich schließlich inhaltlich an, was in der Diskursethik letztbegründet werden soll, die Verpflichtung nämlich, praktische Fragen im offenen praktischen Diskurs unter Gleichberechtigten zu lösen, so ist kaum zu verstehen, wie ein derartiger Einwand überhaupt erhoben werden kann. – Der gegenüber vermeintlich fanatischen Diskursethikern immer wieder vorgebrachte Hinweis auf die sittliche Substanz des Üblichen[24] scheint außerdem einigermaßen gespenstisch angesichts der Tatsache, daß vielleicht schon einige unbedeutende Zufälle in der Entwicklung der Waffentechnik ausgereicht hätten, das Programm, das im Namen des »Tausendjährigen Reiches« enthalten war, das Programm, auf lange Zeit das Übliche zu werden, zu realisieren.

Anmerkungen

1 Vgl. vor allem J. Ritter, *Metaphysik und Politik. Studien zu Aristoteles und Hegel,* Ffm. 1969; ferner: O. Marquard, »Hegel und das Sollen«, in: ders., *Schwierigkeiten mit der Geschichtsphilosophie,* Ffm. ²1982, 37-51; ferner: K. H. Ilting, »Sittlichkeit«, in: ders., *Naturrecht und Sittlichkeit. Begriffsgeschichtliche Studien,* Stuttgart 1983, 115-284.

2 Vgl. vor allem H. Lübbe, *Philosophie nach der Aufklärung,* Düssel-

dorf und Wien 1980, und O. Marquard, »Über die Unvermeidlichkeit von Üblichkeiten«, in: W. Oelmüller (Hg.), *Normen und Geschichte*, Paderborn 1979, 332-342; ferner: ders., »Das Über-Wir. Bemerkungen zur Diskursethik«, in: *Poetik und Hermeneutik* XI, hg. von K. Stierle und R. Warning, München 1984, 29-44; ferner: W. Oelmüller, »Zur Rekonstruktion unserer historisch vorgegebenen Handlungsbedingungen«, in: ders. (Hg.), *Transzendentalphilosophische Normenbegründungen*, Paderborn 1978, 50-90.

3 Vgl. K.-O. Apel, »Das Apriori der Kommunikationsgemeinschaft und die Grundlagen der Ethik«, in: ders., *Transformation der Philosophie* II, Frankfurt 1973, 358-436; ferner die Beiträge von K.-O.-Apel, D. Böhler, W. Kuhlmann zum Funkkolleg *Praktische Philosophie/Ethik* 1980/81; ferner: D. Böhler, *Rekonstruktive Pragmatik. Von der Bewußtseinsphilosophie zur Kommunikationsreflexion. Neubegründung der praktischen Wissenschaften und Philosophie*, Ffm. 1985; W. Kuhlmann, *Reflexive Letztbegründung. Untersuchungen zur Transzendentalpragmatik*, Freiburg/München 1985.

4 Vgl. J. Habermas, »Die Philosophie als Platzhalter und Interpret«, ferner: ders., »Diskursethik. Notizen zu einem Begründungsprogramm«, beide Abhandlungen in: J. Habermas, *Moralbewußtsein und kommunikatives Handeln*, Ffm. 1983; A. Wellmer, *Ethik und Dialog*, Ffm. 1986.

5 Vgl. L. Kohlberg, *Essays in Moral Development*, Vol. I, San Francisco 1981; J. Piaget, *Das moralische Urteil beim Kind*, Ffm. 1973; J. Habermas, *Zur Rekonstruktion des historischen Materialismus*, Ffm. 1976, ders., *Moralbewußtsein und kommunikatives Handeln*, a.a.O.; K.-O. Apel, Studieneinheiten 1-4, in: K.-O. Apel, D. Böhler, K. Rebel (Hg.), *Studientexte Funkkolleg Praktische Philosophie/Ethik* I, Weinheim/Basel 1984.

6 *Grundlegung zur Metaphysik der Sitten*, Akademieausgabe IV, 404 f.

7 Vgl. R. Rorty, »Leib-Seele Identität, Privatheit und Kategorien«, in: P. Bieri (Hg.), *Analytische Philosophie des Geistes*, Königstein 1981, 93-121.

8 Vgl. U. Pothast, *Die Unzulänglichkeit der Freiheitsbeweise*, Ffm. 1980; dazu: P. Rohs, »Müssen Freiheitsbeweise unzulänglich sein?«, in: *Archiv für Geschichte der Philosophie* 67, 1985, 166-184.

9 Vgl. z. B. H. Lübbe, »Sind Normen methodisch begründbar?«, ders., »Pragmatismus oder die Kunst der Diskursbegrenzung«, beide Abhandlungen in: H. Lübbe, *Philosophie nach der Aufklärung*, a.a.O.

10 Vgl. J. Habermas, *Moralbewußtsein und kommunikatives Handeln*, a.a.O., 107 f.

11 Es handelt sich dabei um den Kern unseres Argumentationssystems.

12 Wenn man überhaupt dann hier noch von Gründen reden kann.

13 Hinter diese letzten Normen, die die Möglichkeit des vernünftigen

allgemeinen Konsenses in Richtigkeitsfragen tragen – so sind sie in diesem Zusammenhang eingeführt worden –, kann man ersichtlich im praktischen Diskurs nicht problematisierend zurückgehen.

14 Vgl. auch den entsprechenden Einwand von Berlich in: A. Berlich, »Elenktik des Diskurses. K.-O. Apels Ansatz einer transzendental-pragmatischen Letztbegründung«, in: W. Kuhlmann/D. Böhler (Hg.), *Kommunikation und Reflexion*, Ffm. 1982, 276 f.

15 Vgl. W. Kuhlmann, *Reflexive Letztbegründung. Untersuchungen zur Transzendentalpragmatik*, a.a.O., 60 ff.

16 Vgl. H. Albert, *Traktat über kritische Vernunft*, Tübingen 1968, Kap. III.

17 Wie insbesondere Ilting energisch herausgearbeitet hat, vgl. K. H. Ilting, *Naturrecht und Sittlichkeit*, a.a.O.

18 Vgl. R. M. Hare, *Freiheit und Vernunft*, Düsseldorf 1973, Kap. 9.

19 Vgl. etwa die Anm. 10 angegebene Stelle bei J. Habermas.

20 Vgl. O. Marquard, »Das Über-Wir«, a.a.O.

21 Vgl. W. Kuhlmann, Studieneinheit 16, in: K.-O. Apel, D. Böhler, K. Rebel (Hg.), *Studientexte Funkkolleg Praktische Philosophie/Ethik*, a.a.O., 500-509.

22 Vgl. W. Kuhlmann, »Philosophie und rekonstruktive Wissenschaft. Bemerkungen zu Jürgen Habermas' Theorie des kommunikativen Handelns«, erscheint in *Zeitschrift für philos. Forschung* 1986.

23 Vgl. H. Lübbe, »Freiheit und Terror«, in: *Philosophie nach der Aufklärung*, a.a.O., 239-260.

24 Vgl. dazu insbesondere die oben erwähnten Arbeiten von O. Marquard.

Karl-Otto Apel
Kann der postkantische Standpunkt der Moralität noch einmal in substantielle Sittlichkeit »aufgehoben« werden?

Das geschichtsbezogene Anwendungsproblem der Diskursethik zwischen Utopie und Regression

1 Exposition des Themas

Der auf den Anspruch Hegels bezogene Titel meines Beitrages soll anzeigen, daß ich ein systematisches Problem – das der Anwendung einer universalistischen Diskursethik – als ein geschichtsbezogenes Problem stellen möchte. Den Hintergrund meiner Fragestellung bildet der seit längerem unternommene Versuch, so etwas wie eine *Entwicklungslogik* des moralischen Bewußtseins im Sinne von Piaget bzw. Kohlberg auch für die phylogenetische Dimension, also als *mögliche* Fortschrittsstruktur der Kulturgeschichte nachzuweisen.[1] Für einen solchen Versuch liegt es ja nahe, sich mit dem Hegelschen Anspruch einer geschichtsphilosophischen »Aufhebung« des Standpunkts der »Moralität« auseinanderzusetzen. Die aktuelle Anregung für die Formulierung meiner Fragestellung bildet indessen das jüngst erschienene Buch von Vittorio Hösle: »Wahrheit und Geschichte: Studien zur Struktur der Philosophiegeschichte unter paradigmatischer Analyse der Entwicklung von Parmenides bis Platon.«[2] Ich habe mich mit diesem, in seiner Art hervorragenden Buch bei meinem eigenen Versuch einer entwicklungslogischen Rekonstruktion der griechischen Begründung der Ethik auseinandergesetzt und betrachte es als eine fruchtbare Herausforderung für die *Diskursethik*. Inwiefern?

Soweit ich sehen kann, ist Hösle der erste Philosoph in Deutschland, der die Pointe der (von Habermas und mir vertretenen) Diskursethik – insbesondere auch die der transzendentalpragmatischen Letztbegründung – erstens verstanden hat und zweitens nicht als zu anspruchsvoll betrachtet, sondern – im Gegenteil – als nicht anspruchsvoll genug. Ich möchte hier gerne bekennen, daß mir – auf der Ebene der emotionalen Reaktion – die Lektüre von Hösles Buch zunächst als eine Erquickung nach dem post-Rortyschen Defaitismus in Sachen Philosophie erschien. Als spekulativer Neohegelianer möchte Hösle die Position der Transzendentalpragmatik »aufheben«. Das heißt (wenn ich recht verstehe): er hält es für prinzipiell nötig und möglich, den seit der griechischen Aufklärung immer wieder auftretenden dialektischen Zyklus der philosophischen Positionen auch heute noch einmal über das kritische, quasi-Sokratische bzw. quasi-Kantische, Stadium hinaus zu einem spekulativen, quasi-Platonischen bzw. quasi-Hegelschen Stadium der *Synthesis qua Einsicht in die Identität von Subjektivität und Objektivität* weiterzuführen. Für die Ethik besagt das offenbar, daß der postkantische Standpunkt der *Moralität* im Sinne der Diskursethik noch einmal in den Begriff der *substantiellen Sittlichkeit* »aufgehoben« werden müßte – so wie dies zuvor Platon in der »Politeia« im Hinblick auf das kritische *Logos-Prinzip* des Sokrates und später Hegel in der »Rechtsphilosophie« im Hinblick auf Kants formal-kritisches Moralprinzip unternommen hat.

Genau auf diese Zumutung bezieht sich in der Tat die Titelfrage meines Beitrags. Ich betrachte die von Hösle vertretene Zumutung deshalb als fruchtbare Herausforderung, weil sie – wohl auch nach ihrem Selbstverständnis – den Kontrapunkt markiert zu der heute in der Bundesrepublik geläufigen neoaristotelischen Zumutung: man könne und solle doch zum Common sense-Standpunkt der »unbefangenen substantiellen Sittlichkeit« – des ὡς δει der »Üblichkeit« – unter Preisgabe jedes universalistischen Moral-Prinzips zurückkehren. Hösles kühne, spekulative Position verschafft also der transzendentalpragmatischen Diskursethik die Chance, ihre Position nach zwei Seiten hin – und das heißt: als eine Strategie der Vermeidung von Skylla und Charybdis – zu vertreten und sie dadurch möglicherweise zu verdeutlichen. Eben diese Absicht habe ich durch den Untertitel meines Beitrags angedeutet: »Das geschichtsbezogene Anwendungsproblem der Diskursethik zwischen Utopie und Regression«.

Für Hösle vielleicht überraschend ist hier das Programm einer spekulativen Synthese von Subjektivität und Objektivität im Sinne der »Aufhebung« von Moralität in substantielle Sittlichkeit schlichtweg durch das Wort *Utopie* gekennzeichnet. Doch eben diese Kennzeichnung, in einem weiten und vielleicht neuen Sinne verstanden, scheint mir angebracht, wenn man das spekulative Programm als einzig mögliche *progressive* Alternative zur *Regression* durch »Abschied vom Prinzipiellen« versteht und auf die Geschichte bezieht: Ich meine damit etwa folgendes:

Platons »Politeia« kann m. E. als der Versuch angesehen werden, nach der sophistischen und der sokratischen Phase der griechischen »Aufklärung« die verlorene substantielle Sittlichkeit der Griechen als staatlich garantierte Einheit (Harmonie) von individuellem Glück, Tugendhaftigkeit und sozialer Gerechtigkeit zu re-konstruieren; und dieser platonische Versuch kann und muß m. E. als das Paradigma der abendländischen Gesellschafts- bzw. Staatsutopie verstanden werden. Es handelt sich hier wohl um ein »experimentum rationis«, das mit einer gewissen entwicklungslogischen Notwendigkeit (im Sinne der ex post-Verständlichkeit) sich einstellt, wenn der Übergang von der *konventionellen* zur *postkonventionellen* Sittlichkeit gedacht werden soll – das heißt: wenn er vom philosophischen Denken nicht nur in formaler Allgemeinheit antizipiert, sondern in konkreter Allgemeinheit als Totalität konstruiert bzw. im Hegelschen Sinn begriffen werden soll. Soviel nämlich läßt sich m. E. im Rahmen einer Kritik der utopischen Vernunft zeigen: Das Platonische Paradigma der Re-Konstruktion der »substantiellen Sittlichkeit« in der Form der Staatsutopie hat (im Positiven wie im Negativen) den Horizont vorgezeichnet nicht nur für die vergleichsweise harmlosen fiktionalen Raum- bzw. Inselutopien der Neuzeit seit Thomas Morus und Campanella, sondern auch für die nicht mehr fiktionalen »Aufhebungen« der Raum- und Zeitutopie in der spekulativen Geschichtsphilosophie im weitesten Sinn. Das besagt unter anderem: auch Hegels antiutopistisch gemeintes (ex post-)Begreifen der Einheit von Wirklichkeit und Vernünftigkeit und Marx' bzw. Engels' »Aufhebung« der Utopie durch die Wissenschaft vom notwendigen Gang der Geschichte bleiben der Aporetik eines utopisch-»überschwenglichen« Anspruchs der Philosophie verhaftet, der sich zuerst in Platons Unternehmen gezeigt hat.[3]

Im Hinblick auf das Verhältnis Hegels zu Platon läßt sich die ethisch bedenkliche Seite des utopisch-überschwenglichen Anspruchs – einer Rekonstruktion der substantiellen Sittlichkeit als Totalität! – noch in einem engeren Sinn nachweisen: Sie zeigt sich bei beiden Denkern in der Verhaftung an die Idee einer *Staatsethik.* Genauer: Hegel war zwar imstande, ebenso zutreffend wie

Karl Popper, zu zeigen, daß die Freiheit und Gleichberechtigung der Individuen – insbesondere die von Sokrates schon vertretene Gewissensfreiheit – in Platons »Idealstaat« nicht zu ihrem Recht kommt. Und er erkannte richtig, daß der moderne Staat die Stärke besitzt, die Freiheits- und Gleichheitsansprüche der Individuen in ungleich höherem Maße zu respektieren und ihnen einen rechtlich begrenzten Spielraum zu verschaffen.[4] Doch der spekulative Vorgriff auf das *Konkret-Allgemeine* (der zu rekonstruierenden *substantiellen Sittlichkeit*) verführte auch Hegel dazu, eine totale, gewissermaßen »holistische« Versöhnung der formal-universalen Geltungsansprüche einer Gewissens- und Prinzipienmoral mit dem Erfordernis einer konkreten Lebensordnung auf der Ebene des Staats für möglich zu halten.

Ausdrücklich ordnet Hegel dieser höchsten Instanz der substantiellen Sittlichkeit die universalistischen Gewissensansprüche der Individuen unter, wenn es – etwa im Kriegsfall – zu Konflikten kommen könnte.[5] Der mögliche Vorbehalt des moralischen Gewissens gegenüber der Ratio des konkreten Selbstbehauptungssystems »Staat« kann hier nur noch auf die spekulative Gewißheit der Einlösung aller universalen Geltungsansprüche des Weltgeistes durch die Geschichte als Weltgericht im Kampf der Volksgeister verwiesen werden. In diesem Vorgriff auf den geschichtlichen Fortschritt liegt freilich, verglichen mit Platons »Politeia«, eine Entlastung der Staatsutopie von der Forderung einer definitiven Realisierung des Ideals. Doch dem Individuum gestattet Hegel keinen autonomen Gewissensvorgriff auf das mögliche Weltgericht, das über die substantielle Sittlichkeit der Volksgeister letztlich entscheiden wird – obwohl er die Individuen nicht nur als Staatsbürger, sondern auch als Mitglieder einer übernationalen religiösen Gemeinde im Sinne der christlichen Ethik versteht.

Damit wird schon klar, daß Hegels Rekonstruktion der substantiellen Sittlichkeit auf der Ebene der Staatsethik in der Praxis ebenso wie Platons »Politeia« auf eine *postkonventionelle* Bestätigung der *konventionellen Binnenmoral* von »Law and Order« (Kohlberg: Stufe 4) hinauslaufen mußte.[6] Und es gibt gute Gründe für die Annahme, daß jeder Versuch einer utopischen Rekonstruktion der substantiellen Sittlichkeit, der nicht auf ein jenseitiges Gottesreich, sondern auf eine mögliche irdische Lebensordnung zielt, zumindest im Sinne einer Rückkehr zur *Binnenmoral* hinter den universalen Geltungsanspruch der *postkon-*

ventionellen Prinzipienmoral zurückfallen muß. Das hängt, wie es scheint, damit zusammen, daß für uns endliche Menschen eine konkrete Lebensform nicht ohne die zugehörige (funktionale) Systemrationalität der Selbstbehauptung gedacht werden kann. (Selbst Augustinus' christliche Quasi-Utopie des »Gottesstaates« verwandelte sich, teils unter seinen eigenen Händen, teils im Rahmen der von ihm begründeten Dogmatik der katholischen Kirche des »Mittelalters«, zur Proklamation einer neuen Binnenmoral; denn an die Stelle der Bösen, die sich selbst aus dem Anwendungsbereich jeder universalistischen Moral ausschließen, traten alsbald die Ketzer und die Ungläubigen, gegen die man »heilige Kriege« – Kreuzzüge – führen darf, ja führen soll.)

Mit dem Stichwort der *Regression auf konventionelle Binnenmoral* läßt sich aber nun ironischerweise auch zugleich die von mir im vorigen unterstellte Gegenposition zur utopischen Rekonstruktion der substantiellen Sittlichkeit charakterisieren: die – bei uns zur Zeit aktuelle – neoaristotelische Suggestion einer Rückkehr zu den Üblichkeiten der »unbefangenen substantiellen Sittlichkeit« vor der – sei es sophistischen, sei es philosophischen – Aufklärung. Denn mit dieser Suggestion verband sich z. B. in der Bundesrepublik von Anfang an eine deutliche Allergie gegen alle Bestrebungen einer *planetaren Makroethik der Verantwortung*. Ein besonders krasser Fall war die Besprechung des bedeutenden Buchs »Das Prinzip Verantwortung« von Hans Jonas durch Günther Maschke in der Frankfurter Allgemeinen Zeitung[7]: Hier wurde die Forderung der planetaren Verantwortung zunächst dahin mißverstanden, daß der Einzelne, statt sich an der Organisation solidarischer Verantwortung zu beteiligen, allein die Verantwortung übernehmen solle für die unabsehbaren Folgen der politischen, technischen und wirtschaftlichen Aktivitäten der modernen Industriegesellschaft. Gegen diese Karikatur einer Makroethik der Verantwortung wurde dann das folgende Resümee einer konventionellen Institutionen-Moral von Arnold Gehlen ausgespielt:

»Das Wort Verantwortung hat nur da einen deutlichen Sinn, wo jemand die Folgen seines Handelns öffentlich abgerechnet bekommt, und das weiß; so der Politiker am Erfolg, der Fabrikant am Markt, der Beamte an der Kritik der Vorgesetzten, der Arbeiter an der Kontrolle der Leistung usw.« (*Moral und Hypermoral*, Frankfurt 1973, S. 151).

Die hier angeführte Konstellation *(Gehlen versus Jonas)* ist m. E.

besonders geeignet, das im gegenwärtigen Kontext mit dem Stichwort »Neoaristotelismus« eigentlich gemeinte Problem (einer möglichen entwicklungslogischen Regression des moralischen Bewußtseins) zu verdeutlichen.

Zunächst ist folgendes festzustellen: Das zynisch offene Eintreten für eine *konventionelle* Moral von »Law and Order«, auf die sich auch Eichmann in Jerusalem berufen hat[8], geht natürlich weit hinaus über die vorherrschende weiche, pragmatisch-hermeneutische Version des Neoaristotelismus. Diese pflegt den aktuellen Unterschied zwischen einer *konventionellen Binnenmoral* und einer *postkonventionellen universalistischen Moral* eher zu überspielen als offen zu diskutieren. Die Konstellation *Gehlen versus Jonas* macht aber zweitens auch klar, daß der bislang apostrophierte *Neoaristotelismus* keineswegs dem klassischen oder modernen Aristotelismus überhaupt gleichgesetzt werden darf. Denn in gewisser Weise greift ja gerade Hans Jonas als Vertreter einer postkonventionellen, planetaren Verantwortungsethik – gegen die neomarxistische Utopie von Ernst Bloch und auch gegen Kant – auf eine ontologisch-metaphysische Seinsethik aristotelischen Typs zurück.[9] Doch das eröffnet eine ganz andere Diskussion. Sie bezieht sich tatsächlich auf die schwierige Frage, ob eine *Prinzipienethik kantischen Typs* oder eine darüber hinausgehende *Verantwortungsethik* die höchste Stufe des moralischen Bewußtseins repräsentiert.

Ich habe im Rahmen des *Funkkollegs Praktische Philosophie/ Ethik* eine Lösung dieser Frage anzudeuten versucht, mit der ich aber nicht sehr zufrieden bin.[10] Auch Jürgen Habermas' bisherige Beantwortung dieser Frage scheint mir nicht hinreichend zu sein. Ich möchte daher im folgenden diese Frage ausdrücklich in die Diskussion einbeziehen. Es ist m. E. in der Tat nötig zu zeigen, daß die Diskursethik auch als *Verantwortungsethik* verstanden und dennoch als *postkantische Prinzipienethik der Moralität* gegen eine – etwa spekulativ-metaphysische – *Ethik der substantiellen Sittlichkeit* abgegrenzt werden kann. Diese Aufgabe hat es nun, wie zu zeigen ist, insbesondere mit dem Problem der *geschichtsbezogenen Anwendung* der Diskursethik zu tun. Damit kann ich die Explikation des Titels beenden und mich der Diskussion des im Untertitel angedeuteten Hauptproblems – der *geschichtsbezogenen Anwendung der Diskursethik zwischen Utopie und Regression* – zuwenden.

II Das geschichtsbezogene Anwendungsproblem der Diskursethik als Problem einer Verantwortungsethik

Zunächst scheint es mir erforderlich, das Verhältnis des *Anwendungsproblems* zum *Begründungsproblem* der Diskursethik neu zu bedenken. Dabei kann ich – an dieser Stelle – auf die Frage, ob die Begründung der Diskursethik eine *transzendentalpragmatische Letztbegründung* sein kann, nicht mit erforderlicher Gründlichkeit eingehen.[11] Ich muß diese Möglichkeit aber, wie sich zeigen wird, immer schon voraussetzen. Deshalb möchte ich meine diesbezüglichen Hauptthesen wenigstens andeuten:

1. Retrospektive Vergewisserung der transzendental-pragmatischen Letztbegründung der Diskursethik

Die Möglichkeit einer transzendentalpragmatischen Letztbegründung der Philosophie überhaupt, und in ihrem Rahmen auch der Ethik, ergibt sich für mich aus der Einsicht in die *Nichthintergehbarkeit des argumentativen Diskurses,* und damit auch seiner *normativ-ethischen Bedingungen der Möglichkeit,* für das Denken qua Argumentieren. Die angedeutete *Nichthintergehbarkeit* besagt in diesem Zusammenhang etwa folgendes: Wenn wir eine philosophische Frage – z. B. die Frage, ob es ein unbedingt gültiges Prinzip der Ethik gibt – ernsthaft aufwerfen (und dies müssen und dürfen wir natürlich auf der Ebene der Philosophie – des öffentlichen Diskurses wie des, empirisch gesehen, einsamen Denkens mit Gültigkeitsanspruch – immer schon voraussetzen!), dann können wir das *Argumentieren und seine notwendigen Präsuppositionen* nicht mehr – wie alles übrige in der Welt Vorkommende, einschließlich unserer individuellen Existenz – als *kontingentes Faktum* von außen betrachten. Wir können uns dann z. B. nicht vorstellen, wir könnten nach Belieben *mit dem Argumentieren anfangen oder aufhören* oder gar – mit Popper – uns für oder gegen die argumentative Vernunft entscheiden; oder: *wir könnten uns* als Alternative zu unserer, menschlich-kontingenten Vernunft auch *eine ganz andere Vernunft denken,* in bezug auf die wir unsere Vernunft relativieren könnten oder müßten; oder: *wir könnten oder müßten die Existenz und die Gültigkeit der Argumentations-Präsuppositionen* (vom Standpunkt einer Instanz aus, die sie nicht schon voraussetzte!) *empirisch* – etwa anhand einer quasi-linguistischen Methode der Befragung möglichst vieler kompetenter Sprecher – überprüfen.[12]

Solche empirisch-anthropologisch, d. h. unserer kontingenten Existenz gegenüber, berechtigten Gedankenexperimente sind mit der *transzendentalpragmatischen* Einsicht, daß das Argumentierenkönnen die *Bedingung der Möglichkeit und Gültigkeit der angedeuteten Gedankenexperimente* ist, nicht zu vereinbaren – ebensowenig wie mit der älteren Einsicht in die Nichthintergehbarkeit des *cogito ergo sum* bzw. des *transzendentalen Bewußtseins*. Der Unterschied des transzendentalpragmatischen Ansatzes im Vergleich mit der älteren Transzendentalphilosophie des Bewußtseins kann m. E. nicht darin bestehen, daß von der Radikalität der *transzendentalen Frage* (und das besagt auch: des *methodischen Zweifels* bzw. der *Einklammerung alles als kontingent Denkbaren*) etwas abgelassen wird – etwa zugunsten *halb empirischer* und insofern *schwacher* transzendentaler Argumente. Der Unterschied besteht vielmehr wesentlich darin, daß wir einsehen können, daß wir selbst bei der radikalsten, reflexiven Distanzierung und Infragestellung aller kontingenten Voraussetzungen unserer Existenz – und das heißt: im einsamen Denken – nicht nur auf das *transzendentale Bewußtsein* zurückgehen müssen, sondern mit dem a priori *intersubjektiven Sinngeltungs- und Wahrheitsanspruch* des Denkens auch auf die Voraussetzung der *Sprache* und einer, im Prinzip unbegrenzten, Kommunikationsgemeinschaft angewiesen sind. Mit dieser subjektiv-intersubjektiven Voraussetzung aber verändert sich der Ausgangspunkt der transzendentalen Reflexion auf die notwendigen, allgemeinen Bedingungen des Denkens in entscheidender Form.

Zunächst möchte man freilich annehmen, die Veränderung müsse auf eine entscheidende Schwächung des transzendentalen Ansatzes hinauslaufen. Denn das *Apriori der Sprache* verweist uns ja auch auf die *kontingente* Bedingung der *konventionellen Realisierung* der intersubjektiv gültigen Bedeutungen in *bestimmten* Sprachen; und das *Apriori der Kommunikationsgemeinschaft* verweist uns auch auf die *kontingente* Bedingung der *Zugehörigkeit zu einer geschichtlichen Sprach-, Kultur- und Traditionsgemeinschaft;* und beide kontingenten Bedingungen implizieren das von

Heidegger so genannte *existenziale Apriori der Faktizität des In-der-Welt-seins:* die Voraussetzung eines faktisch bestehenden *Welt-Vorverständnisses* und notwendigen *Einverständnisses mit Anderen* aufgrund des kontingenten »Hintergrunds« der »Lebenswelt«, dessen physische und geschichtliche Konstitution wir uns prinzipiell nicht verfügbar machen können.[13] Diese, vom »hermeneutic-pragmatic turn« der Gegenwartsphilosophie akzentuierten, *kontingenten* Voraussetzungen des Welt-Vorverständnisses könnten sehr wohl die Gründe für eine anthropologisch-evolutionistische Spezifizierung und Relativierung der von Kant unterstellten transzendentalen Bedingungen der Erkenntnis überhaupt enthalten. Doch in unserem Problemzusammenhang ist ein anderer, vom »hermeneutic-pragmatic turn« durchweg übersehener Umstand wichtiger:

Die *kontingenten* Voraussetzungen des verstehenden In-der-Welt-seins können doch nur einen Teil der »Vorstruktur« des denkenden In-der-Welt-seins ausmachen. Sofern der Mensch nämlich auf das existenziale Apriori der Faktizität zu *reflektieren* vermag – im Sinne der »exzentrischen Positionalität« des Menschen (H. Plessner) und zugleich im Sinne des »handlungsentlasteten argumentativen Diskurses« (Habermas) –, insofern ist er auf *nichtkontingente Präsuppositionen* verwiesen, die im *transzendental*-hermeneutischen und *transzendental*-pragmatischen Sinne für das *Denken* der kontingenten Voraussetzungen (z. B. auch für das Denken der sogenannten »materiellen« Macht- und Interessenvoraussetzungen der Diskurse) nichthintergehbare Bedingungen der Möglichkeit sind. Diese nichtkontingenten Präsuppositionen zu ignorieren oder gar zu bestreiten macht m. E. das Phänomen der *Logosvergessenheit* aus. Es zeigt sich heutzutage in dem Umstand, daß führende Vertreter des »hermeneutic-pragmatic turn« – wie z. B. Rorty oder Derrida – kaum noch schreiben oder reden, ohne sich in den *pragmatischen Selbstwiderspruch,* den Widerspruch zwischen ihren performativ vorgetragenen Geltungsansprüchen und der propositionalen Verleugnung aller universalen Geltungsansprüche, zu verwickeln.

Respektiert man nun das Prinzip vom zu vermeidenden performativen Selbstwiderspruch der Argumentation als Kriterium des Nichthintergehbaren und insofern Letztbegründeten[14], dann macht die Einsicht in das *nichthintergehbare Apriori der Sprache und der Kommunikationsgemeinschaft* es zum ersten Mal möglich, mit der transzendentalen Begründung der *theoretischen* Philosophie *zugleich* die der *praktischen* Philosophie in Gestalt des Prinzips einer *Diskurs-Ethik* zu gewinnen. Der Unterschied in der Ausgangssituation des transzendentalen Arguments ergibt sich, kurz gesagt, aus dem folgenden Umstand: Schon für den *theoretischen Diskurs* ist der »höchste Punkt« einer transzendentalen Deduktion von Gültigkeitsbedingungen offenbar nicht, wie für das *einsame* Denken, in der »transzendentalen Synthesis der Apperzeption« (Kant) vorgegeben, sondern in der *transzendentalen Synthesis der Interpretation von sprachlichen Zeichen.* Dieser höchste Punkt ist als Postulat der prinzipiell möglichen konsensualen Einlösung von Sinn- und Wahrheitsansprüchen schon in einem *theoretischen* Diskurs nicht widerspruchsfrei bestreitbar, d. h. er ist ebenso nichthintergehbar wie der argumentative Diskurs selbst.[15] Als notwendige Bedingung der Möglichkeit der Realisierung eines idealen Konsenses über Sinn und Wahrheit in einer Argumentationsgemeinschaft aber läßt sich die Befolgung von normativ-ethischen »Spielregeln« nachweisen, deren Explikation als nichtbestreitbar selbst wiederum anhand des Kriteriums vom zu vermeidenden performativ-pragmatischen Selbstwiderspruch möglich ist.

Damit aber wird es möglich, den noch für Kant in der *praktischen Philosophie* erforderlichen Begründungsrekurs auf metaphysische Voraussetzungen (wie z. B. ein nur postulierbares Reich der intelligiblen Vernunft- und Freiheitswesen qua »Reich der Zwecke«) bzw. auf ein evident gegebenes »Faktum der Vernunft« zu vermeiden bzw. diese kantischen Unterstellungen im Sinne der *nicht ohne pragmatischen Selbstwiderspruch zu bestreitenden normativen Bedingungen der Möglichkeit des argumentativen Diskurses* zu dechiffrieren. Diese, mit den Argumentationsregeln verknüpften Normen einer idealen Argumentationsgemeinschaft sind zwar nicht schon die in der Lebenswelt erforderten *materialen* Normen einer situationsbezogenen Moral bzw. einer moralischen Legitimation von Rechtsnormen; doch sie sind in eben dem Sinne für die Begründung eines *formalen-prozeduralen Prinzips der Begründung materialer Normen* verbindlich, in dem der argumentative Diskurs, seinem immer schon anerkannten Sinn nach, die Metainstitution aller möglichen lebensweltlichen Institutionen ist. Das heißt: Wir haben nicht nur die Normen einer idealen Argumentationsgemeinschaft mit dem ernsthaften Denken zugleich anerkannt, sondern auch dies: daß diese Normen das ethisch relevante Verfahrensprinzip für die mögliche Einlösung oder Bestreitung aller strittigen normativen Geltungsansprüche in der *Lebenswelt* enthalten.[16]

Darin liegt m. E. auch die Einsicht, daß die normativen Bedingungen der Möglichkeit des argumentativen Diskurses nicht etwa nur die Grundnorm der prinzipiellen *Gleichberechtigung aller Kommunikationspartner* im Sinne einer »idealen Sprechsituation« enthalten, sondern darüber hinaus auch die Verpflichtung zur *Mitverantwortung* für die argumentative (und in diesem Sinne für alle möglichen Argumentationspartner prinzipiell konsensfähige) Auflösung der in der Lebenswelt auftretenden moralisch relevanten Probleme. Ein implizites Anerkannthaben dieser Verpflichtung kommt m. E. im *ernsthaften Fragen* nach dem Prinzip der Ethik zum Ausdruck. Kurz: die Diskursethik ist von vornherein keine *Spezialethik für argumentative Diskurse*, sondern eine *Ethik der solidarischen Verantwortung derer, die argumentieren können, für alle diskursfähigen Probleme der Lebenswelt*. Diese *lebensweltliche Verpflichtung* einer diskursiven Verantwortungsethik hat m. E. jeder, der *ernsthaft* – d. h. im Sinne der intersubjektiv gültigen Beantwortung einer ernsthaften Frage – denkt, notwendigerweise anerkannt; und er kann sich dieser lebensweltlichen Verpflichtung (deren universale Sinngeltung jedoch auf der Ebene der konventionellen Moral der Lebenswelt stets unklar und problematisch bleibt) durch postkonventionelle, transzendentalpragmatische Reflexion auf den normativen Gehalt der Argumentationspräsuppositionen vergewissern, das heißt: er kann – im Sinne der transzendentalpragmatischen Letztbegründung – die Verpflichtung als ein nicht ohne performativen Selbstwiderspruch bestreitbares Prinzip explizieren.

(So ist es z. B. nicht ohne performativen Selbstwiderspruch möglich, zu behaupten, die im Diskurs anerkannten Normen stellten es prinzipiell frei, den Diskurs nach Belieben zu verweigern bzw. abzubrechen und so seine lebensweltliche Verpflichtung aufzuheben und ihn als unverbindliches Spiel zu betrachten. Dieser Annahme liegt die schwer ausrottbare, methodisch-solipsistische Vorstellung zugrunde, der Mensch könnte, durch Reflexion auf den *Diskurs als etwas Kontingentes*, sein Denken – oder zumindest das Motiv seines Entscheidens – der Legitimation bzw. Kritik durch den argumentativen Diskurs entziehen; er könnte also den Diskurs verweigern und dennoch argumentieren oder doch wenigstens im Sinne verstehbarer Motive verbindlich entscheiden. Das so scheinbar entstehende Letztbegründungsdefizit soll dann möglicherweise durch Rekurs auf die praktisch unvermeidbare Anerkennung der moralischen Geltungsansprüche auf der Ebene der lebensweltlichen Kommunikation und Interaktion kompensiert werden[17] – so als ob die philosophischen »Aufklärungen«, welche die Gültigkeit moralischer Normen in Frage gestellt haben, nicht ernst zu nehmen seien, oder genauer: so als ob in der »unbefangenen substantiellen Sittlichkeit« (Hegel) vor der Aufklärung bereits die moralische von der strategischen Vernunft oder die universal gültigen Normen von dogmatisch und ideologisch behaupteten Normen hinreichend unterschieden wären.)

Im Sinne der soeben skizzierten Grundintuition läßt sich nun m. E. unter Vermeidung aller formallogischen *Regreß*- bzw. *Zirkel*-Problematik, d. h. allein aufgrund der Explikation unserer Reflexionsevidenzen nach Maßgabe des Selektionskriteriums der Vermeidung eines performativen Selbstwiderspruchs, ein *formales Grundprinzip der Diskursethik* herleiten. Das so herleitbare Prinzip der Diskursethik ist kein *Generationsprinzip inhaltlicher Normen*, sondern ein *Verfahrensprinzip* für die – realen oder, notfalls, vom Einzelnen im Gedankenexperiment zu internalisierenden – praktischen Diskurse, in denen inhaltliche Normen situationsbezogen zu begründen sind, sei es als institutionell in Kraft zu setzende *Rechtsnormen,* sei es als allgemeingültige und insofern normativ verbindliche Handlungs-*Maximen* im Sinne der *Moralität des Handelns.* Das Grundprinzip der Diskursethik delegiert also gewissermaßen die Begründung situationsbezogener inhaltlicher Normen an die von ihm geforderten praktischen Diskurse. Auf diese Weise soll eine möglichst weitgehende Verständigung über die konkreten Interessen – und insofern auch Wertungen – der betroffenen Personen und, andererseits, über die, stets revidierbaren, Einschätzungen der Handlungssituationen – und in diesem Zusammenhang der voraussichtlichen Folgen und Nebenwirkungen der Befolgung von Handlungsnormen – ermöglicht werden.

Insofern ist die Diskursethik keine *einstufige* Ethik der direkten Normenbegründung (wie noch die Ethik Kants, der aus dem *kategorischen Imperativ* »vollkommene«, d. h. ausnahmslos gültige, und »unvollkommene« Pflichten herleiten wollte), sondern eine *zweistufige* Ethik der *formal-prozeduralen Letztbegründung* der *konsensual-kommunikativen Begründung* der inhaltlichen Normen.[18] Nur auf der Stufe der reflexiven Letztbegründung des Diskursprinzips unterstellt sie die intersubjektive Konsensfähigkeit der Begründung als a priori gewiß; auf der zweiten Stufe dagegen räumt sie – im Sinne der von Charles Peirce begründeten *Konsenstheorie der Wahrheit*[19] – dem Fallibilismus der geschichtlich wandelbaren Situationseinschätzungen – auch der Einschätzungen der menschlichen Bedürfnisse – und dem Pluralismus der Wertungen im Sinne der verschiedenen menschlichen Lebensformen den denkbar weitesten Spielraum ein; genauer gesagt: den Spielraum, der mit dem prozeduralen Diskursprinzip als vermittelnder und einschränkender Bedingung vereinbar ist.

Auf diese Weise bestätigt die Diskursethik das *Universalisierungs*-Prinzip der Ethik Kants, aber sie entlastet – im Falle der Durchführbarkeit realer praktischer Diskurse – den Einzelnen von der Antizipation der möglichen Interessen der Betroffenen und der situationsbedingten Wirkungen der allgemeinen Befolgung von Normen, das heißt: von ihm sehr oft weit überfordernden Erwägungen, die darüber entscheiden sollten, ob man eine *Maxime* als universalgültiges *Gesetz* wollen kann oder nicht. Durch diese Entlastung der Phantasie des Einzelnen zugunsten der geforderten diskursiven Konsensbildung wird zugleich verhindert, daß der Einzelne bei der Anwendung des Universalisierungsprinzips – wie Kant selbst im Falle der Voraussetzung der Institutionsnorm des Privateigentums im Beispiel vom »Depositum«[20] – die allgemeine Wünschbarkeit einer Norm im Sinne der bestehenden *Konventionen* als selbstverständlich voraussetzt. Damit wird offenbar ein wesentlicher Teil der von Hegel so genannten »substantiellen Sittlichkeit« (die nach Hegels Meinung von der Anwendung des kategorischen Imperativs immer schon vorausgesetzt werden muß) ihrerseits der *postkonventionellen* Überprüfung und Rekonstruktion nach Maßgabe des konsensual konkretisierten Universalisierungsprinzips zugänglich. Ganz ausgeschlossen wird so von vornherein eine, ebenfalls von Hegel suggerierte, Interpretation des Kantschen Universalisierungsprinzips, die darin lediglich die Forderung der formallogischen Konsistenz bei der Wahl der zu verallgemeinernden Maxime sehen möchte – etwa im Sinne des Hareschen Beispiels vom konsequenten Rassismus-Fanatiker, der bereit ist, das Gesetz der Ausmerzung aller Juden gegebenenfalls auch auf sich selber anzuwenden.[21] Das Universalisierungsprinzip erweist sich vielmehr a priori als ein auf *konsensual-kommunikative* Implementierung angelegtes Prinzip der verallgemeinerten Gegenseitigkeit, und es ist *insofern* nicht inhaltsleer oder beliebig anwendbar, sondern verweist auf das mögliche Ergebnis einer universalen Verständigung.

Man kann nun das formale Verfahrensprinzip der Diskursethik auf der Linie der von mir angedeuteten Kant-Transformation als *Universalisierungsgrundsatz* formulieren, der lediglich das ideale Kriterium der Beurteilung der im praktischen Diskurs zu überprüfenden Normen angibt, etwa im Sinne des von Habermas vorgeschlagenen Prinzips (U):

»(U) Jede gültige Norm muß der Bedingung genügen, daß die Folgen und Nebenwirkungen, die sich aus ihrer *allgemeinen* Befolgung für die Befriedigung der Interessen *jedes* Einzelnen voraussichtlich ergeben, von allen Betroffenen zwanglos akzeptiert werden können.«[22]

Diese Formel scheint mir in der Tat eine adäquate Explikation des formalen Kriteriums zu sein, das wir auf der Ebene des handlungsentlasteten Diskurses als Grundnorm einer idealen Kommunikationsgemeinschaft implizit immer schon anerkannt haben müssen und das deshalb auch für die realen praktischen Diskurse, in denen situationsbezogene Normen zu begründen bzw. kritisch zu beurteilen sind, als regulative Idee der möglichen Konsensbildung maßgeblich sein sollte. Doch ich möchte die Frage aufwerfen: Ist mit einer derartigen Formel auch schon das hinreichende Prinzip der im vorigen postulierten *Verantwortungsethik* des menschlichen Handelns expliziert? Habermas ist offenbar der Meinung, daß die Formel durch Berücksichtigung der »Folgen und Nebenwirkungen der allgemeinen Befolgung von Normen« bereits dem Verantwortungsprinzip Genüge tut. Doch dies scheint mir – leider – nicht der Fall zu sein. Ich komme damit zu dem besonderen Problem der *geschichtsbezogenen Anwendung* der Diskursethik als einer *postkonventionellen* Ethik.

2. Das besondere Problem der Anwendung der postkonventionellen Diskursethik als prinzipielles Problem einer Verantwortungsethik

Zunächst einmal müßte man zeigen, wie das Prinzip (U) der Normenlegitimation als Kriterium in einem *Handlungsprinzip*, das an die Stelle des »kategorischen Imperativs« tritt, zur Geltung gebracht werden kann. Es könnte etwa so lauten:

(U^h) Handle nur nach einer Maxime, von der du, aufgrund realer Verständigung mit den Betroffenen bzw. ihren Anwälten oder – ersatzweise – aufgrund eines entsprechenden Gedankenexperiments, unterstellen kannst, daß die Folgen und Nebenwirkungen, die sich aus ihrer allgemeinen Befolgung für die Befriedigung der Interessen jedes einzelnen Betroffenen voraussichtlich ergeben, in einem realen Diskurs von allen Betroffenen zwanglos akzeptiert werden können.

Versucht man sich nun die mögliche *Anwendung* dieses Prinzips vorzustellen, so gelangt man zu einem merkwürdigen Ergebnis:

Wenn es wirklich um die *universalistische* Berücksichtigung der Interessen *aller Betroffenen* – und nicht etwa nur um das Einverständnis einer Interessengruppe – geht, dann erscheint die Anwendung noch am ehesten im Sinne der advokatorischen Wahrnehmung der Interessen der Betroffenen durch einen Einzelnen – also im Sinne des ersatzweisen Gedankenexperiments – als möglich und zumutbar: etwa im privaten Handlungsbereich einer Mikroethik, von dem heute manchmal angenommen wird, daß er dem Anwendungsbereich einer Diskursethik entzogen sei. So bereitet es z. B. kaum Schwierigkeiten, sich vorzustellen, welche Verpflichtungen man etwa – den Umständen entsprechend – als einziger Anverwandter gegenüber einem kranken, senilen Onkel, der nicht mehr sprechen kann, nach Maßgabe des Prinzips (U^h) haben würde. Prinzipielle Schwierigkeiten der Anwendung von (U^h) ergeben sich dagegen da, wo es tatsächlich darum geht, moralische Normen des öffentlich wirksamen Handelns – z. B. solche des wirtschaftlich oder gar politisch relevanten Handelns – aufgrund der Beteiligung an realen Diskursen oder im Geiste der antizipierten Ergebnisse solcher Diskurse zu begründen und als verbindlich zu betrachten. Hier nämlich – im Bereich der öffentlichen Moral – ergibt sich in weit stärkerem Maße das selbst noch prinzipielle moralische Problem der *Zumutbarkeit der Anwendung* einer postkonventionellen Diskursethik, oder genauer: das Problem der *Relativität dieser Zumutbarkeit* in bezug auf die von Hegel so genannte »substantielle Sittlichkeit« des Gemeinwesens.[23]

Es wird z. B. sofort deutlich, daß diese Zumutbarkeit relativ ist auf das Bestehen von Rechtszuständen überhaupt und darüber hinaus auf den Stand der sozialen Realisierung genau des Habermasschen Prinzips (U) als Prinzip der Begründung bzw. Legitimation von Rechtsnormen. In dieser Hinsicht gibt es freilich bemerkenswerte Errungenschaften in den vom Naturrecht allgemein und von den Menschenrechten insbesondere geprägten demokratischen Rechtsstaaten. Und über das auf der Ebene der Legalität Realisierte hinaus gibt es in diesen Rechtsstaaten auch noch den rechtlich etablierten und geschützten Bereich der »räsonierenden Öffentlichkeit« (Kant). Hier können die institutionalisierten Normenbegründungsdiskurse – die mehr juristischen und die mehr politischen, wie z. B. die der Parlamente – durch informelle Diskurse im Sinne der moralischen Legitimation und Kritik der Verfahren und der Ergebnisse der juristischen und der politischen Normenbegründung ergänzt werden.

Insofern ist im Machtbereich moderner demokratischer Rechtsstaaten schon ein gewisser institutioneller »Außenhalt« (Gehlen) für die Zumutbarkeit der Anwendung des Prinzips (U^h) einer postkonventionellen Diskursethik geschaffen. Diese Errungenschaften sind selber schon das Resultat von Aufklärungsprozessen, die – seit der »Achsenzeit« der antiken Hochkulturen[24] – von einer postkonventionellen Ethik der Weltreligionen und der Philosophie inspiriert wurden. Seitdem sind die konventionellen Üblichkeiten und die Institutionen z. B. im Abendland selbst schon in immer neuen Wellen von einer postkonventionellen Aufklärungsmoral im Sinne der Institutionalisierung von diskursiver Reflexion und Kritik umgestaltet worden.

Dennoch ist nicht zu übersehen, daß auch heute noch auf der Ebene der *substantiellen Sittlichkeit* der Gemeinwesen keineswegs die Bedingungen der Zumutbarkeit der Anwendung des Prinzips (U^h) als eines am idealen Diskurs der Betroffenen orientierten Handlungsprinzips realisiert sind. Um dies einzusehen, braucht man nicht an die Zustände in den von moralischer Regression – wie im Faschismus und Nationalsozialismus – bedrohten Zonen der Erde (etwa im Libanon, in Nordirland oder in Südafrika) zu denken. Man kann auch an die jugendlichen Arbeitslosen der Unterschicht in den Metropolen der westlichen Industriegesellschaft, an die Bewohner der Slums in den Großstädten der dritten Welt oder aber – in ganz anderer Perspektive – an die hart konkurrierenden Wirtschaftsmanager oder an die Politiker der instabilen Staaten denken; vor allem aber an alle Politiker, sofern sie im Bereich der Außenpolitik, unter Bedingungen eines beinahe noch rechtlosen »Naturzustandes«, mit dem Geschäft der Interessenbehauptung und der zugehörigen Konfliktregelung[25] befaßt sind. Ist all diesen Menschen die Anwendung des Prinzips (U^h) zuzumuten?

Ich hoffe, mit dieser Frage und den gewiß unzureichenden Hinweisen, die ihr vorausgingen, die Problemsituation einigermaßen verdeutlicht zu haben, auf die sich meine Frage nach der möglichen Anwendung der Diskursethik als einer *geschichtsbezogenen Anwendung zwischen Utopie und Regression* bezieht. Denn es scheint mir einleuchtend zu sein, daß sich die von mir eingangs (s. oben S. 218) als Skylla und Charybdis unterschiedenen Tendenzen – die von Platons »Politeia« präfigurierten *Konzeptionen der Gesellschafts- und Staatsutopie* einerseits und die immer wieder auftretenden, resignativ-regressiven oder auch zynisch-regressiven, Suggestionen einer Preisgabe der Durchsetzung postkonventioneller Vernunftmoral überhaupt – genau auf die im vorigen skizzierte Situation der geschichtsbezogenen Anwendung der Diskursethik beziehen.

Platon und später Lenin und Bert Brecht (in »Der gute Mensch von Sezuan«) kamen zu dem Denkergebnis, daß unter den gegebenen Bedingungen der »substantiellen Sittlichkeit« – Athen nach der sophistischen Aufklärung bzw. die Menschheit in der Ära des Kapitalismus – Moral überhaupt nicht zumutbar sei, weshalb es der philosophisch inspirierten und kontrollierten *totalen Rekonstruktion der substantiellen Sittlichkeit auf der Ebene der Staatsordnung* bedürfe. Dies ist die Antwort der *utopischen Vernunft* auf die, seit der »Achsenzeit« der antiken Hochkulturen andauernde, Krise der traditionalistisch-konventionellen Moral. Diese Antwort – die kühnste und umfassendste der postkonventionellen spekulativen Vernunft – ist noch immer sehr verständlich und suggestiv. Doch sie konnte nicht nur im Falle Platons, wie Hegel erkannte, die Freiheitsrechte der Individuen nicht zur Geltung bringen; sie muß vielmehr von vornherein das Prinzip der *kommunikativen Begründung der politischen Interaktion* der Menschen durch das der *quasi-technischen Herstellung und Kontrolle* einer definitiv-stabilen, funktionalen und totalen Ordnung durch den Philosophen-König bzw. Sozialingenieur ersetzen.[26] Insofern muß sie dahin tendieren, durch eine Erziehungsdiktatur und durch Kontrolle der öffentlichen Meinung zumindest die Moral der Staatsbürger auf die einer funktionalen Rollen-Moral der *konventionellen* Stufe von »Law and Order« zu reduzieren.

(Die orthodox-utopische Alternative zu dieser realen Tendenz besteht in der Vision eines Zustandes, in dem die Moral ebenso wie der Rechtsstaat überflüssig werden, weil im Zustand der völlig harmonischen Ordnung Interessenkonflikte nicht mehr auftreten können. Demnach wäre also die Moral unter den bestehenden Verhältnissen noch nicht zumutbar und im Zustand der realisierten Utopie nicht mehr nötig, und demnach hätte sie überhaupt keine mögliche Funktion. Dies ist m. E. eine lehrreiche Paradoxie, die Licht auf die wirkliche Funktion der Moral zu werfen vermag.)

Die immer wieder auftretende Gegentendenz zur utopischen Vernunft (oder zu dem, was dafür gehalten wird) im Sinne der Abwiegelung postkonventioneller Forderungen einer universalistischen Moral – heute einer kommunikativen Makroethik der Menschheit im Zeitalter der ökologischen und nuklearstrategischen Krise – tendiert jedoch ebenfalls dahin, die jeweiligen Staatsbürger von den Vorzügen der *konventionellen* Moral zu überzeugen: einer pragmatisch hinreichenden Moral der Klugheit im Rahmen der tunlichst nicht in Frage zu stellenden »Üblichkeiten« der Gesellschaft bzw. des Staates, zu dem man gehört. Dies jedenfalls ist die Botschaft der pragmatisch-skeptischen Neoaristoteliker in der Bundesrepublik, die sich bemühen, die schon beim Metaphysiker Aristoteles nachweisbaren Abwiegelungstendenzen gegenüber Platons idealistischem Utopismus durch Propagierung einer metaphysikfreien *Phronesis*-Lehre zeitgemäß zur Geltung zu bringen.[27]

In dieser Situation von Skylla und Charybdis bedarf es nun m. E. einer möglichst nüchternen, aber gleichwohl auf die regulative Idee des möglichen und aufgegebenen Fortschritts im Sinne der postkonventionellen Moral bezogenen Analyse der geschichtsbezogenen Anwendungsproblematik der Diskursethik. Setzen wir noch einmal bei dem Problem der Anwendung des Prinzips (U) bzw. der handlungsbezogenen Version (U^h) an: Worin bestehen die Schwierigkeiten bei der Zumutung einer unvermittelten Anwendung des Prinzips (U^h)?

Auf der Ebene des argumentativen Diskurses, der – als »Verkörperung« der »exzentrischen Positionalität« des Menschen – in eigentümlicher Weise vom geschichtlich-irreversiblen Handeln des Menschen entlastet ist, kann die von Habermas vorgeschlagene Formel aufgrund ihrer Berücksichtigung der »Folgen und Nebenwirkungen der allgemeinen Befolgung von Normen« in der Tat als ideales Prinzip einer *Verantwortungsethik* gelten; nicht so dagegen auf der Ebene der geschichtsbezogenen Anwendung dieses Prinzips. Hier verwandelt sich die Vorstellung der umstandslosen Anwendung vielmehr in die typische Zumutung einer reinen »Gesinnungsethik« im Sinne von Max Weber. Inwiefern?

Als Prinzip einer Verantwortungsethik wäre das Prinzip (U^h) ohne weiteres anwendbar, wenn wir (schon) in einer Welt lebten, in der damit gerechnet werden könnte, daß (1.) alle faktisch befolgten Normen gemäß dem angegebenen Verfahrensprinzip (U) begründet werden könnten, und daß (2.) alle Menschen (zumindest) bereit wären, die im Sinne von (U) begründeten Normen *im allgemeinen* zu befolgen; kurz: die vorgeschlagene Formel (U) wäre als hinreichendes Verfahrensprinzip für die Lösung aller Probleme der Normenbegründung bzw. Normenlegitimation akzeptierbar, wenn wir (schon) unter den Bedingungen der im argumentativen Diskurs kontrafaktisch antizipierten idealen Kommunikationsgemeinschaft lebten; oder: wenn das Anwendungsproblem der Diskursethik kein geschichtsbezogenes wäre, sondern ein Problem des geschichtlich *voraussetzungslosen Anfangs am Punkt 0;* oder: wenn so etwas wie ein *vernünftiger Neuanfang* innerhalb der Geschichte möglich wäre – so wie das heute z. B. in zahlreichen Büchern zur ökologischen und zur nuklearstrategischen Krise stillschweigend vorausgesetzt wird.

Allein: keine der hier unterstellten Voraussetzungen ist realistisch, keine ist mit post-Hegelschen Einsichten in das Wesen der Geschichtlichkeit der Handlungsbedingungen und mit post-Weberschen Einsichten in das spezifische Problem einer »Verantwortungsethik« vereinbar. Vielmehr muß vorerst als *conditio humana* der öffentlich wirksamen Anwendung jeder Form von *postkonventioneller Prinzipienmoral* etwa die folgende Situation anerkannt werden:

Jeder, der in irgendeiner Form für ein Selbstbehauptungssystem (die eigene Person, die Familie, eine soziale Gruppe, einen Staat) einzustehen hat, muß damit rechnen, daß vorerst Interessenkonflikte nicht nur durch praktische Diskurse (oder genauer: approximative Realisierungen solcher Diskurse), sondern auch durch *strategische* Formen der Interaktion (bestenfalls durch offene *Verhandlungen,* welche den offenen Kampf durch Kooperationsangebote und Androhungen von Nachteilen ersetzen) geregelt werden *müssen.* (Dies hat seinen wesentlichen Grund nicht einmal darin, daß man den Kontrahenten mangelnde Bereitschaft zur Anwendung des Diskursprinzips unterstellen müßte, vielmehr muß man – z. B. bei Abrüstungsverhandlungen oder auch bei Tarifverhandlungen – der anderen Seite unterstellen, daß sie auch berechtigte Gründe zum Mißtrauen und daher zur strategischen Interessenvertretung hat. Die Paradoxie von Abrüstungsverhandlungen z. B. besteht darin, daß selbst zwei Kontrahenten, die beide im Prinzip zu einem vernünftigen Neuanfang auf der Basis der Diskursethik bereit wären, dies von der jeweils anderen Seite nicht mit Sicherheit wissen könnten und unterstellen dürften.) Der Entschluß zu einem *vernünftigen Neuanfang im Sinne des postkonventionellen Prinzips* kann bestenfalls – und das ist durchaus wünschenswert – die innere moralische Gesinnung der Menschen neu begründen. Selbst in diesem Fall zwingt aber das *moralische Prinzip der Risiko-Verantwortung* die für Selbstbehauptungssysteme einstehenden Handlungssubjekte, beim konkreten Handlungsentschluß von der bestehenden, geschichtlich bedingten Situation und den durch sie bedingten Einschätzungen der zu erwartenden irreversiblen Folgen und Nebenwirkungen der einmalig-konkreten Handlung auszugehen. Mit anderen Worten: Es genügt hier nicht, sich nach einem Prinzip (U^h) zu richten, das die voraussichtlichen Folgen und Nebenwirkungen der *allgemeinen* Befolgung von Handlungsnormen berücksichtigt. Es kommt vielmehr darauf an, auch die voraussichtlichen Folgen und Nebenwirkungen *der auf die geschichtliche Situation bezogenen Anwendungen eben des Prinzips (U^h)* zu berücksichtigen. Dies erst bezeichnet die prinzipielle Forderung einer *Verantwortungsethik.*

Hier dürfte nun aber m. E. in der Gegenwart auch der tiefstliegende Ansatzpunkt für die skeptische Kritik an der Anwendbarkeit einer *Prinzipienethik überhaupt* liegen. Und in der Tat ist an dieser Stelle die Versuchung zur Regression auf eine Klugheitsmoral im Rahmen der »Üblichkeiten« sehr groß; genauer gesagt: die Suggestion, daß eine solche pragmatische Bescheidung die einzige Alternative darstelle zur utopisch-revolutionären Konzeption einer Neukonstruktion der gesellschaftlichen Wirklichkeit im ganzen. Gibt es angesichts dieser Alternative einen dritten Weg? Etwa die Möglichkeit, *das geschichtsbezogene Anwendungsproblem der Diskursethik im formalen Prinzip einer am Diskursprinzip orientierten Verantwortungsethik mitzuberücksichtigen?*

An dieser Stelle muß ich – vor allen weitern Erwägungen – meine Kritik an der verantwortungsethischen Relevanz des von Habermas vorgeschlagenen Prinzips (U) präzisieren. Ich denke, Habermas sieht völlig richtig, daß das von ihm formulierte Prinzip (U) als *idealer Maßstab zur kritischen Beurteilung von Normen und darüber hinaus von geschichtlich institutionalisierten Normenbegründungsverfahren, ja zur Beurteilung der Rationalität von Lebensformen* unentbehrlich ist. In diesem Sinne habe ich es ja auch selbst bei der *Einschätzung* der Schwierigkeiten des geschichtsbezogenen Anwendungsproblems bereits vorausgesetzt.

(Hier sei der folgende Hinweis zur methodischen Funktion von *Idealbegriffen* erlaubt: Die im Prinzip (U) implizierte *regulative Idee* einer universalistischen Konsenstheorie der Wahrheit bzw. der idealen Gültigkeit der für alle Betroffenen konsensfähigen Normen mit ihrer kontrafaktischen Antizipation der möglichen advokatorischen Auflösung sowohl des Problems der Ermittlung der Bedürfnisse aller nicht anwesenden Betroffenen wie auch des Problems der Abschätzung von Folgen und Nebenwirkungen durch Experten: – diese regulative Idee gewinnt ihre Funktion gerade in der durch sie ermöglichten kritischen Erkenntnis der Mängel und Schwierigkeiten der faktischen Konsense und Pseudo-Konsense auf allen Approximationsstufen der Realisierung praktischer Diskurse. Diejenigen, die auf die zahllosen Schwierigkeiten der Realisierung von (U) hinweisen, sind sich selten des Umstandes bewußt, daß sie ja selber bereits von dem Prinzip als einer regulativen Idee der Realitätseinschätzung Gebrauch machen.

Hier kommt es oft zu einer Verwechslung der kritischen und heuristisch-prospektiven Funktion einer regulativen Idee im Sinne Kants mit der platonisch-metaphysischen Hypostasierung der Idee im Sinne einer als Faktum vorstellbaren Realität oder gar mit einer im ganzen fiktionalutopisch vergegenwärtigten, idealen Erfahrungswelt. Es ist m. E. nicht zu leugnen, daß bei Kant im Kontext der praktischen Philosophie viele, an sich vorkantisch-metaphysische Hypostasierungen des Ideals – z. B. die Vorstellung eines »Reichs der Zwecke« – noch nicht konsequent in »regulative Ideen« transformiert sind. Andererseits liefert Kants Kritik der Ideenhypostasierung in der »transzendentalen Dialektik« jedoch auch die Denkmittel einer möglichen radikalen Kritik aller utopischen »Vorstellungen« eines in Raum und Zeit faktisch realisierten Ideals.)

Als *regulative* Idee eines zu fordernden Konsenses aller Betroffenen über die Gültigkeit von Normen muß das Prinzip (U) m. E. gegen jeden Versuch, dahinter zurückzugehen auf irgendwelche kulturabhängigen, kontextgebundenen Normen – und insofern gegen den »hermeneutic-pragmatic turn« derer, die mit transzendentalen Idealprinzipien nicht mehr umgehen können – verteidigt werden. Denn sobald das – transzendentalpragmatisch letztbegründbare – Idealprinzip außer Sicht kommt (und d. h. in seiner möglichen Funktion nicht mehr verstanden oder gar nicht mehr vermißt wird), ist der seit der »Achsenzeit« der antiken Hochkulturen in Gang gesetzte Versuch der Begründung einer universalistischen, postkonventionellen Moral bereits tendenziell aufgegeben. Es kann dann kein kritischer Beurteilungsmaßstab mehr ausgespielt werden gegen die ohnehin übermächtige *substantielle Sittlichkeit* der Lebenswelt, die m. E. stets auf einem Kompromiß von ethischer und strategischer Vernunft im Sinne der *Binnenmoral von sozialen Selbstbehauptungssystemen* beruht. Ein solcher Kompromiß – sozusagen die Sedimentierung der soziokulturellen zweiten Natur der Menschen[28] – ist zwar nötig und unvermeidlich, doch zugleich muß er immer wieder in Frage gestellt und überschritten werden, da es ja – gerade heute – einer Moral des möglichen Zusammenlebens der vielen, verschiedenen Lebensformen bedarf.

Es darf also m. E. keine Regression der Ethik hinter den idealen Beurteilungsmaßstab geben, der in dem Prinzip (U) der Diskursethik formuliert ist. Dennoch glaube ich, auf folgendem insistieren zu müssen: Das postkonventionelle Problem einer Verantwortungsethik kann nicht schon *im Rahmen der Formulierung des idealen Beurteilungsmaßstabs für Normen* – also durch Berücksichtigung von Folgen und Nebenwirkungen der Normenbefolgung im Prinzip (U) – gelöst werden. Denn es geht hier, wie schon gesagt, um die prinzipielle Berücksichtigung der Folgen und Nebenwirkungen der *geschichtsbezogenen Anwendung* des Prinzips (U) in Gestalt des Handlungsprinzips (U^h).

An dieser Stelle gilt es, einem naheliegenden Einwand zuvorzukommen. Man könnte meinen, das ganze Problem der *anwendungsbezogenen Folgenreflexion* sei überhaupt nicht auf der Ebene der Formulierung des Handlungs-*Prinzips* der Diskursethik zu behandeln, es stelle vielmehr ein ohnehin zur Begründung von Normen hinzukommendes Problem der situationsbezogenen *Normenanwendung mit Hilfe der Urteilskraft* dar. Dieser Vorschlag entspricht, so scheint mir, der vorherrschenden Strategie nicht nur der Neoaristoteliker, die auf *Üblichkeiten plus Phronesis* vertrauen, sondern auch noch der orthodoxen Kantianer. Auch sie möchten Kants ausdrückliche Abstraktion von jeder Reflexion auf die Handlungsfolgen bei der Bestimmung des Prinzips der Maximenauswahl und bei der Herleitung der Pflichten aus dem Prinzip dadurch rechtfertigen, daß sie auf die – von Kant vorgesehene – Funktion der *Urteilskraft* bei der Anwendung der Handlungsmaximen hinweisen. (Tatsächlich läßt sich ja die in der jeweiligen Situation zu wählende Handlung nicht einmal als Handlung beschreiben, ohne zumindest die beabsichtigten Folgen – und damit wohl auch die normalerweise in Kauf genommenen Nebenfolgen – ins Auge zu fassen. Hier scheint also die moderne, intentionalistische Handlungstheorie das Problem der verantwortlichen Anwendung ethischer Prinzipien gleichsam auffangen zu können. Es scheint sich ganz einfach darum zu handeln, die Anwendung der mit dem Prinzip vereinbaren Handlungsmaximen durch richtige Beurteilung der jeweils zur Wahl stehenden Handlungen zu ermöglichen: Welche Maximen mit dem Prinzip vereinbar sind, läßt sich aus dem Prinzip a priori deduzieren; die Anwendung auf Handlungen muß durch die Urteilskraft empirisch vermittelt werden.)

Doch an dieser Stelle zeigt sich die Grenze der modernen, analytischen (und zugleich die der dahinterstehenden aristotelischen) Handlungstheorie in dem Umstand, daß sie von der

Geschichtlichkeit des Verhältnisses von Normenkonstitution und Normenanwendung abstrahieren. Genauer: Man erkennt nicht die durch den geschichtlichen Übergang von der *konventionellen Moral* (der »unbefangenen substantiellen Sittlichkeit« im Sinne Hegels) zur *postkonventionellen prinzipiengeleiteten Moral* eintretende Differenzierung im gesamten Problem der Handlungsnormierung, sondern behandelt das Problem der postkonventionellen Anwendung ethischer *Prinzipien* (der Normenbegründung und ihrer Anwendung) weiterhin wie ein Problem der klugen Anwendung *konventioneller Normen*. Symptomatisch sind hier die Hinweise des späten Wittgenstein auf die Abhängigkeit der – selbst nicht noch einmal zu regelnden – Anwendung von Regeln von »Gepflogenheiten«. Sie bezeichnen in der Tat den Stand der möglichen Problemdifferenzierung auf der Stufe der *konventionellen* Normen und ihrer Anwendung, und sie haben sich daher nicht zufälligerweise in der modernen Kulturanthropologie als Paradigma einer relativistischen Metatheorie etabliert.

Demgegenüber geht es in einer postkonventionellen Prinzipienethik – explizit in einer zweistufigen Diskursethik – zunächst einmal darum, schon die anzuwendenden Normen als geschichtlich situationsbezogene unter Berücksichtigung der voraussichtlichen Folgen ihrer allgemeinen Anwendung zu begründen. Auf der Stufe der postkantischen Diskursethik besagt dies, daß die normalerweise hinter den konventionellen Normen stehenden Interessen – die kulturell interpretierten Bedürfnisse der Menschen – ausdrücklich zum Gegenstand von praktischen Diskursen erhoben und bei der Anwendung des Universalisierungsprinzips im Sinne der Selektion konsensfähiger Normen zur Geltung gebracht werden. Dem trägt Habermas dadurch Rechnung, daß er das Problem der voraussichtlichen Wirkungen der Befolgung von Normen nicht – wie noch Kant – zur Gänze der Urteilskraft bei der Normenanwendung überläßt, sondern es als Problem der *allgemeinen* Befolgung von Normen schon auf der Ebene des Universalisierungsprinzips (U) der Normenbegründung berücksichtigt.

(Besonders plausibel ist diese Vorkehrung im Hinblick auf die Begründung von *Rechtsnormen;* denn hier sollte man ja tunlichst nicht das Bedenken der sozialen und politischen Folgen und Nebenwirkungen der Gesetzesbefolgung den Richtern oder den Bürgern zuschieben, obgleich diese bei der Gesetzesanwendung bzw. Befolgung natürlich immer noch *Urteilskraft* bzw. *Phronesis* benötigen werden. Doch im Sinne der realen oder im Gedankenexperiment antizipierten Diskursvermittlung der Normenbegründung lassen sich durchaus auch die *moralischen Handlungsnormen* schon bei der Beurteilung ihrer möglichen Gültigkeit dem Maßstab der voraussichtlichen Wirkungen ihrer allgemeinen Befolgung unterwerfen. Man wird dann freilich, im Unterschied zu Kant, keine »unerläßlichen«, d. h. ausnahmslos gültigen Normen aus dem Prinzip der Ethik deduzieren können.)

Allein: auch die – von Habermas vorgesehene – Berücksichtigung der voraussichtlichen Wirkungen der allgemeinen Befolgung von Normen auf der Ebene des Universalisierungsprinzips der Diskursethik ergibt m. E. noch nicht das zureichende Prinzip einer *postkonventionellen Verantwortungsethik;* denn es wird ja noch immer von dem postkonventionellen Problem der voraussichtlichen Folgen der *geschichtsbezogenen Anwendung des Prinzips der Diskursethik überhaupt* abstrahiert; anders gesagt: von dem *Problem der Realisierung der geschichtlich-gesellschaftlichen Bedingungen der Anwendung einer Diskursethik in einer Welt des primär strategischen Handelns der Selbstbehauptungssysteme.* Ich habe deshalb seit längerem an dieser Stelle die Unterscheidung zwischen *Teil A* und *Teil B der Ethik* eingeführt.[29]

Die Pointe dieser Unterscheidung, die einer Aporie aller bisherigen Prinzipienethik Rechnung tragen soll, läßt sich etwa folgendermaßen umschreiben: Während in *Teil A* der Ethik – gemäß der Intention einer transzendentalpragmatischen Letztbegründung – das Prinzip der Ethik in dem, vom Argumentierenden unbestreitbar vorausgesetzten und kontrafaktisch antizipierten Ideal einer idealen Kommunikationsgemeinschaft festgemacht sein muß, stellt sich im *Teil B* die Aufgabe, den *kontrafaktischen* Charakter der gleichwohl notwendigen Antizipation des Ideals als Problem einer geschichtsbezogenen Verantwortungsethik eigens zu berücksichtigen. Es ergibt sich also gewissermaßen die Notwendigkeit einer *Interimsethik* des Übergangs von den bestehenden Verhältnissen zur Realisierung der Anwendungsbedingungen der Diskursethik. Im Sinne einer Evolution der Moral geht es dabei z. B. um den Übergang von der routinemäßigen Anwendung der konventionellen Normen einer Binnenmoral von sozialen Selbstbehauptungssystemen zur institutionellen Realisierung der Anwendungsbedingungen des Diskursprinzips der Konfliktregelung auf allen Ebenen der menschlichen Interaktion.

Eigentlich stellte sich dieses Problem schon seit der Etablierung des argumentativen Diskurses als einer Metainstitution aller menschlichen Institutionen, also im Abendland seit der griechischen Aufklärung und wiederum seit der neuzeitlichen Aufklärung. Als praktisch dringende Aufgabe einer planetaren Makroethik aber stellt sich das Problem insbesondere in der Gegenwart, im Zeitalter der ökologischen und nuklearstrategischen Krise. In entwicklungslogischer Perspektive könnte man dieses Problem des geschichtlichen Übergangs zur postkonventionellen Moral als das der *Adoleszenzkrise der Menschheit* bezeichnen. Dabei wird der Krisencharakter insbesondere durch den Umstand erhellt, daß sich seit etwa hundert Jahren defaitistische Strömungen der Philosophie einer verantwortlichen Reflexion dieses Problems eher entgegenstellen: so zuerst ein in *Gegenaufklärung* umschlagender *Historismus-Relativismus,* dann ein *Szientismus* der Einschränkung von Vernunft auf wertneutrale szientifisch-technische Rationalität, und zuletzt der sogenannte *Postmodernismus,* der die Tendenz zeigt, den von Nietzsche beschworenen Nihilismus als unser Schicksal zu erklären.[30]

Das von mir soeben charakterisierte Problem des geschichtlichen Übergangs zur postkonventionellen Anwendung des postkonventionellen Prinzips der Moral läßt sich nun in unserem Problemzusammenhang sehr wohl als das einer *Vermittlung zwischen Moralität und (substantieller) Sittlichkeit* verstehen. Freilich bedarf es an dieser Stelle noch einmal einer Differenzierung, um das geschichtsbezogene Problem, um das es mir geht, nicht mit dem sozusagen normalen Problem einer Anwendung der Diskursethik unter der Voraussetzung der bereits gegebenen Anwendungsbedingungen zu verwechseln.

Habermas hat darauf hingewiesen, daß beim Übergang von der *konventionellen Sittlichkeit* zur *postkonventionellen Moralität* im Sinne Kants für den Einzelnen ein Anwendungsproblem auch in dem Sinne entsteht, daß eine Kompensation für die Abspaltung des *deontologischen* Problems der *Gerechtigkeit* von den Fragen der *Selbstverwirklichung* im Sinne eines *guten Lebens* geleistet werden muß.[31] Das Problem der autonomen Maximenwahl im Sinne des Sittengesetzes ist ja jetzt nicht mehr – wie noch auf der Stufe der konventionellen Sittlichkeit – identisch mit dem Problem der individuellen Realisierung eines tugendhaften, gerechten und glücklichen Lebens durch Normenanwendung im Rahmen einer sozialen Lebensform; vielmehr ergibt sich jetzt für den Einzelnen das Problem der Selbstverwirklichung als ein *zusätzliches* Problem, das jedoch *unter den einschränkenden Bedingungen* der universal gültigen Forderungen des Prinzips der Moralität – und das besagt immer auch: im Sinne der *Anwendung* der mit dem Prinzip der Moralität vereinbaren Maximen – gelöst werden muß. Gewiß stellt nun dieses Erfordernis als solches bereits ein neuartiges, eben postkonventionelles, Anwendungsproblem der Moral dar, das dem Einzelnen mit großen, zuvor nicht gekannten Schwierigkeiten konfrontiert – z. B. mit der Notwendigkeit, zwischen dem Erfordernis der prinzipiell gebotenen *Normen*-Befolgung und dem der *Bewertung* der individuell relevanten Lebensumstände zu unterscheiden und zu vermitteln.

Geschichtlich gesehen, ist das hier angedeutete Problem erst sehr spät von der postkonventionellen Ethik nach der »Achsenzeit« herausgearbeitet worden. Die Klassiker der Antike gingen ja, ebenso wie die Weltreligionen, durchaus noch von der Möglichkeit einer einheitlichen Lösung der deontischen Probleme der Gerechtigkeit und der valuativen Probleme des guten Lebens aus. Kant hat dann mit großer Radikalität den Primat des formalistischen, universalistischen und deontischen Moralitätsprinzips vor der Frage nach dem Glück zur Geltung gebracht; aber auch er hat den Preis dieser Abstraktion vom Problem des guten Lebens und das für den Einzelnen entstehende Kompensationsproblem noch kaum als Problem erkannt. Daran hinderte ihn wohl vor allem der Umstand, daß er, für den nur die *Naturwelt* im strikten Sinne *erkennbar* war, die *soziale Welt der gelebten Sittlichkeit* zumindest auf der Ebene seines kritischen Systemdenkens noch gar nicht thematisieren konnte.[32] Erst Hegel, der als erster die soziale Welt der gelebten, »substantiellen Sittlichkeit« als »objektiven Geist« im Rahmen eines philosophischen Systems begreifen konnte, erkannte das soeben angedeutete Problem der Abstraktion und Kompensation als das der modernen »Zerrissenheit«; doch er erhob zugleich den Anspruch, durch dialektisches Begreifen der »vernünftigen Wirklichkeit« im ganzen *Moralität* und *Sittlichkeit* nicht nur zu *vermitteln*, sondern die erstere noch einmal in die letztere »aufzuheben«. Ich werde darauf noch zurückkommen. Habermas weist nun – m. E. zu Recht – diese Möglichkeit ebenso wie die eines neoaristotelischen Rückgangs hinter das kantische Prinzip der Moralität zurück. Er faßt das angedeutete Problem der Abstraktion und Kompensation als das einer postkantischen *Vermittlung* zwischen Moralität und Sittlichkeit und insofern gewissermaßen als das normale Problem einer klugen Anwendung des formalen Prinzips der Moralität *mit Hilfe der Urteilskraft* auf. In diesem Sinne glaubt nun Habermas auch die – in jüngster Zeit von C. Gilligan und J. M. Murphy vorgetragene – These zurückweisen zu können, daß man das Kohlbergsche Schema einer 6-stufigen Entwicklungslogik der Ontogenese der moralischen Urteilskompetenz durch eine weitere Stufe im Sinne einer *kontextsensitiven* Verantwortungsethik ergänzen müsse.[33] Dieses Argument aber scheint mir allenfalls partiell berechtigt zu sein. Damit komme ich auf das angekündigte Problem einer weiteren Differenzierung im Problem der Vermittlung zwischen Moralität und Sittlichkeit.

Habermas betont m. E. völlig zu Recht, daß Anliegen wie »Das Prinzip der allgemeinen Wohlfahrt (Frankenas principle of beneficence) oder das der nicht-privilegierenden Fürsorge bzw. Verantwortung für andere (care and responsibility)« durch das Normenbegründungsprinzip der Diskursethik »schon berücksichtigt« sind.[34] Eben dazu dient ja die Forderung praktischer Diskurse und in ihrem Rahmen das Prinzip (U) bzw. (U^h). Insofern erfordert die von Gilligan und Murphy akzentuierte Notwendigkeit der kontextsensitiven und verantwortlichen Anwendung von Normen kein neues Begründungsprinzip und insofern auch keine neue, höchste Stufe der moralischen Urteilskompetenz – schon gar nicht im Sinne eines besonderen Entwicklungspfades der weiblichen Urteilskompetenz[35] –, sondern lediglich die stets nötige Urteilskraft und Klugheit bei der situationsbezogenen Normenanwendung.

Doch mit dieser Beurteilung des Problems hat Habermas nur das sozusagen *normale Anwendungsproblem auf der ontogenetischen Stufe einer Diskursethik,* und das heißt: unter stillschweigender Voraussetzung *idealer Anwendungsbedingungen des Prinzips praktischer Diskurse in der sozialen Welt,* angesprochen. Er hat also wiederum von dem soziohistorischen Problem der Realisierung der Anwendungs-Bedingungen der postkonventionellen Diskursethik abstrahiert. Eine solche idealtypische Abstraktion ist ja im Sinne des strukturbezogenen Vergleichs zwischen ontogenetischen Stufen der moralischen Urteilskompetenz samt zugehöriger Anwendungsproblematik auch durchaus legitim.[36] Eine völlig andere Sicht ergibt sich jedoch, wenn man die der ontogenetisch orientierten Stufenrekonstruktion eigentümliche Abstraktion rückgängig macht – im Hinblick auf den Umstand, daß in der phylogenetischen Dimension der soziokulturellen Entwicklung der Moral, von der nicht nur der Sozialisierungsprozeß der Einzelnen, sondern auch die Anwendungs-*Bedingungen* der moralischen Normen bedingt sind, der Übergang zu postkonventionellen Verhältnissen ja weitgehend noch nicht realisiert ist.

Jetzt verändert sich auch die Problemsituation hinsichtlich der von Gilligan und Murphy angesprochenen »verantwortlichen, kontextsensitiven« Anwendung der Prinzipienethik – und zwar im Sinne der m. E. zu Unrecht verharmlosten Unterscheidung Max Webers zwischen *Gesinnungsethik* und *Verantwortungsethik*. Denn in einer sozialen Welt, in der mit einer bereits erfolgten geschichtlichen Realisierung der normalen Anwendungs-*Bedingungen* der Diskursethik – also z. B. der Bereitschaft aller zur Anwendung des Diskursprinzips – überhaupt nicht gerechnet werden *darf* (man denke hier etwa an eine, auf der höchsten Stufe der moralischen Urteilskompetenz befindliche Familien-Mutter im Libanon oder in Nordirland, aber auch an einen rechtschaffenen männlichen Politiker in entsprechender Situation) – in dieser Situation kann schon das Insistieren auf der strikten Anwendung des Diskursprinzips durchaus verantwortungsethisch unangemessen und insofern Indiz einer noch nicht völlig erwachsenen moralischen Urteilskompetenz sein.

Hier liegt m. E. das tiefere, von Gilligan und Murphy wohl nur implizit aufgeworfene Problem einer »prinzipienreflexiven« höchsten Stufe der moralischen Urteilskompetenz[37], die gewissermaßen für die Vermittlung zwischen dem höchsten idealen Prinzip der Moralität und der durchaus nicht nur vernünftigen sozialen Realität zuständig ist. Diese Vermittlung muß übrigens keineswegs nur in spektakulären Ausnahmesituationen – etwa denen des Kriegs oder Bürgerkriegs – geleistet werden, sondern auch in verantwortungsethischen Kompromissen zwischen konsensual-ethischem und strategischem Handeln, die im Berufsalltag – auch in wohlgeordneten Rechtsstaaten – noch immer unvermeidlich sind. Kurz: die Vermittlung betrifft die von den geschichtlichen Handlungsbedingungen abhängigen »realen Dilemmata« der Menschen, die von den in einer idealtypischen Stufentheorie thematisierten

»hypothetischen Dilemmata« moralischer Entscheidungen wohl zu unterscheiden sind.

Doch ich habe im vorigen schon angedeutet, daß auch das hier aufgeworfene Problem der *Vermittlung von Moralität und bestehender Sittlichkeit* als Anwendungsproblem einer geschichtsbezogenen Verantwortungsethik keineswegs zu einem resignativen »Abschied vom Prinzipiellen«[38] – etwa im Sinne eines skeptisch-pragmatischen Neoaristotelismus – führen muß. Es läßt sich vielmehr – in Teil B der Begründung der Ethik – als das der prinzipiellen Berücksichtigung des *kontrafaktischen* Charakters der Antizipation des Diskursideals bzw. der noch ausstehenden geschichtlichen Realisierung der sozialen, vor allem der institutionellen Anwendungsbedingungen der Diskursethik eigens thematisieren. Die entscheidende Frage ist dann allerdings die: Kann für die jetzt geforderte Vermittlung zwischen Moralität und Sittlichkeit selbst noch ein *formales, normatives Prinzip* auf der Ebene der Moralität angegeben werden? Oder muß man, mit Hegel, die Vermittlung zwischen dem normativen Ideal und der gesellschaftlichen Realität sozusagen der »List des Weltgeistes« überlassen, die der Philosoph allenfalls von einem antizipierten ex post-Standpunkt im vorhinein als notwendig, ja immer schon »wirklich« begreifen soll. Damit ist sozusagen die letzte Runde in der Auseinandersetzung zwischen einer postkantischen *Prinzipienethik* und einer Hegelschen Ethik der *substantiellen Sittlichkeit* eröffnet. Was läßt sich zugunsten eines formalen, normativen Prinzips der verantwortungsethischen Ergänzung des reinen diskursethischen Prinzips vorbringen?

III Das verantwortungsethische Ergänzungsprinzip für die geschichtsbezogene Anwendung der Diskursethik

Gestatten Sie mir zunächst eine persönliche Retrospektive: Bereits in meinen ersten Ansatz einer Kommunikationsethik[39] bin ich – aufgrund der transzendentalpragmatischen Reflexion auf die Bedingungen der Möglichkeit der Argumentation – von einer *dialektischen Konstellation im Apriori der Kommunikationsbedingungen* ausgegangen: einer Konstellation, in der *drei Momente* hervorgehoben wurden:

1. die Voraussetzung der *idealen Kommunikationsgemeinschaft,* die wir im ernsthaften Argumentieren kontrafaktisch antizipieren müssen;
2. die Voraussetzung der *realen Kommunikationsgemeinschaft,* in der wir sozialisiert sind und in der wir ein hinreichendes Einverständnis schon erzielt haben müssen, um einen argumentativen Diskurs faktisch führen zu können; und dann noch
3. das Bewußtsein der prinzipiellen *Differenz zwischen der idealen und der realen Kommunikationsgemeinschaft.*

Aufgrund des zuletzt genannten Moments habe ich schon damals ein *doppeltes regulatives Prinzip für eine Verantwortungsethik* herzuleiten versucht. Das Doppelprinzip lautete:

»Erstens muß es in allem Tun und Lassen darum gehen, das *Überleben* der menschlichen Gattung als der *realen* Kommunikationsgemeinschaft sicherzustellen, zweitens darum, in der realen die *ideale* Kommunikationsgemeinschaft zu verwirklichen. Das erste Ziel ist die notwendige Bedingung des zweiten Ziels; und das zweite Ziel gibt dem ersten seinen Sinn, – den Sinn, der mit jedem Argument schon antizipiert ist.«[40]

Mir scheint auch heute noch das damals hergeleitete Prinzip einer geschichtsbezogenen Verantwortungsethik im wesentlichen angemessen zu sein. Zu diesem Urteil komme ich insbesondere, wenn ich es mit dem metaphysisch hergeleiteten »Prinzip Verantwortung« von Hans Jonas vergleiche. Es zeigt sich dann nämlich, vereinfacht gesagt, folgendes: Während Jonas das Verantwortungsprinzip als *Bewahrungsprinzip* auffaßt und in seiner Auseinandersetzung mit Ernst Bloch gegen das *Emanzipationsprinzip* ausspielt, sind in meiner Formulierung beide Prinzipien von vornherein in ihrer wechselseitigen Bedingtheit erfaßt. Freilich geschah dies noch in einer Sprache, die, wie sich inzwischen gezeigt hat, nicht klar genug das Mißverständnis des Emanzipationsprinzips im Sinne einer *substantiell utopischen* Programmatik im Geiste von Ernst Bloch ausschloß. Ich will daher im folgenden die Antwort auf die Frage nach der verantwortungsethischen Ergänzung des Prinzips der Diskursethik noch einmal, in neuer Form explizieren. Dabei kann ich mich jetzt vor allem auch auf die neueren Beiträge – und die neuere Terminologie – von Jürgen Habermas stützen:

Die Hauptthese möchte ich jetzt folgendermaßen formulieren: Durch reflexiven Rückgang auf das, was wir im ernsthaften

Argumentieren notwendigerweise anerkannt haben, läßt sich nicht nur das *Universalisierungsprinzip* (U) bzw. (U^h) der reinen Diskursethik herleiten, sondern darüber hinaus auch ein *moralisch-strategisches Ergänzungsprinzip* (E) für die Begründung einer Verantwortungsethik. Diese kann und soll – aufgrund des Ergänzungsprinzips – dann gewissermaßen für den *geschichtsbezogenen Übergang zur Anwendung der Diskursethik* zuständig sein, also für *Teil B der Ethik.* Inwiefern aber haben wir eine Verpflichtung im Sinne von (E) im Rahmen der normativen Bedingungen der Argumentation immer schon notwendigerweise anerkannt?

Zunächst eine Vorüberlegung: Wie im vorigen schon betont wurde (s. oben S. 227), haben wir im *ernsthaften* Argumentieren nicht nur implizit schon immer das *Universalisierungsprinzip* (U) anerkannt, sondern auch dies: Das im *handlungsentlasteten Diskurs* gültige Prinzip sollte auch bei der Lösung von Interessenkonflikten in der *Lebenswelt,* in der Kommunikationen nicht handlungsentlastet sind, *angewendet* werden.

Dies ist in jüngster Zeit bestritten worden mit dem Argument, man könne im handlungsentlasteten Diskurs – und das heißt, unter der Voraussetzung einer nur für diesen gültigen Spezialethik – durchaus zu dem Ergebnis kommen, daß die Konflikte in der Lebenswelt prinzipiell nur *strategisch,* im Sinne des durchkalkulierten Selbstinteresses, zu lösen seien.[41] Doch dieses Argument scheint mir nachweislich falsch zu sein: Es unterstellt entweder, daß die Subjekte des argumentativen Diskurses von den Subjekten der realen, lebensweltlichen Kommunikationen völlig verschieden seien; oder es unterstellt, daß der argumentative Diskurs ein selbstgenügsames Spiel ohne Lebensfunktion sei. Beide Unterstellungen widersprechen aber dem Ergebnis der Selbstreflexion der ernsthaft Argumentierenden. Als solche nämlich *wissen* wir (im Sinne der Nichtbestreitbarkeit bei Strafe des performativen Selbstwiderspruchs):

1. daß wir im argumentativen Diskurs, trotz reflexiver Entlastung von lebensweltlichen Handlungszwängen, mit den Subjekten der lebensweltlichen Interaktion identisch bleiben, und darüber hinaus
2. daß ernsthafte argumentative Diskurse über praktische (ethische) Fragen (»praktische Diskurse«) genau die Funktion haben, bei lebensweltlichen Interessenkonflikten eine mögliche Ent-

scheidung über strittige Geltungsansprüche herbeizuführen. Diese nämlich kann offenbar weder durch Gewalt noch durch strategische Kommunikationen – etwa Verhandlungen – erreicht werden; eben dieses Wissen drückt sich in jeder ernsthaften philosophischen Frage aus (als existentiale Präsupposition!).

Mit dieser Vorüberlegung wird indessen nur erhärtet, daß das Diskursprinzip, und in seinem Rahmen das Universalisierungsprinzip (U), bei der Lösung von Interessenkonflikten in der Lebenswelt *angewendet werden sollte*. Vorausgesetzt ist dabei, daß die Anwendungsbedingungen dies auch im Sinne einer Folgenverantwortungsethik als *zumutbar* – das heißt z.B. im Sinne des Sicherheitsrisikos für Selbstbehauptungssysteme als *verantwortbar* – erscheinen lassen. Eben diese Voraussetzung aber wird in Frage gestellt durch die Reflexion auf die prinzipielle *Differenz* (D), die zwischen der menschlichen Interaktion in *handlungsentlasteten Diskursen* und derjenigen bei *lebensweltlichen Interessenkonflikten* besteht. Soll nun der lebensweltliche Verpflichtungssinn von Diskursen gleichwohl als verbindlich anerkannt werden, so stellt sich die folgende Frage: Wie läßt sich der *Differenz* (D) im Moralprinzip Rechnung tragen, und zwar so, daß das Anwendungsproblem der postkonventionellen Prinzipienethik als das einer geschichtsbezogenen Verantwortungsethik berücksichtigt wird?

Eine erste, noch sehr explikationsbedürftige Antwort ergibt sich unmittelbar aus der Reflexion auf die Tatsache, daß zwischen den Kommunikationsbedingungen, die wir im argumentativen Diskurs voraussetzen und kontrafaktisch antizipieren, und den Kommunikationsbedingungen, mit denen wir auf der Ebene der geschichtsbezogenen Anwendung der Diskursethik rechnen können bzw. dürfen, eine prinzipielle *Differenz* (D) besteht. Diese *Differenz* stellt ja auf der Ebene der *Verantwortungsethik* ein *Hindernis* für die Akzeptierung des Universalisierungsprinzips (U^h) als alleinverbindliches Prinzip der Maximenauswahl dar. (Das gilt z.B. für alle im weitesten Sinn politisch relevanten Handlungsentscheidungen.) Doch, eben die Reflexion auf die *Differenz* (D) als *Hindernis* der anwendungsbezogenen Akzeptierung des Prinzips (U) führt unmittelbar zu der Einsicht, daß es mit zu unserer moralischen Pflicht gehört, an der *approximativen Beseitigung der reflektierten Differenz* (mit-)zuarbeiten; mit anderen Worten: daran mitzuarbeiten, daß das Wort »kontrafaktisch« in der immer schon notwendigen Antizipation der im Prinzip (U) vorausgesetzten idealen Kommunikationsbedingungen seine ethisch-praktische Relevanz in immer mehr Bereichen des Lebens verlieren kann.

Mit dieser Einsicht ist in formaler Anzeige bereits die verantwortungsethische *Ergänzung* des formalen Prinzips der Diskursethik gewonnen. Es geht offenbar bei dem Ergänzungsprinzip (E) um die regulative Idee der approximativen Beseitigung der Hindernisse für die Anwendung von (U^h). Freilich möchte man wissen, was das Ergänzungsprinzip (E) als *normatives Prinzip* genauer beinhaltet. Hat es z. B. selbst noch den Charakter einer *universalisierbaren Regel der Maximenwahl* oder ist es letztlich doch nichts anderes als ein Appell an die *Urteilskraft* bzw. *Phronesis,* welche eben stets in der Situation an die Stelle der fehlenden *Regel der Regelanwendung* treten muß?[42] Hier beginnen in der Tat die Schwierigkeiten von Teil B der Ethik, die ich für größer halte als die der Letztbegründung in Teil A der Ethik.

Zunächst sieht es so aus, als ob man eine wesentliche Errungenschaft der *Theorie des kommunikativen Handelns* und der *Diskursethik* – die scharfe Unterscheidung zwischen *strategischer Zweckrationalität* und *konsensual-kommunikativer Rationalität*[43] – auf der Ebene der verantwortungsethischen Ergänzung des Prinzips (U) wieder aufgeben müßte; bedarf es doch zur approximativen Beseitigung der Differenz (D) einer zweckrationalen *Langzeitstrategie* (die freilich im Dienste der geschichtsbezogenen Anwendung der Diskursethik steht). Deutlicher gesagt: Derjenige, der sich – wenn schon in ethischer Absicht – mit den Hindernissen der unmittelbaren Anwendung des Prinzips (U^h) auseinandersetzen muß, der kann eben noch nicht in unmittelbarer Anwendung des Prinzips (U^h) darauf verzichten, seinen Mitmenschen gegenüber strategisch zu handeln – z. B. ihnen eine Meinung oder Handlungsweise rhetorisch zu suggerieren oder sie gegebenenfalls direkt zu täuschen. Er kann deshalb prinzipiell nicht auf solches Verhalten verzichten, weil er – z. B. als verantwortlicher Politiker – nicht damit rechnen *darf,* daß seine Kontrahenten auf das strategische Verhalten verzichten – nicht übrigens deshalb, weil diese stets böse sind, sondern weil sie ihrerseits auch nicht damit rechnen *dürfen,* daß *er* auf das strategische Verhalten verzichtet.

An dieser Stelle könnte man wiederum den Eindruck gewinnen,

daß die älteren, Aristotelischen Begriffe – wie »praxis und »phronesis« –, die zwar den Unterschied zwischen *produktiv-technischer* und *politischer Handlungsrationalität*, nicht aber den zwischen *strategischer Zweckrationalität* und *konsensual-kommunikativer Rationalität* voraussetzen, in der Praxis doch auch für die Ethik die geeigneteren sind. Dieser Eindruck wird noch verstärkt durch ein weiteres Argument, das prima facie für eine Version entweder des Neoaristotelismus oder des platonischen Utopismus zu sprechen scheint: Man kann m. E. nicht bestreiten, daß auf der Ebene des von mir angedeuteten Ergänzungsprinzips (E) (der Verantwortungsethik) auch die Trennung – im Sinne einer postkantischen Metaethik – zwischen *teleologischer* Ethik und *deontologischer* Ethik nicht mehr aufrecht zu erhalten ist. Sowenig wie man *strategische* Handlungsrationalität aus dem Ergänzungsprinzip (E) ausschalten kann, so wenig kann man hier auf eine *teleologische* Handlungsorientierung zugunsten einer rein *formal-normativen* Orientierung verzichten. Der schon platonische Gesichtspunkt des *Guten* als des ου ἕνεϰα (»Worumwillen«) scheint hier wieder zum letzten Maßstab zu werden. Geht es also nicht um eine utopische Rekonstruktion der substantiellen Sittlichkeit im ganzen?

Doch an dieser Stelle ist folgendes zu bedenken: Zwar ist es auf der Ebene der *Verantwortungsethik* tatsächlich nicht mehr möglich, *strategische Zweckrationalität* und *konsensual-kommunikative Rationalität* bzw. *teleologische* und *deontologische* Ethik getrennt zu halten; vielmehr ist eine Vermittlung beider idealtypischer Orientierungen erforderlich. Aber das besagt keineswegs, daß die zuvor eingeführten *idealtypischen Unterscheidungen* nun zurückgenommen werden müßten – etwa zugunsten der älteren, undifferenzierteren Begrifflichkeit des Aristoteles. Vielmehr setzen *Vermittlungen* in der Philosophie die vorausgegangenen Unterscheidungen, die keine Trennungen zu sein brauchen, gerade voraus; und darauf beruht ihre größere Leistungsfähigkeit. Diese erweist sich nun, wenn man den Sinngehalt der Vermittlung von Zweckrationalität und konsensual-kommunikativer Rationalität im Ergänzungsprinzip (E) der Diskursethik genauer betrachtet. Dazu hier nur zwei Hinweise auf Teilaspekte des Ergänzungsprinzips (E):

1. Die von mir postulierte moralische *Langzeitstrategie* ist nicht zu verwechseln mit der von allen antiken Denkern empfohlenen

teleologischen Strategie im Sinne der möglichen *Realisierung des guten Lebens* – sei es der *Eudaimonia* des Individuums, sei es der *Einheit von individueller Eudaimonia und Gerechtigkeit* im Sinne der Platonischen Staatsutopie. Das von mir angedeutete Ergänzungsprinzip (E) ist zwar *teleologisch* orientiert, aber nicht am substantiellen *Telos* des *guten Lebens*, sondern am Telos der Beseitigung der Hindernisse, die der Anwendung des reinen Diskursprinzips im Wege stehen. Die Realisierung des guten Lebens auf der Ebene der *individuellen* oder gar der *kollektiven Totalität einer Lebensform* bleibt hier den Einzelnen bzw. den konkreten menschlichen Gemeinschaften überlassen. Sie kann – das bleibt ein Resultat postkantischer Kritik der utopischen Vernunft – durch kein universal gültiges Prinzip der Ethik antizipiert oder direkt angezielt werden. Dagegen zielt das Ergänzungsprinzip (E) allerdings auf die Realisierung solcher Kommunikationsbedingungen, die es möglich machen, in *postkonventioneller* Form – nämlich durch *praktische Diskurse* – diejenigen *Normen* zu begründen, welche die für alle verbindlichen *einschränkenden Bedingungen* (»constraints«) für die Realisierung des guten als des glücklichen Lebens festlegen.

Damit ist übrigens auch schon angedeutet, daß es bei der geschichtsbezogenen Anwendungsproblematik der postkonventionellen Diskursethik nicht etwa darum geht, alle *Institutionen* und *Konventionen* direkt durch den *argumentativen Diskurs* – womöglich den der philosophischen Letztbegründung des Diskursprinzips – zu ersetzen;[44] eher geht es darum, traditionelle (»naturwüchsige«) Institutionen und Konventionen sukzessiv durch solche zu ersetzen, die dem Universalisierungsprinzip (U) der Metainstitution des argumentativen Diskurses Rechnung tragen. Dieser Prozeß ist ja im Abendland schon seit Jahrhunderten erfolgreich eingeleitet – z. B. auf der Ebene der Rechtsentwicklung durch Berücksichtigung universalistischer Prinzipien wie der Menschenrechte oder auf der Ebene der Politik durch Berücksichtigung von Prinzipien demokratischer Mitbestimmung, wie z. B. solchen der parlamentarischen Demokratie.

(Natürlich wird damit nicht der Kommunikationstypus parlamentarischer Debatten schlichtweg mit dem Idealtypus der praktischen Diskurse gleichgesetzt oder die Möglichkeit einer solchen Gleichsetzung gefordert. Wohl aber wird behauptet, daß die parlamentarische Debatte, die der politischen Entscheidung durch Abstimmung immerhin vorausgeht, ein Diskurselement enthält, das sein regulatives Prinzip im Prinzip (U) des reinen Diskurses hat. Und genau dieses *Diskurselement* hat es sogar möglich gemacht, daß der Streit der politischen Parteien, der in der gesamten Antike und noch heute in den Entwicklungsländern als Symbol der Zwietracht und Unordnung gilt, zum Mechanismus der diskursiven Meinungsbildung und damit – auch – der politischen Systemstabilisierung erhoben wurde.)

2. Soll aber nun das *Ergänzungsprinzip (E)* der Diskursethik qua Verantwortungsethik tatsächlich als Moralprinzip für die Maximenwahl des Einzelnen tauglich sein, dann muß noch eine Frage beantwortet werden, die delikateste Frage, die mit jeder teleologischen moralischen Strategie verbunden ist: Welche Mittel und Wege kann man im Rahmen der moralischen Strategie, die zur Beseitigung der Hindernisse für die unmittelbare Anwendung des Prinzips (U) der Diskursethik erforderlich ist, als moralisch erlaubt ansehen? Kann man hier wiederum nur auf die »phronesis« bzw. »Urteilskraft« vor Ort – oder mit Max Weber auf das »Augenmaß« – verweisen, oder kann man, noch auf der Ebene des Ergänzungsprinzips (E), ein formal allgemeines Kriterium angeben?

Ich meine, das letztere ist möglich, und ich beziehe mich dabei auf die Grundintuition meines ersten Ansatzes, den ich bereits skizziert habe: Man kann und muß jeder *moralisch-politischen Emanzipationsstrategie* im weitesten Sinne ein einschränkendes *Bewahrungsprinzip* zuordnen und auf diese Weise auch dem Grundmotiv von Hans Jonas Rechnung tragen: Das Bewahrungsprinzip orientiert sich nicht nur, etwa als Grundprinzip einer *ökologischen Ethik,* an der Erhaltung der menschlichen Spezies – und zwar der Art im ganzen und nicht etwa nur der Teile, die sich im Daseinskampf am besten durchsetzen können –; das Bewahrungsprinzip orientiert sich darüber hinaus an der Erhaltung solcher Konventionen und Institutionen der menschlichen Kulturtradition, die, gemessen am idealen Maßstab (U) der Diskursethik, als vorerst nicht ersetzbare Errungenschaften anzusehen sind.

Dies ist natürlich eine explikationsbedürftige Faustregel, aber sie macht doch schon so viel klar: Es geht nicht etwa darum, alle Ergebnisse der bisherigen Kulturtradition für schlecht und beseitigungswert zu halten, die noch nicht explizit durch das Prinzip

(U) legitimiert sind. Vielmehr geht es durchaus darum, das »vernünftige Wirkliche« (Hegel), d. h. die Vernunft, die schon in der Wirklichkeit des objektiven Geistes steckt, nicht zu unterbieten. Es muß aber auch folgendes gesagt werden (und das scheint mir ein Gegenargument gegen das tendenziell ausschließliche Bewahrungsprinzip von Hans Jonas zu enthalten): Man kann, auch in der gegenwärtigen Krisensituation, das Dasein und die Würde des Menschen gar nicht bewahren wollen, ohne zugleich bereit zu sein, auch immer noch an der Gewährleistung der kommunikativen Bedingungen für eine mögliche Realisierung des menschenwürdigen Daseins aller Menschen mitzuarbeiten – und zwar sowohl auf der Ebene der Sozialpolitik als auf derjenigen der Außenpolitik. Damit aber schließt sich – in Teil B der Ethik – das *Erhaltungsprinzip* mit dem *Veränderungsprinzip* im verantwortungsethischen Ergänzungsprinzip (E) des Prinzips der Diskursethik (U) zusammen. Und das Prinzip (E) schließt sich mit dem Prinzip (U^h) auf der höchsten Stufe der moralischen Urteilskompetenz zu einem einzigen Prinzip der diskursbezogenen Verantwortungsethik zusammen. Diskursethisch ist dieses Prinzip insgesamt nicht nur, insofern es a priori auf das Ideal der Regelung aller normativen Probleme in praktischen Diskursen bezogen ist, sondern auch insofern es, einschließlich des Ergänzungsprinzips (E), a priori für den argumentationsreflexiven Letztbegründungsdiskurs der Philosophen[45] konsensfähig ist. (Diese Behauptung, die man natürlich bestreiten kann, wäre selbst wieder anhand des negativen Letztbegründungskriteriums des zu vermeidenden performativen Selbstwiderspruchs als unbestreitbar zu erweisen.)

Lassen Sie mich zum Schluß noch einmal zusammenfassend deutlich machen, warum auch die im Sinne einer Verantwortungsethik ergänzte Diskursethik eine *postkantische Prinzipienethik* bleibt, die sich von allen Spielarten einer *Ethik der substantiellen Sittlichkeit* unterscheidet. Die Unterscheidung gegenüber der *pragmatisch-hermeneutischen* Spielart des *Neoaristotelismus* – d. h. der Suggestion, hinter das Kantische Universalisierungsprinzip der »Moralität« zurückzugehen auf *Üblichkeiten plus phronesis* – dürfte hinreichend klar geworden sein. Doch die Notwendigkeit einer Unterscheidung auch von jeder *spekulativen* bzw. *utopischen* Version einer Ethik der *substantiellen Sittlichkeit* bedarf vielleicht noch einer letzten Verdeutlichung.

Ich könnte mir, nach der Lektüre von Hösles Buch »Wahrheit

und Geschichte«, vorstellen, daß er nach Anhörung meiner bislang vorgetragenen Argumente immer noch eine spekulative »Aufhebung« meines Standpunkts für möglich halten würde. Er könnte etwa dahin argumentieren, daß die von mir postulierte *Vermittlung* zwischen Realität und Idealprinzip (im Sinne der geschichtsbezogenen Anwendung der Diskursethik) auch aus der Perspektive des *Seins* oder der *absoluten Substanz qua Geist* als ein teleologischer Prozeß müsse gedacht werden können, derart, daß der Zyklus der möglichen philosophischen Positionen sich doch im Sinne der *spekulativen Identität der subjektiv-intersubjektiven und der objektiven Bedingungen* der Verwirklichung der Idee schließen würde. Mir scheint, daß ich einem solchen quasi-hegelschen Argument in einem begrenzten Sinne entgegenkommen könnte:

Ich möchte nochmals zugestehen, ja hervorheben, daß Hegel über Kant hinausgehend gezeigt hat, daß es außer den *Sollenspostulaten der Moralität* und – andererseits – der *objektiv erkennbaren Natur* so etwas wie den »*objektiven Geist*« gibt, d. h.: die *erkennbare Wirklichkeit der substantiellen Sittlichkeit*. Diese Wirklichkeit muß sich m. E. so denken und – mit Hilfe der Sozial- bzw. Geisteswissenschaften – rekonstruieren lassen, daß auch das »Faktum der Vernunft« (d. h. die transzendentalpragmatisch einsehbaren Geltungsansprüche des Argumentationssubjekts und die zugehörigen Einlösbarkeitspostulate) als ein Resultat der Geschichte des objektiven Geistes verständlich wird. Ich habe dies das *Selbsteinholungsprinzip der rekonstruktiven Wissenschaften*[46] genannt, und ich bin der Meinung, daß nur unter Voraussetzung dieses Prinzips die menschliche Geschichte sich im Sinne ihrer ethisch geforderten praktischen Fortsetzung rekonstruieren läßt und daß gleichzeitig alle bloß reduktionistisch entlarvenden und relativistischen Theorien der Geschichte sich von diesem Prinzip her als pragmatisch selbstwidersprüchlich erweisen lassen.

Doch die hier postulierte Möglichkeit der *Rekonstruktion der Geschichte des »objektiven Geistes«* ist, trotz aller scheinbaren Ähnlichkeit, keineswegs identisch mit dem von Hegel in Anspruch genommenen *spekulativen Begreifen der vernünftigen Wirklichkeit im Sinne der objektiven Einholung des im Konkret Allgemeinen verwirklichten Ideals.* Der entscheidende Unterschied scheint mir der zu sein: Die von mir postulierte Rekonstruktion muß methodologisch die – durch unsere zeitlich-inner-zeitliche Existenz bedingte – Zäsur zwischen der *Vergangenheit* als Inbegriff der prinzipiell objektivierbaren Fakten und der *Zukunft* als Dimension des noch unentschiedenen Spielraums der Handlungsfreiheit von vornherein anerkennen. Sie kann daher die zukunftsbezogene Dimension der Sollensfragen, auf welche alle denkbaren Prinzipien der Moralität sich beziehen, prinzipiell nicht *in derselben Form thematisieren* wie die vergangenheitsbe-zogene Dimension der ex post-Rekonstruktion der »substantiel-len Sittlichkeit« des »objektiven Geistes«.[47] Sie kann also die spekulative Voraussetzung, unter der Hegels Identifikation des »Vernünftigen« und des »Wirklichen« sinnvoll wird, prinzipiell nicht als *einlösbaren Wissensanspruch* unterstellen.

Daraus folgt, daß auch die folgenden spekulativen Identifika-tionsansprüche prinzipiell nicht einlösbar sind: Der *Standpunkt der praktischen Vernunft* in bezug auf die Geschichte läßt sich niemals in den von Hegel eingenommenen *Standpunkt einer spekulativ begreifenden Vernunft* »aufheben«; das ex post-Ver-stehen der mehr oder weniger gelungenen Lebensformen, die alle »den Mittelpunkt ihrer Glückseligkeit in sich haben«, um mit Herder zu sprechen, kann niemals zusammenfallen mit der ethisch gebotenen Beurteilung der Situation unter dem universali-stischen Prinzip der *Moralität* und des von ihm her geforderten Fortschritts; das *Konkret Allgemeine* kann und darf daher nie-mals direkt zum Maßstab der Ethik werden, wie dies in Platons Staatsutopie und wiederum in Hegels »Aufhebung« der »Morali-tät« in der »substantiellen Sittlichkeit« letztlich des Staates ins Auge gefaßt wurde. Ohne den Hegelschen Begriff des *Konkret Allgemeinen* – und das heißt: ohne das Postulat der »Aufhebung« universal gültiger Moral in der substantiellen Sittlichkeit einer konkreten Lebensform, die immer zugleich diejenige eines sozia-len Selbstbehauptungssystems ist – läßt sich jedoch die von Hösle geforderte spekulative Überbietung der transzendentalpragmati-schen Diskursethik m. E. nicht denken. (Und hier ist noch einmal daran zu erinnern, daß auch die neoaristotelische Regression auf die »Üblichkeiten« der bestehenden Lebensformen auf eine »Aufhebung« der universalistischen Moralität im Sinne des Kon-kret Allgemeinen hinausläuft, weshalb Hegel ihr manchmal nahe-zukommen scheint.) Aus diesen Überlegungen scheint mir zu folgen, daß die philosophische Ethik heute auf eine totale Vermittlung des postkantischen Standpunkts der »Moralität« mit der »substantiellen Sittlichkeit« im Sinne Hegels verzichten muß. Kurz: die Philosophie kann heute einsehen, daß der von Hegel unterstellte Kreis der Heimkehr des Geistes zu sich selbst prinzipiell offen bleiben muß.

Anmerkungen

1 Für einen ersten Versuch in dieser Richtung vgl. meine Beantwortung der Frage »Weshalb benötigt der Mensch Ethik?«, in: *Funkkolleg Praktische Philosophie/Ethik (Dialoge,* hg. von K.-O. Apel, D. Böhler u. G. Kadelbach, Frankfurt a. M. 1984, Bd. 1, 49-162, sowie *Studientexte,* hg. von K.-O. Apel, D. Böhler u. K. Rebel, Weinheim/Basel 1984, Bd. 1, 13-156).

2 V. Hösle, *Wahrheit und Geschichte,* Stuttgart-Bad Canstatt 1984.

3 Zur Geschichte des utopischen Denkens vgl. jetzt W. Voßkamp (Hg.), *Utopieforschung,* 3 Bände, Stuttgart 1982. Daß der – in diesem Werk unterbelichtete – Idealismus der platonischen Staatsutopie *und* seine – scheinbar antiutopische – »Aufhebung« in die geschichtliche Wirklichkeit durch Hegel, nicht aber Kants »philosophischer Chiliasmus« der »regulativen Ideen« das »Überschwengliche« der ansonsten unentbehrlichen utopischen Vernunft markieren, hoffe ich in einer Studie zur »Kritik der utopischen Vernunft« noch zeigen zu können. Vgl. vorerst meinen Beitrag zu dem o. a. Sammelwerk: »Ist die Ethik der idealen Kommunikationsgemeinschaft eine Utopie? Zum Verhältnis von Ethik, Utopie und Utopiekritik«, a.a.O., Bd. 1, 325-355.

4 Vgl. G. W. F. Hegel, *Grundlinien der Philosophie des Rechts,* § 185 u. § 260.

5 Vgl. G. W. F. Hegel, *Grundlinien der Philosophie des Rechts,* §§ 257 f., 260 f., 323 ff.; vgl. auch § 137 zum Verhältnis von Staat und Gewissen.

6 Zur Entwicklungslogik von L. Kohlberg vgl. jetzt ders., *The Philosophy of Moral Development: Moral Stages and the Idea of Justice,* San Francisco: Harper & Row, 1981, sowie ders., *Moral Stages: a Current Formulation and a Response to Critics,* Basel: Karger, 1983; vgl. auch die unter Anm. 1 angeführten Arbeiten.

7 Vgl. G. Maschke in der *Frankfurter Allgemeinen Zeitung* vom 7. 10. 1980.

8 Dazu L. Kohlberg, *The Philosophy of Moral Development,* a.a.O., 37, 272, 296.

9 Vgl. H. Jonas, *Das Prinzip Verantwortung,* Frankfurt a. M. 1979.

Dazu K.-O. Apel in *Funkkolleg, Studientexte,* a.a.O. (s. Anm. 1), 627 ff.

10 Ebd.

11 Vgl. hierzu zuletzt W. Kuhlmann, *Reflexive Letztbegründung. Untersuchungen zur Transzendentalpragmatik,* Freiburg/München 1985, sowie D. Böhler, *Rekonstruktive Pragmatik,* Frankfurt a. M. 1985, VI. Kapitel.

12 Die soeben angeführten Einwände gegen die Möglichkeit einer Letztbegründung entsprechen, soweit ich sehe, auch der Position von J. Habermas in »Was heißt Universalpragmatik?« (in: K.-O. Apel (Hg.): *Sprachpragmatik und Philosophie,* Frankfurt a. M. 1976) und noch in »Diskursethik – Notizen zu einem Begründungsprogramm« (in: ders., *Moralbewußtsein und kommunikatives Handeln,* Frankfurt a. M. 1983). Meines Erachtens ist jedoch schon der Gedanke einer *empirischen Überprüfung* z. B. der von Habermas entdeckten Argumentations-*Präsuppositionen* im Sinne der vier bzw. drei *universalen Geltungsansprüche* (Sinn, Wahrheit, Wahrhaftigkeit und normative Richtigkeit) und ihrer prinzipiellen diskursiv-konsensualen Einlösbarkeit *nicht sinnvoll;* denn jede denkbare empirische Überprüfung müßte ja diese Präsuppositionen schon voraussetzen. Das gleiche gilt von jeder denkbaren – zweifellos immer wieder nötigen – Korrektur der Sinn-Explikation der genannten *Präsuppositionen.* Eine solche Korrektur kann daher nur den Charakter einer *Selbst-Korrektur* haben und unterscheidet sich dadurch wesentlich von empirischen Korrekturen qua möglichen externen Falsifikationen, z. B. von Korrekturen linguistischer Hypothesen aufgrund der Methode weitgestreuter Beispiele und Gegenbeispiele von Urteilen der »native speakers«. Für die Ungültigkeit z. B. von philosophischen Sätzen, die gegen die genannten Präsuppositionen zu verstoßen scheinen, kann es zwar sprachliche Indizien geben, aber der Nachweis der Ungültigkeit kann nicht empirisch, sondern nur durch die reflexiv-apriorische Einsicht in den performativ-pragmatischen Selbstwiderspruch der in Frage stehenden Behauptungen erbracht werden.

Ist nun eine Präsupposition durch *dieses* Prüfungsverfahren als unbestreitbar erwiesen, so ist sie *transzendentalpragmatisch letztbegründet* als notwendige Bedingung der Möglichkeit und Gültigkeit des – auch vom Skeptiker, solange er argumentiert – nicht hintergehbaren Argumentierens. Vom *nicht argumentierenden* (»konsequenten«?) Skeptiker kann dieses Ergebnis sowenig hinterfragt werden wie durch den Einwand einer möglichen *anderen Vernunft;* denn beides ist entweder nicht sinnvoll denkbar, oder es muß – wie im Falle der empirischen Überprüfung und der Explikationskorrektur – bei der Unterstellung dieser Möglichkeiten doch schon der *Begriff unserer Argumentation* und ihrer notwendigen Präsuppositionen vorausgesetzt werden. Übri-

gens: ist die *These* von der Unmöglichkeit der philosophischen Letztbegründung eigentlich bescheiden? Müßte sie, um bescheiden zu sein,
nicht – im Sinne von Hans Albert – als *selbst anwendbare Fallibilis-
mus-Hypothese* aufgefaßt werden? Eine solche Hypothese aber hat
keinen diskutierbaren – im Sinne Poppers kritisierbaren – Sinn, denn
sie kann nicht etwa – wie jede empirische Hypothese – den zugehörigen Fallibilitätsvorbehalt auf die höhere, philosophisch-wissenschafts-
theoretische Reflexionsebene verweisen, sondern muß – als philosophisch universale, selbstrückbezügliche Proposition – dies mitmeinen:
daß es nicht sicher ist, daß alles unsicher ist, und das erstere auch nicht
usw. ad infinitum. Vgl. W. Kuhlmann: »Reflexive Letztbegründung«,
in: *Ztschr. f. Philos. Forschung* 35, 3-26.

13 Diese, bereits von Collingwood, Heidegger, Wittgenstein und Gadamer gewonnene Einsicht ist von J. Searle im Kapitel 5 (»The Back-
ground«) seines Buches *Intentionality* (Cambridge Univ. Press 1983)
als Vorbedingung des Verstehens sprachlicher Bedeutungen in neuer
Form zur Geltung gebracht worden.

14 Vgl. K.-O. Apel, »Das Problem der philosophischen Letztbegründung im Lichte einer transzendentalen Sprachpragmatik«, in: B. Ka-
nitscheider (Hg.), *Sprache und Erkenntnis*, Innsbruck 1976, 55-82,
ebd. 71 ff.

15 Hieraus läßt sich eine *Konsensus*-Theorie der Explikation des Begriffs
der Wahrheit ableiten, welche die folgenden Bedingungen erfüllt:
   1. sie entspricht der Grundintuition der realistischen *Korrespondenz*-
   Theorie der Wahrheit;
   2. sie ersetzt die unmögliche ontologisch-metaphysische und die krite-
   riologisch irrelevante logisch-semantische Explikation des Wahr-
   heitsbegriffs durch eine pragmatische (im Sinne von Charles Peirce),
   welche die Wahrheit als regulative Idee eines sich selbst korrigieren-
   den Forschungsprozesses bestimmt;
   3. sie erlaubt es, die »unorthodoxen« Wahrheitstheorien – wie die
   phänomenologische *Evidenz*-Theorie und die *Kohärenz*-Theorie
   der Wahrheit – zu integrieren.
   Vgl. K.-O. Apel, »C. S. Peirce und Post-Tarskian Truth«, in:
   E. Freeman (Hg.), *The Relevance of Charles Peirce*, The Hegeler
   Institute: La Salle/Ill. 1983, 189-223.

16 Vgl. K.-O. Apel, »Warum transzendentale Sprachpragmatik?«, in:
M. Baumgartner, *Prinzip Freiheit*, Freiburg/München 1979, 13-43.

17 Vgl. hierzu J. Habermas (1983), 107 f. Habermas wiederholt hier,
soweit ich sehe, eine schon früher befolgte Argumentationsstrategie,
etwa im Sinne der folgenden Denkschritte:
   1. Voraussetzung: Letztbegründung als Widerlegung des Skeptikers
   müßte in der Lage sein, nicht nur den argumentierenden, sondern
   auch den die Argumentation verweigernden Skeptiker zu überzeu-

gen. (Entzieht sich der »konsequente Skeptiker« der transzendental-pragmatischen Widerlegung durch Argumentationsverweige-
rung, so handelt nicht etwa er selbst *strategisch*, sondern er entzieht
sich der *Überlistung* durch den Transzendentalpragmatiker.)

2. Wenn schon die Widerlegung des nicht argumentierenden Skeptikers – und insofern die Letztbegründung – nicht möglich ist, so ist
doch – im *Reden über* den Skeptiker – der *theoretische* Nachweis
möglich, daß auch der Skeptiker auf der Ebene des kommunikativen Handelns in der Lebenswelt praktisch so handelt, als ob er die
universalen Geltungsansprüche – und in diesem Sinne auch die
Ansprüche der *Sittlichkeit* – anerkenne – es sei denn, er begibt sich
auf den Weg in den Selbstmord oder in die Geisteskrankheit.

3. Daraus erhellt, daß der Zweifel an der Gültigkeit der moralischen
Normen nur ein selbstgemachtes Pseudoproblem der Philosophen
ist, das nicht durch Letztbegründung auf der Ebene des argumentativen Diskurses, sondern durch (theoretischen) Rekurs auf die
lebensweltliche *Sittlichkeit* (Hegel würde sagen: die »unbefangene
substantielle Sittlichkeit« vor dem Auftreten der Sophisten und des
Sokrates) »aufgelöst« werden kann.

Mir scheint diese Strategie aus folgenden Gründen unhaltbar:

4. Die in (1) formulierte Voraussetzung ist unberechtigt (ja dem
Transzendentalphilosophen gegenüber unfair) – ebenso übrigens
wie die Voraussetzung, die Letztbegründung müsse – bei Strafe
eines »dezisionistischen Restproblems« – auch für die »willentliche
Bekräftigung« des Prinzips einer kognitivistischen Ethik durch die
Handlungsentschlüsse der Menschen aufkommen.

5. Die in (2) angedeutete »rekonstruktive Theorie« des kommunikativen Handelns in der Lebenswelt würde ich mit Habermas vertreten;
aber sie kann die Letztbegründung der Ethik (genauer: der prinzipiellen Einlösbarkeit der auf der Ebene der lebensweltlichen Sittlichkeit erhobenen universalen Geltungsansprüche der Rede) nicht
ersetzen, sondern setzt sie schon voraus. Unter der Voraussetzung
der transzendentalpragmatischen Letztbegründung nämlich ergibt
sich in der Tat die Notwendigkeit der »rekonstruktiven Theorie«
von Habermas im Sinne des von mir so genannten »Selbsteinho-
lungsprinzips« (vgl. Anm. 31). Dieses, unmittelbar aus dem Prinzip
vom zu vermeidenden pragmatischen Selbstwiderspruch herzulei-
tende Prinzip der rekonstruktiven Wissenschaft verlangt von den
Theorien der Anthropologie und Sozialwissenschaft, daß sie die
Konstitution der Argumentationsbedingungen, welche die rekonstruktive Wissenschaft möglich machen, auch als mögliches Ergebnis der kulturellen Evolution verständlich machen. Genau dies
leistet Habermas' Theorie. Diese letztere aber als Ersatz für die
transzendentalpragmatische Letztbegründung anzubieten, läuft auf

eine *petitio principii* hinaus; denn genau dies ist ja *nach* Max Weber und Nietzsche und angesichts des gegenwärtigen Historismus-Relativismus erst zu erweisen: daß die – als Phänomen nicht zu bezweifelnden – universalen Geltungs-*Ansprüche* aller *lebensweltlichen Sittlichkeit* auch nach der »Entzauberung« der religiös-metaphysischen Weltbilder durch den »okzidentalen Rationalisierungsprozeß« prinzipiell einlösbar sind. Im Sinne des Themas dieser Studie könnte man den *Begründungs*-Rekurs auf die *Sittlichkeit* des kommunikativen Handelns in der vorphilosophischen Lebenswelt einen *substantialistischen Fehlschluß* nennen.

6. Das Illusionäre dieses Rekurses auf die »unbefangene substantielle Sittlichkeit« wird besonders durch die Unhaltbarkeit von (3) verdeutlicht. M. E. läßt sich Habermas hier zu einer Verklärung der Voraufklärungs-Sittlichkeit hinreißen, die auch mit seiner eigenen Rezeption der Kohlbergschen Begriffe der *konventionellen* und der *postkonventionellen* Moral unverträglich ist: Tatsächlich ist ja auf der Ebene der Voraufklärungs-Sittlichkeit (die stets den Status einer konventionellen Binnenmoral hat) weder das *dogmatisch-ideologische* Denken noch die *strategische* Handlungsrationalität – wenngleich sie stets parasitär in bezug auf das kommunikative Handeln ist – von der konsensual-kommunikativen Vernunft *getrennt*. Und es sind wirkliche Konflikte innerhalb der lebensweltlichen Sittlichkeit, wie sie etwa in der griechischen Tragödie sich spiegeln, die so etwas wie die Adoleszenzkrise der Menschheit – von der »Achsenzeit« (K. Jaspers) der antiken Hochkulturen bis zur modernen Aufklärung und Gegenaufklärung – auf die Bahn gebracht haben. Mir scheint: Herbert Marcuse hatte schon recht, wenn er Wittgensteins Suggestion, die (postkonventionellen) Probleme der Philosophie durch Verweis auf die angeblich problemfrei funktionierenden Sprachspiele und Lebensformen des Alltags »aufzulösen«, als Versuchung des »eindimensionalen Menschen« charakterisierte. Was den modernen Neoaristotelismus vom Aristotelismus der Metaphysiktradition unterscheidet, ist eben die – mehr oder weniger bewußte – Adaption an die Wittgensteinsche Suggestion.

18 Vgl. K.-O. Apel, »Ist die philosophische Letztbegründung moralischer Normen auf die reale Praxis anwendbar?«, in: *Funkkolleg* (s. Anm. 1), *Dialoge*, Bd. II, 123-146, *Studientexte*, Bd. II, 606-634. Diese Konzeption entspricht m. E. der von J. Habermas (1983).

19 Vgl. Anm. 13.

20 Vgl. Kant, *Kritik der praktischen Vernunft*, A 113 (in: *Werke*, Akademie-Textausgabe, Bd. V, 64). Dazu kritisch Hegel, »Über die wissenschaftlichen Behandlungsarten des Naturrechts« (in: *Werke*, hrsg. von E. Moldenhauer u. K. M. Michel, Frankfurt a. M. 1974, Bd. 2, 434 ff.). Dazu Apel in *Funkkolleg* (s. Anm. 16).

21 Vgl. R. M. Hare, *Freedom and Reason*, Oxford Univ. Press 1963, Kap. 9.

22 J. Habermas, »Über Moralität und Sittlichkeit – Was macht eine Lebensform ›rational‹?«, in: H. Schnädelbach (Hg.), *Rationalität*, Frankfurt a. M. 1984, 218-235, ebd. 219; vgl. auch Habermas (1983), 75 f. u. 103 f.

23 Zum Problem der relativen Zumutbarkeit der Moral vgl. K.-H. Ilting, »Der Geltungsgrund moralischer Normen«, in: W. Kuhlmann/ D. Böhler (Hg.), *Kommunikation und Reflexion*, Frankfurt a. M. 1982, 612-648, bs. 620 ff.

24 Vgl. K. Jaspers, *Vom Ursprung und Ziel der Geschichte*, Frankfurt a. M./Hamburg 1955.

25 Vgl. K.-O. Apel, »Konfliktregelung im Atomzeitalter als Problem einer Verantwortungsethik«, in: H. Werbik (Hg.), *Kriegsverhütung im Atomzeitalter* (erscheint demnächst).

26 Vgl. hierzu H. Arendt, *Vita activa oder vom tätigen Leben*, München o. J., 214-217, sowie D. Böhler, »Kosmos-Vernunft und Lebensklugheit«, in: *Funkkolleg, Studientexte*, a.a.O., (s. Anm. 1), Bd. II, 356-395.

27 Vgl. D. Böhler, a.a.O., sowie ders., »Kritische Moral oder pragmatische Sittlichkeit, ›weltbürgerliche‹ Gesellschaft oder ›unsere‹ Gesellschaft?« a.a.O., Bd. III, 845-888.

28 Vgl. hierzu K.-O. Apel, *Die Erklären:Verstehen-Kontroverse in transzendentalpragmatischer Sicht*, Frankfurt a. M. 1979, 292 ff.

29 Vgl. meine Darlegungen in W. Oelmüller (Hg.), *Transzendentalphilosophische Normenbegründungen*, Paderborn 1978, 160 ff.

30 Vgl. J. Habermas, *Der philosophische Diskurs der Moderne*, Frankfurt a. M. 1985.

31 J. Habermas (1983), 188 ff.

32 Vgl. K.-O. Apel, »Kant, Hegel und das aktuelle Problem der normativen Grundlagen von Moral und Recht«, in: D. Henrich (Hg.), *Kant oder Hegel*, Stuttgart 1983, 597-624.

33 Vgl. C. Gilligan/J. M. Murphy, »Moral Development in Late Adolescence and Adulthood; a Critique and Reconstruction of Kohlberg's Theory«, in: *Human Development*, 1980, 159 ff.

34 Habermas (1983), 191 ff.

35 Vgl. C. Gilligan, *In a Different Voice*, Cambridge 1982.

36 In seiner Ergänzung von Kohlbergs sechs Stufen der moralischen Urteilskompetenz durch eine siebte Stufe im Sinne der Diskursethik (vgl. *Zur Rekonstruktion des Historischen Materialismus*, Frankfurt a. M. 1976, 83) hat Habermas selber die normalen Anwendungsbedingungen der Diskursethik de facto expliziert. Er ordnet nämlich in der Tabelle »Rollenkompetenz und Stufen des moralischen Bewußtseins« in den Spalten »Idee des guten Lebens« und »Geltungsbereich« der

Stufe 7 die Angaben »moralische und politische Freiheit« bzw. »alle als Mitglieder einer fiktiven Weltgesellschaft« zu. Versteht man diese Angaben als die der Anwendungsbedingungen des Prinzips, dann zeigt sich überraschenderweise, daß sie eigentlich schon auf den Stufen 5 und 6 – kurz: für jede Anwendung einer postkonventionellen, universalistischen Prinzipienmoral – vorausgesetzt sind. Man kann nämlich auch die Geltung des rationalen Naturrechts »für alle Rechtsgenossen« (Stufe 5) und die der formalistischen Ethik Kants »für alle Menschen als Privatpersonen« nur unter der Voraussetzung der Anwendungsbedingungen von Stufe 7 als realisierbar unterstellen (und Kant hat dies in seinen kleinen, geschichtsphilosophischen Aufsätzen auch gesehen). Unter den von mir angedeuteten Bedingungen der politisch-sozialen Realität ergibt sich dagegen auf allen postkonventionellen Stufen das – von Max Weber erkannte – prinzipielle Problem der Differenz und Spannung zwischen »Gesinnungsethik« und »Verantwortungsethik«.

37 Eine höchste, »prinzipienreflexive« Stufe der moralischen Urteilskompetenz postuliert – von Max Weber her – auch W. Schluchter in *Die Entwicklung des Okzidentalen Rationalismus*, Tübingen 1979, 68 u. 71.

38 Vgl. O. Marquard, *Abschied vom Prinzipiellen*, Stuttgart 1981.

39 Vgl. K.-O. Apel, »Das Apriori der Kommunikationsgemeinschaft und die Grundlagen der Ethik«, in: ders., *Transformation der Philosophie*, Bd. II, Frankfurt a. M. 1973, 358-436.

40 Ebd., 431.

41 Vgl. K.-H. Ilting (1982), 620 ff. (s. Anm. 21). Dazu K.-O. Apel, »Läßt sich ethische Vernunft von strategischer Zweckrationalität unterscheiden?«, in: *Archivio di Filosofia* LI (1983), 375-434, ebd., 415 ff. Die Vertreter des Iltingschen Arguments übersehen m. E. auch einen wesentlichen Unterschied zwischen *theoretischen* und *praktischen Diskursen:* In den ersteren fungieren die Teilnehmer tatsächlich nur als Beurteiler von Wahrheits-Ansprüchen, die selber keine individuellen Bedürfnisse ins Spiel bringen dürfen. (Deshalb hat Peirce für die Mitglieder der »community of investigators« ein »self-surrender« gefordert. Dies bedeutet bei ihm mehr als nur eine unparteiische Einstellung im Sinne der Fairness!) In den *praktischen Diskursen* sollen dagegen die Teilnehmer keineswegs nur der Diskursethik überhaupt verpflichtet sein, sondern auch zugleich als Subjekte von Bedürfnissen und Interessen – oder als deren Vertreter – auf der Ebene des argumentativen Diskurses fungieren. Deshalb müssen sie hier – im Prinzip – zu Ergebnissen kommen, die dem Prinzip (U) bzw. (U^h) entsprechen, während die Teilnehmer an rein *theoretischen* Diskursen lediglich postulieren müssen, daß alle denkbaren Probleme nur durch Argumente zu lösen sind. Im Falle des *philosophischen Letztbegrün-*

dungsdiskurses besagt dies, daß konkrete Moralprobleme (Begründung materialer Normen) an *praktische Diskurse* der Betroffenen zu verweisen sind. Im Falle der Diskurse der *empirischen Naturwissenschaften* oder der *Formalwissenschaften* besagt es, daß von den individuellen Interessen der Teilnehmer strikt abstrahiert werden soll.

42 Ein orthodoxer Kantianer könnte womöglich darauf insistieren, daß unser Problem ja doch »bloß« ein solches der »reflexiven Urteilskraft« im Sinne Kants sei, da es ja offensichtlich darum gehe, die Situation der Differenz zwischen politisch-sozialer Realität und idealen Anwendungsbedingungen der Diskursethik unter einem regulativen Prinzip (der anzustrebenden Beseitigung der Differenz) zu beurteilen. Ich würde antworten: »Okay, aber es handelt sich hier um ein Anwendungsproblem der reflexiven Urteilskraft auf der Ebene der philosophischen Begründung des Moralprinzips.«

43 Vgl. J. Habermas, *Theorie des kommunikativen Handelns*, Frankfurt a. M. 1981, Bd. 1, Kap. III; sowie K.-O. Apel (1983) (s. Anm. 37).

44 So stellt sich nur O. Marquard die Anwendung der Diskursethik vor; vgl. ders., »Das Über-wir: Bemerkungen zur Diskursethik«, in: K. H. Stierle/R. Warnung (Hg.), *Das Gespräch, Poetik und Hermeneutik* XI, München 1984.

45 Zur reflexiven Differenzierung der Diskurstypen vgl. D. Böhler in: Apel/Böhler/Rebel, *Funkkolleg* (s. Anm. 1), 331 ff., sowie ders., (1985), VI. Kap. (s. Anm. 11).

46 Vgl. K.-O. Apel, »Die Situation des Menschen als ethisches Problem«, in: G. Frey (Hg.), *Der Mensch und die Wissenschaften vom Menschen. Beiträge des XII. Deutschen Kongresses für Philosophie*, Innsbruck 1983, 31-49.

47 Es war diese, selten verstandene, spekulative Voraussetzung des Hegelschen Systems, die mit innerer Konsequenz die zukunftsbezogenen »Praxis«-Philosophien des 19. Jahrhunderts – den Ur-Marxismus des jungen Marx, den Ur-Existentialismus Kierkegaards und den Pragmatismus – als Reaktionen hervorgerufen hat. (Vgl. K.-O. Apel, *Der Denkweg von Charles Peirce. Eine Einführung in den amerikanischen Pragmatismus*, Frankfurt a. M. 1975, Erster Teil, Kap. 1.) Mir scheint, daß die hier eingetretene prinzipielle Differenz zwischen dem vergangenheitsbezogenen Problem der theoretischen Rekonstruktion der Geschichte und dem zukunftsbezogenen Problem der ethisch orientierten Fortsetzung der Geschichte ein prinzipielles Hindernis für die von Hösle postulierte spekulative »Aufhebung« des transzendentalpragmatischen Standpunktes darstellt: Man kann sich angesichts dieser Differenz nicht mehr auf den »absoluten Standpunkt« stellen.

Micha Brumlik
Über die Ansprüche Ungeborener und Unmündiger

Wie advokatorisch ist die diskursive Ethik?

I

Ob ungeborene und unmündige Menschen rational begründbare Rechte und Pflichten haben, ist ein Thema, das spätestens seit der Einsicht in eine sich abzeichnende ökologische Katastrophe, mit Sicherheit aber durch die Herausforderungen der Gentechnologie für die Philosophie unabweisbar geworden ist. Demgegenüber scheint die seit Platons »Staat« vertraute Frage, welche Rechte und Pflichten bereits existierende, aber als unvernünftig bezeichnete Menschen haben sollen, zurückzutreten. Gleichwohl hängen beide Fragen insofern zusammen, als es beide Male um das Wahrnehmen oder Durchsetzen von Ansprüchen gegenüber solchen Menschen geht, die aufgrund von Nichtpräsenz oder Unmündigkeit nicht dazu in der Lage sind, sich selbst mit vernünftigen Argumenten an ethisch-moralisch bedeutsamen Auseinandersetzungen zu beteiligen.

Ich möchte im folgenden zeigen, daß dies auf den ersten Blick so inhaltlich-sittlich erscheinende Problem erhebliche systematische Konsequenzen hat – genauer, daß eine nähere Untersuchung dieses Problems schon vor aller materialen Diskussion zur Belastung eines moralphilosophischen Projektes, nämlich einer universalpragmatisch oder transzendentalpragmatisch begründeten Diskursethik führt. Ich möchte zeigen, daß die ernstliche Berücksichtigung dieser Frage zu einem Typus der Ethik führt, der unabweislich sittlich ist und damit die frühestens seit Kant, spätestens seit der Diskursethik behauptete mögliche formale Behandlung moralischer Probleme als unmöglich erweist. Es gibt keine Form moralphilosophischen Argumentierens, die nicht massive inhaltliche Implikationen hat, mit anderen Worten: es gibt keine Moralität, die nicht zugleich sittlich ist. Ich möchte z. B. zeigen, daß aus den Grundannahmen der transzendentalpragmatischen und universalpragmatischen Diskursethik mit zwingender Kraft die biblische Forderung »Seid fruchtbar und mehret euch« sowie § 1 des bundesrepublikanischen Jugendwohlfahrtgesetzes »jedes deutsche Kind hat ein Recht auf Erziehung zur leiblichen, seelischen und gesellschaftlichen Tüchtigkeit« folgern – beides mit Sicherheit Paradebeispiele für Imperative bzw. Postulate der Sittlichkeit!

Ich werde zunächst die für meinen Argumentationsgang benötigten Begriffe einführen, sodann den § 1 des JWG und endlich die biblische Forderung universalpragmatisch/transzendentalpragmatisch ableiten, um schließlich nachzuweisen, daß die Diskursethik und mit ihr alle Moralitäten einem tiefsitzenden Selbstmißverständnis unterliegen und deshalb entweder aufzugeben bzw. als inhaltlich sittliche Postulatenlehren zu reformulieren sind.

II

Ethik

Unter einer Ethik verstehe ich ein System von Sätzen, d. h. von Aussagen, Imperativen und Empfehlungen, die menschliches Handeln im Hinblick auf das Zusammenleben mit anderen Menschen sowie im Hinblick auf die individuelle Zukunft der Handelnden normieren. Dabei vernachlässige ich an dieser Stelle die oft gebrauchte Unterscheidung zwischen Moral und Ethik und schlage anstatt dessen vor, von einer moralischen bzw. sittlichen Ethik zu sprechen:

Moralität

Eine Ethik ist als moralisch zu bezeichnen, wenn sich ihre Imperative und Empfehlungen auf das Handeln und/oder Leiden aller möglichen Vernunftwesen beziehen, ganz unabhängig von den kontingenten Randbedingungen, aufgrund derer diese Vernunft sich manifestiert. Vernunft soll in diesem Zusammenhang die Disposition bedeuten, sich argumentativ mit der Normierung von Handlungen auseinanderzusetzen.

Sittlichkeit

Eine Ethik ist als sittlich zu bezeichnen, wenn sich ihre Imperative und Empfehlungen auf das Handeln und Leiden wirklicher, u. a. mit Vernunft begabter oder zur Vernunft disponierter Wesen beziehen, und zwar unter systematischer Berücksichtigung der kontingenten und konkreten Bedingungen, unter denen diese u. a. mit Vernunft begabten Wesen leben oder leben werden. In diesem Zusammenhang bedeutet Vernunft nicht nur, sich argumentativ mit der Normierung von Handlungen auseinanderzusetzen, sondern auch, derlei Handlungen tatsächlich auf der Basis von als richtig erkannten Argumenten zu normieren.

Advokatorische Ethik

Advokatorisch ist eine Ethik, wenn sie die Gültigkeit ihrer Normierungsvorschläge nicht an die Zustimmung oder Ablehnung der von diesen Normierungsvorschlägen betroffenen Individuen bindet. Demnach ist die Richtigkeit von Empfehlungen oder Imperativen bezüglich des Handelns bestimmter Personen nicht von deren faktischer Einsicht, sondern von der Wahrheit des entsprechenden ethischen Systems abhängig. Damit verfahren advokatorische Ethiken, unabhängig davon, ob sie deontologisch oder teleologisch angelegt sind, kognitivistisch *und* theoretizistisch. Die wahrheitsadäquate Einsicht in die Angemessenheit einer nach Maßgabe der Umstände gebotenen bzw. zu unterlassenden Handlung ermächtigt im Prinzip zugleich dazu, diese Handlung auszuführen bzw. zu unterdrücken. Ob advokatorische Ethiken aber nicht wenigstens von der antizipierbaren, möglichen Zustimmung der betroffenen Individuen abhängen, ist das offene Problem, das hier verhandelt werden soll.

Diskursive Ethik

Diskursiv ist eine Ethik, wenn sie die Gültigkeit ihrer Normierungsvorschläge an die faktische oder idealiter antizipierbare Zustimmung der von diesen Normierungsvorschlägen betroffenen Individuen bindet. Demnach ist die Richtigkeit von Empfehlungen oder Imperativen bezüglich des Handelns bestimmter Personen von deren faktischer oder idealiter antizipierbaren Zustimmung zu diesen Handlungen abhängig. Damit verfahren diskursive Ethiken, gleichgültig, ob sie an der Begründung von Pflichten oder an der Bestimmung von Gütern ausgerichtet sind, letzten Endes praktizistisch oder pragmatisch. Die Wahrheit eines Imperativs oder einer Empfehlung ermächtigt in diesem Modell nur dann zum Handeln, wenn tatsächlich sichergestellt ist, daß jeder mögliche Betroffene dieser Handlung zustimmen würde. Ob diskursive Ethiken diese Zustimmung tatsächlich antizipieren können, ist das zweite offene Problem, das hier verhandelt werden soll.

Transzendentalpragmatische Diskursethik

Eine Diskursethik verfährt transzendentalpragmatisch, wenn sie als Kriterium der Wahrheit ihrer Sätze die Zustimmung aller möglichen, sich im Vollbesitz ihrer Vernunft befindlichen betroffenen Individuen postuliert. Da nach Maßgabe der transzendentalpragmatischen Bedeutungstheorie Bedeutungen sowohl an die Endlichkeit des einzelnen Individuums als auch an die Unbegrenztheit der Kommunikationsgemeinschaft einzelner Individuen gebunden sind, hängt der Sinn ethisch relevanter Ausdrücke und damit auch die Wahrheit ethischer Aussagen von der Unbegrenztheit dieser Kommunikationsgemeinschaft ab.[1]

Universalpragmatische Diskursethik

Eine Diskursethik verfährt universalpragmatisch, wenn sie als Kriterium der Wahrheit ihrer Sätze die für jede Argumentation de facto in Anspruch genommenen bzw. als notwendig in Anspruch genommenen und daher wissenschaftlich rekonstruierbaren Präsuppositionen der Rede ausweist. Im Unterschied zur transzendentalpragmatischen Diskursethik beansprucht sie nicht, mit dem Ausweis dieser Präsuppositionen eine zureichende Begründung ihres Anspruches geliefert zu haben, sondern lediglich, auf de facto wirkende Mechanismen der Handlungskoordination hingewiesen zu haben, denen sich kein de facto Handelnder entziehen kann. Anstelle eines Anspruchs auf zureichende Begründung praktischer Wahrheiten tritt hier eine fallible Hypothese über handlungskoordinierende Präsuppositionen, die nur bei Strafe von Suizid oder Wahnsinn übergangen werden können.[2]

Damit verfährt die universalpragmatische Diskursethik mit ihrer Auszeichnung der formalen Argumentationsregel letzten Endes *konsequentialistisch*, während die transzendentalpragmatische Diskursethik mit ihrer strikten Reflexion auf die allgemeinen und notwendigen Geltungsbedingungen eines jedes Diskurses und der ihm immanenten Ethik *sinnkritisch* vorgeht.

Mensch und Vernunftwesen

Gegenstand und Anstoß ethischer Überlegungen sind hier endliche, des Leidens und der vernünftigen Rede oder Einsicht im

Prinzip fähige Wesen. Damit werden die komplizierten Fragen einer Ethik von Göttern oder Engeln ebenso ausgeschlossen wie umgekehrt die Belange nichtmenschlicher, aber endlicher Vernunftwesen (wie etwa Delphine) bzw. die Belange menschlicher oder nichtmenschlicher, der vernünftigen Sprache oder Einsicht nicht fähiger Wesen – wie etwa Babies oder niedere Tiere – im Prinzip mit eingeschlossen werden. Nur aus Gründen der Ökonomie der Darstellung werde ich mich im folgenden auf Menschen beziehen – bitte aber zu berücksichtigen, daß im Prinzip die Klasse der Unmündigen alle leidensfähigen Wesen, unabhängig von ihrer wirklichen oder möglichen vernünftigen Artikulationsfähigkeit umfaßt. Das Projekt einer advokatorischen Ethik ist *nicht* anthropozentisch angelegt.[3]

Unmündig

Unmündig ist ein Mensch, der weder der Argumentation fähig, noch in der Lage ist, frei Überlegungen anzustellen. Daß jemand nicht der Argumentation fähig ist, kann zweierlei bedeuten:

1. daß sie/er – etwa Kleinkinder – noch keine kohärenten und voll ausgeformten Sätze bilden können und
2. daß sie/er – trotz der Fähigkeit zur regelrechten Artikulation von Sätzen aufgrund des Mangels von Informationen oder Urteilskraft – keine akzeptablen Argumente vorbringen kann.

Die schwierige Frage nach den empirischen Bedingungen für eine freie Überlegung übergehe ich hier. Ob jemand im zweiten Sinne mündig ist, ist ein Problem eigener Art. Seine Lösung würde eine metaargumentationstheoretische Klärung dessen voraussetzen, was als ein akzeptables Argument gelten kann. Da eine solche metaargumentationstheoretische Klärung aber selbst nur argumentativ verhandelt werden kann und sich damit in derzeit unübersehbare hermeneutische Schwierigkeiten verwickelt, muß das Kriterium für Unmündigkeit schwächer angelegt werden. Unmündig ist demnach jedes Wesen, das nicht dazu in der Lage ist, sprechsprachliche oder mehr oder minder sprechsprachanaloge Sätze zu bilden und diese Sätze pragmatisch angemessen zu situieren.

(Ob die Ausbildung eines vernünftigen Willens eine notwendige Bedingung für die Feststellung von Mündigkeit und mithin seine Abwesenheit ein zureichendes Kriterium für das Feststellen von

Unmündigkeit darstellt, hängt von der nicht geklärten Frage ab, *was* ein vernünftiger Wille ist, d. h. der Bestimmungsgrund eines Handelns, das sich an allgemein anerkannten Maximen orientiert, und wird daher an dieser Stelle übergangen.)

Ungeboren

Als Ungeborene sollen all die Menschen bezeichnet werden, die in naher oder ferner Zukunft geboren werden oder geboren werden könnten. Die Klasse der Ungeborenen umfaßt mithin noch nicht einmal gezeugte sowie bereits gezeugte, aber noch nicht geborene Menschen. Die Klasse der noch nicht einmal gezeugten Menschen läßt sich zudem in die Unterklasse jener zerlegen, von denen wir dem Umfang nach schon heute sagen können, daß sie einmal gezeugt werden, sowie in die Klasse jener, von denen wir dies heute noch nicht sagen können.

Immerhin läßt sich bezüglich der Berücksichtigung der Ungeborenen eine wichtige Feststellung treffen: Wenn wir vorläufig davon ausgehen, daß Ethiken universalistisch angelegt sein sollen, dann sind sie erst dann wirklich universalistisch, wenn sie alle möglichen Betroffenen umgreifen. Oder wie es G. Kavka formuliert hat: Die zeitliche Entfernung von Handelnden oder Leidenden darf ebensowenig ein Anlaß zur Ungleichbehandlung im Urteil sein wie räumliche Entfernung.[4] *Insofern ist die kontingent ontologische Privilegierung der heute existierenden Menschen im Rahmen ernsthaft universalistischer Ethiken aufzuheben.*

III

Transzendentalpragmatische und universalpragmatische Diskursethik postulieren beide quasi oberste Prinzipien, die sich freilich nach Status und Reichweite unterscheiden – ein Umstand, der ihrer unterschiedlichen sinnkritischen bzw. konsequentialistischen Grundhaltung geschuldet ist. Der transzendentalpragmatische Grundsatz lautet:

»Am Anfang der Ethik kann nicht die Berufung auf ein noch so universales Faktum stehen, sondern nur der – in reflexiver Argumentation zu erbringende – Nachweis, daß jeder mögliche Diskussionspartner (jeder also, der überhaupt die Frage nach einer möglichen Begründung der intersubjektiven Gültigkeit von Normen aufwerfen kann) die universalpragmatischen Normen der Ethik notwendigerweise (nämlich als Bedingung der Möglichkeit seines sinnvollen Argumentierens) schon anerkannt hat.«[5]

Die universalpragmatischen Prinzipien einer Diskursethik hingegen lauten:

»Eine strittige Norm kann Zustimmung finden nur, »wenn Folgen und Nebenwirkungen, die sich aus einer allgemeinen Befolgung der strittigen Norm für die Befriedigung der Interessen eines jeden Einzelnen voraussichtlich ergeben, von allen zwanglos akzeptiert werden können«,

sowie

»daß nur die Normen Geltung beanspruchen dürfen, die die Zustimmung aller Betroffenen als Teilnehmer eines praktischen Diskurses finden (oder finden könnten).«[6]

Ich möchte in einem ersten Schritt danach fragen, *wer* gemäß der Transzendentalpragmatik jeder »mögliche Diskussionspartner« ist bzw. *wer* gemäß der Universalpragmatik »alle Betroffenen« sind bzw. über welche Eigenschaften und/oder Dispositionen sie verfügen müssen. Da es hier um eine reflexive Begründung der Ethik aus der Situation des Argumentierens selbst und dort um die Geltungsprüfung im Rahmen eines praktischen Diskurses geht, ergibt sich beinahe trivialerweise, daß die möglichen Diskussionspartner bzw. Betroffenen der Argumentation, der Diskussion und das heißt mindestens des kompetenten Sprechens fähig sein müssen. Mit anderen Worten: Teilnehmer an Argumentationen und praktischen Diskursen müssen argumentieren bzw. kompetent sprechen können. Für die Begründung einer Ethik ergibt dieser analytische Satz noch gar nichts – man mag ihn zu Recht trivial nennen. Weniger trivial wird die Frage nach den Kompetenzen und Dispositionen der Diskursteilnehmer freilich, wenn man fragt, ob es überhaupt ethische Argumentationen bzw. praktische Diskurse geben soll. Auf diese Frage wird die Transzendentalpragmatik sinnkritisch zurückfragen, ob diese Frage nicht bereits selbst Geltungsansprüche und damit eine minimale Ethik beansprucht, während die Universalpragmatik nun entweder die *prinzipielle Unmöglichkeit* eines gesellschaftlichen Zusammenlebens ohne praktische Diskurse postulieren müßte (was sie aufgrund ihrer fallibilistischen Einstellung nicht darf) oder aber zuzugeben hätte, daß Moral kontingent ist und mithin die Frage zu beantworten hat, warum Menschen sich moralisch verhalten sollten. Wir wollen an dieser Stelle die naturalistische Antwort der Universalpragmatik akzeptieren und die Behauptung ernst nehmen, daß unter den gegebenen kontingenten Umständen praktische Diskurse überlebensnotwendig sind.

Nach dem Ausräumen des Trivialitätsverdachts können wir nun Transzendentalpragmatik und Universalpragmatik auf die Reichweite ihrer Grundsätze befragen und insbesondere die Frage stellen, ob ihre jeweiligen Grundsätze moralischer oder sittlicher Art sind. Die Frage nach der Reichweite der Grundsätze legt eine Unterscheidung zwischen dem *Geltungsbereich einer Norm* und ihrem *Erzeugungsbereich* nahe. So gilt etwa ein von einem Parlament verabschiedetes Gesetz für sämtliche Bürger eines Staates, ohne doch von ihnen in allen Fällen begründet, erörtert und beschlossen worden zu sein. Mediatisierung durch Repräsentanz, Exklusion vom Repräsentationsverfahren aufgrund mangelnden Alters, Nichtzustimmung der Repräsentanten aufgrund einer Minderheitsmeinung etc.: Die Klasse derjenigen, die ein Gesetz erzeugen und mehrheitlich in Kraft setzen, ist sehr viel kleiner als die Klasse derjenigen, die es befolgen müssen. Etwas ähnliches gilt für ethische Normen: Auch sie erheben einen Geltungsanspruch, der universelle Befolgung impliziert, ohne doch von allen möglichen Adressaten erzeugt worden zu sein. Im Extremfall ist es sogar der eine einsame Moralphilosoph, der alleine die Geltung von Normen für alle anderen empfiehlt. Nun scheint die Diskursethik in ihren beiden Varianten diese Asymmetrie zu vermeiden, indem sie die Geltung einer moralischen Norm von der virtuellen Zustimmung aller von ihr Betroffenen, so diese nur unter idealen Bedingungen urteilen, abhängig macht. Fällt also bei der Diskursethik die Klasse der wirklichen oder möglichen Normerzeuger und die Klasse der Normbetroffenen zusammen? Die Antwort ist eindeutig, daß dem nicht so ist. Dies liegt an der linguistischen Konstitution der Diskursethik, die als Normerzeuger nur den kompetenten Sprecher zuläßt. Man wird jedoch nicht bezweifeln, daß auch diskursethisch erzeugte Normen solche Wesen betreffen können, die des kompetenten Sprechens noch nicht, nicht mehr oder niemals fähig sind oder fähig waren – wie z.B. Babies und Kleinkinder, bestimmte Gruppen von Alten und Kranken sowie fast alle Tiere –, ganz zu schweigen vom Rest der belebten Umwelt des Menschen. Diese idealiter von der Geltung einer diskursethisch erzeugten Norm betroffenen Wesen sind idealiter und systematisch von ihrer Erzeugung ausgeschlossen. Daß die Diskursethiken dieses Problem ernst nehmen und daß es sich dabei nicht lediglich um einen Kategoriefehler, d. h. um das Einschmuggeln einer letzten Endes trivialen Randbedingung in einen systematischen Gedankengang handelt, sollen zwei Zitate belegen:

»Ich möchte« – so führt etwa K.-O. Apel aus – »hiermit übrigens nicht sagen, daß die noch Unmündigen oder diejenigen, die durch nicht mehr legitimierbare Verhältnisse der gesellschaftlichen Institutionen an der argumentativen Vertretung ihrer Interessen gehindert sind, für die mögliche Konsensbildung im ›praktischen Diskurs‹ nicht zählen. Die Pointe einer transzendentalpragmatischen Begründung der ethischen Normen liegt vielmehr darin, daß alle Interessen – und d. h. die ›Ansprüche‹ aller potentiellen Diskurspartner – nur im Diskurs rational wahrgenommen werden können, – nur im Diskurs deshalb, weil er – im Unterschied zu beliebigen anderen Sprachspielen – seiner Idee nach die Institutionalisierung der rationalen Selbstreflexion des transzendentalen Sprachspiels der unbegrenzten Kommunikationsgemeinschaft darstellt.«[7]

Das Problem der Asymmetrie zwischen universalistischem Geltungsanspruch und partikularer Geltungserzeugung ist hier deutlich gesehen, wird aber ebenso deutlich wieder vernachlässigt. Unter der für jede ethische Theoriebildung unabdingbaren Voraussetzung, daß früher oder später gehandelt werden muß, ist ein Warten darauf, bis alle möglichen Betroffenen mündig sind, ein Unding. Somit bleibt der Diskursethik nichts anderes übrig als eine Art advokatorischer Ersatzvornahme, d. h. die kontrafaktische Antizipation der möglichen Zustimmung der unmündigen Betroffenen zu den sie betreffenden Maßnahmen. In seiner universalpragmatischen Begründung der Argumentationsregel als Basis einer formalen Diskursethik, die keine inhaltlichen Festlegungen trifft, sieht auch J. Habermas dies Problem:

»Alle Inhalte, auch wenn sie noch so fundamentale Handlungsnormen berühren, müssen von realen (oder ersatzweise vorgenommenen, advokatorisch durchgeführten) Diskursen abhängig gemacht werden.«[8]

Habermas und Apel lösen das Asymmetrieproblem also entweder – wie Apel – durch Abbruch der Argumentation oder durch das Postulieren eines ersatzweise vorgenommenen, advokatorischen Diskurses. Wie ist ein advokatorischer Diskurs im Rahmen der Diskursethik *begründbar*? Offensichtlich nur unter der Annahme, daß die jetzt Unmündigen Betroffenen den sie betreffenden Maßnahmen schlußendlich zustimmen würden. Aber woher wollen die advokatorisch Handelnden wissen, daß die jetzt Unmündigen auch tatsächlich zustimmen werden? Hierfür kommen zwei Möglichkeiten in Betracht:

a. Die jetzt Unmündigen müssen die Gelegenheit erhalten, mündig zu werden, um wenigstens ex post zu den sie betreffenden Maßnahmen zustimmend oder ablehnend Stellung zu nehmen.

b. Die jetzt advokatorisch Argumentierenden wissen, daß die von ihnen ersatzweise betriebene Beratung anhand interner Kriterien gültig ist, weswegen die faktische Zustimmung oder Ablehnung der unmündigen Betroffenen vernachlässigt werden kann. Es zeigt sich sofort, daß die epistemische Festlegung interner Kriterien für die Gültigkeit eines advokatorischen Diskurses im Rahmen einer Diskursethik unzulässig ist. Das Verfügen über solche internen Gültigkeitskriterien reicht entweder nicht zu, weil es das wirkliche Interesse der unmündigen Betroffenen nicht trifft, oder es trifft deren Interessen – stellt dann aber das genaue Gegenteil einer diskursiven Lösung eines Problems dar. Denn advokatorisch wahrgenommene Interessen sind eben keine wirklich wahrgenommenen Interessen. Die Gleichsetzung beider stellt m. E. einen schwerwiegenden Kategorienfehler dar. Unter diesen Umständen können wir das Berufen auf interne Gründe für die Gültigkeit einer advokatorischen Beratung, die ja impliziert, daß die mündigen Berater die Interessen der unmündigen Betroffenen besser kennen als diese selbst, als dem Diskursprinzip widersprechend ausscheiden. Wer sowohl die Gültigkeit des Diskursprinzips als auch die Kenntnis der Interessen anderer behauptet, verwickelt sich in einen performativen Widerspruch zweiter Stufe.

Dem scheint die universalpragmatische Variante der Diskursethik zu entgehen, da sie – vor dem Hintergrund der rekonstruktiven Moralpsychologie Kohlbergs – über einen naturalistischen Begriff der Mündigkeit im Simme postkonventioneller moralischer Urteilsfähigkeit verfügt. Ob jemand mündig ist oder nicht, ist dann letzten Endes eine empirische Frage und die advokatorische Wahrnehmung seiner Interessen auch kein prinzipielles Problem mehr. Das besagt aber, daß die aktualen Interessen von Unmündigen als solche im Diskurs erst gar nicht berücksichtigt werden müssen, womit die Diskursethik letzten Endes a limine den

Vorrang der Einsichten und Interessen Mündiger gegenüber denen Unmündiger systematisch festschreibt. Damit befindet sie sich in der Tradition partikularistischer Ethiken, die die Gültigkeit ihrer Aussagen in androzentrischer, »ariozentrischer« oder eben anthropozentrischer bzw. hier adultozentrischer Hinsicht verengen und damit nicht wirklich universalistisch sind. Dies wäre an und für sich nicht weiter anstößig, wenn nicht zugleich und immer wieder der Universalismus der Diskursethik behauptet würde. Im Unterschied zur universalpragmatischen widersetzt sich die transzendentalpragmatische Diskursethik übrigens ausdrücklich einer naturalistischen Lösung dieses Problems.[9]

Unter dieser Bedingung verbleibt der philosophisch anspruchsvolleren Transzendentalpragmatik nur noch die Möglichkeit, wenigstens auf die spätere Einsicht der von advokatorischen Maßnahmen betroffenen Unmündigen zu hoffen – will sie nicht eine objektivistische Einsicht in deren Interessen in Anspruch nehmen. Dies ist ohnehin ein Argument, bei dem man sich fragen müßte, warum es überhaupt der Umstände einer Diskursethik bedarf. Daß der Philosoph über privilegierte Einsichten in die derzeitigen Befindlichkeiten und Interessen anderer verfügt, ist schließlich in der großen Tradition advokatorischer Ethiken seit Platons Staat nichts Neues. Der Preis für das Vermeiden des totalen Theoretizismus aber ist wenigstens die Hoffnung in die spätere Zustimmung der betroffenen Unmündigen.

An dieser Stelle ist nun einem sinnkritischen Einwand zu begegnen, dem sich das folgende Argument ausgesetzt sehen könnte. Einsatzpunkt meiner Argumentation war, daß eine advokatorisch legitimierte Maßnahme – wenn möglich – später durch den advokatorisch Vertretenen soll legitimiert werden können; mit anderen Worten: Die entsprechende Maßnahme soll nur dann als ethisch ausgewiesen gelten, wenn ihr auch seitens des Betroffenen hätte zugestimmt werden können.

Ist eine solche Forderung überhaupt sinnvoll angesichts des Umstandes, daß die fragliche Entscheidung ohnehin getroffen wurde – daß also die nachträgliche Zustimmung entweder nur affirmiert, was sowieso geschah, oder aber zu einem nur schwer lösbaren Dilemma führt. Es sei unterstellt, daß eine inzwischen mündig gewordene Person ex post den Maßnahmen, die ihr gemäß einer advokatorischen Überlegung angediehen, nicht zustimmt. In diesem Fall ist die Richtigkeit des advokatorischen

Vorgriffs widerlegt – in einem praktischen Sinne falsifiziert –, die erwünschte oder vermutete Zustimmung der Betroffenen blieb aus. Das retrospektive Einholen der Stellungnahme der Betroffenen setzt sich damit dem Verdacht aus, dem Umstand der Unumkehrbarkeit getroffener Entscheidungen allenfalls in einer erbaulichen Weise gerecht zu werden. Denn die Entscheidung selbst ist nicht mehr umkehr- oder aufhebbar, und entsprechend kann die spätere Zustimmung die advokatorisch Handelnden entweder nur bestätigen oder ins Unrecht setzen, was in beiden Fällen zwar die advokatorisch Handelnden berührt, die Betroffenen aber unberücksichtigt läßt.

Wird man also sagen müssen, daß das nachträgliche Einholen der Meinung der Betroffenen sinn- weil folgenlos ist? Ist es folgenlos? Richtig ist, daß die Zustimmung hinsichtlich der damals getroffenen Maßnahmen folgenlos bleibt, da die Zeit nicht umkehrbar ist. Andererseits gilt trivialerweise, daß ein Diskurs – auch wenn er rückwärts gewandt ist – nicht folgenlos bleibt. In gewisser Weise bleibt kein Gespräch folgenlos. Aber auch jenseits dieser Trivialität können moralisch bedeutsame Folgen für die Handelnden aus einem retrospektiven Gespräch entstehen.

Die rückwärts gewandte Evaluation von Entscheidungen und Handlungen spielt bereits in der alltäglichen Interaktion eine bedeutsame Rolle, wie sich an den Sprechakten des Sich-Entschuldigens und Verzeihens zeigt. Die Referenzobjekte von Entschuldigungen und Verzeihungen sind vergangene Handlungen von Personen, die im Licht der gegenwärtigen evaluativen Normen der Akteure nicht mehr zu rechtfertigen sind. Entschuldigungen sind – wie Scott und Lyman[10] gezeigt haben – praktische Erklärungen, die entweder die moralische Unfähigkeit des Akteurs aus der Wirkung externer Ursachen erklären oder aber seine Einsicht in die interne Unrichtigkeit der Gründe seines Handelns kundtun und damit zugleich eine in die Zukunft gerichtete Verpflichtung darstellen, unter ansonsten identischen Umständen anders zu handeln. Unter einer Verzeihung könnte man entsprechend das Akzeptieren der externalistischen Erklärung bzw. der internalistischen Einsicht, d. h. des stattgefundenen moralischen Lernprozesses verstehen – ein Akzeptieren, das zugleich die Bereitschaft und die Verpflichtung impliziert, dem schuldig Gewordenen seine Handlung in Zukunft nicht mehr vorzuwerfen bzw. ihn nicht mehr für die Folgen seiner Fehlhaltung zu belangen. In dieser Hinsicht spielen Entschuldigungen und Verzeihungen eine bedeutsame Rolle bei der Aufrechterhaltung der stets störungsanfälligen zwischenmenschlichen Interaktionen. Verzeihungen und Entschuldigungen stellen Renormalisierungsleistungen dar, die die Anschlußfähigkeit und Fortführbarkeit von Interaktionen ermöglichen.

Und trotzdem will es scheinen, als würde die funktionale Erklärung von Entschuldigungen und Verzeihungen ihrem internen Sinn nicht ganz gerecht; mit anderen Worten: Bei Entschuldigungen und Verzeihungen geht es nicht nur um die Regulierung und Koordination künftigen Verhaltens, sondern tatsächlich um eine veränderte Bewertung und rückwärts gewandte Änderung der Stellung der Beteiligten zueinander, und zwar so, daß ihnen ihre Handlungen nachgesehen werden. Verzeihungen implizieren eine Unterscheidung zwischen der Anerkennung bzw. Verwerfung von Handlungen und der Anerkennung bzw. Verwerfung von Personen. Anerkennungen implizieren die kognitive Kenntnisnahme einer Person und ihrer Handlung sowie eine noch näher zu bestimmende positive Bewertung von Personen und/oder Handlungen. Indem wir jemandem sogar dann verzeihen, wenn er nicht in der Lage ist, eine praktische Erklärung für sein Fehlverhalten zu liefern, tun wir kund, daß wir seine Person höher schätzen als einen gegebenen moralischen Standard und wir mithin bereit sind, um der reziproken Anerkennung unserer Personen willen den unbedenklichen Geltungsanspruch eines moralischen Standards zu virtualisieren. Freilich wird durch die personenbezogene Virtualisierung des moralischen Standards dieser nicht im Prinzip aufgehoben, im Gegenteil: Verzeihungen verlören ihren Sinn, wenn es keinen moralischen Standard gäbe, dessen Übertreten im Prinzip zu ahnden wäre. Theologisch gesprochen geht es hier um die unaufhebbare Komplementarität von Weisung und Gnade, Gesetz und Evangelium. Ich kann die Erörterung des Verzeihens an dieser Stelle abbrechen, da es ja vor allem darum ging, die Faktizität und Sinnhaftigkeit von Stellungnahmen zu bereits vergangenen Ereignissen plausibel zu machen.

Wenn dies möglich, wirklich und sinnvoll ist, dann impliziert die universelle Betroffenenregel, daß diejenigen, die, da sie advokatorisch handelten, sich eines möglichen Fehlverhaltens in bezug auf die abhängig Betroffenen schuldig gemacht haben, sich vor ihnen auch verantworten sollen. Daß eine solche retrospektive Verantwortung sinnvoll konzipierbar ist, wurde am Beispiel des Verzeihens gezeigt. Da nun zwar das advokatorische Handeln geboten sein mag, eine advokatorische Bewertung der Auswirkung des Handelns auf die Betroffenen aber den Sinn der Betroffenheitsregel verletzt und zudem ja wirklich die Möglichkeit besteht, daß der Betroffene zu den auf ihn bezogenen Handlungen Stellung bezieht, ist nicht mehr einzusehen, was in sinnkritischer Hinsicht gegen die Realisierung dieser Möglichkeit in Anschlag gebracht werden soll. Wenn aber der sinnkritische Trivialitäts- und Redundanzverdacht entfällt, bleibt die Gültigkeit des Postulates, *wonach die betroffenen Unmündigen mindestens deshalb mündig werden sollen, um zu den sie betreffenden Maßnahmen Stellung beziehen zu können,* unvermindert bestehen. Und da de facto alle Unmündigen Betroffene sind, sollen eben die betroffenen Unmündigen mündig werden.

Eine solche Forderung ist aber nur dann sinnvoll, wenn diese Stellungnahme auch tatsächlich erfolgen kann. Aus dieser Sinnbedingung advokatorischen Argumentierens folgt ein praktisches Postulat: Die Unmündigen sollen einmal mündig werden und das heißt ihren Entwicklungsmöglichkeiten und Bedingungen gemäß erzogen bzw. gebildet werden. Nichts anderes besagt der zu Anfang zitierte § 1 des bundesrepublikanischen JWG, wonach jedes deutsche Kind ein Recht auf Erziehung zur leiblichen, seelischen und gesellschaftlichen Tüchtigkeit hat. Die hermeneutischen Schwierigkeiten einer direkten Deduktion aus der angeführten Sinnbedingung der Transzendentalhermeneutik sind mir durchaus bewußt, ich halte sie aber nicht für wesentlich und übergehe sie hier daher.

Immerhin möchte ich anmerken, daß die vermeintliche Engführung auf »jedes deutsche Kind« lediglich ein Ausdruck der gesetzlichen Positivität dieses Postulates ist – es ist klar, daß ein in der Bundesrepublik erlassenes Gesetz zunächst nur für den Geltungsbereich dieses Gesetzes gilt –; daraus eine partikularistische Privilegierung deutscher Kinder abzuleiten, ist zwar möglich, scheint mir aber dem Geist dieses Gesetzes insofern zu widersprechen, als die Festschreibung auf deutsche Kinder ja keineswegs ausschließt, daß andere Kinder ebenfalls in den Genuß der hiermit empfehlbaren Maßnahmen kommen. Die Praxis der Jugendpflege jedenfalls läßt hier kaum eine nennenswerte Diskriminierung erkennen – sieht man von den menschenrechtswidrigen Abschiebepraktiken bei straffälligen, aber keineswegs immer strafmündigen jungen Türken ab.[11] Aber all das ist hier nebensächlich – ich hätte zum Erweis meiner These genausogut die »United Nations Declaration of the Rights of the Child« zitieren können, in der es heißt:

»Whereas the child, by reason of his physical and mental immaturity, needs special safeguards and care, including appropriate legal protection, before as well as after birth...
Whereas mankind owes to the child the best it has to give... therefore the General Assembly proclaims this Declaration of the Rights of the child to the end that he may have a happy childhood and enjoy for his own good and for the good of society the rights and freedoms herein set forthand calls upon parents etc. ... to recognize these rights and strive for their observance by legislative and other measures progressively taken in accordance with the following principles...«[12]

Auf jeden Fall:
Damit impliziert die diskursethische Moralität transzentalpragmatischer Spielart einen, da kontingente Verhältnisse verbindlich und zwingend regelnden, nicht anders als sittlich zu bezeichnenden Imperativ, womit bis jetzt an einem Beispiel gezeigt wäre, daß innerhalb dieser Variante von Diskursethik die Trennung von Moralität und Sittlichkeit sinnvollerweise nicht gezogen werden kann. Diese im Rahmen der transzendentalpragmatischen Diskursethik zwingende Implikation scheint ihre universalpragmatische Variante zu vermeiden. Sie legt ja explizit fest, daß der Grundsatz D (daß nur die Normen Geltung beanspruchen dürfen, die die Zustimmung *aller* Betroffenen als Teilnehmer eines praktischen Diskurses finden – oder finden könnten)[13] sorgfältig unterschieden werden müsse »von irgendwelchen inhaltlichen Prinzipien oder Grundnormen, die nur den Gegenstand moralischer Argumentation bilden dürfen.«[14]
Um die Haltbarkeit dieser Unterscheidung zu überprüfen, muß jetzt gefragt werden, welche Art die Norm M »Unmündige sollen zu Mündigen gebildet werden!« ist. Wenn wir den Grundsatz D als Inbegriff der Moralität, die nach Maßgabe von D erzeugten möglichen Normen dagegen als Manifestationen von Sittlichkeit bezeichnen, so kann M entweder der Moralität oder der Sittlichkeit angehören.
Prima facie scheint M der Sittlichkeit anzugehören, da es sich ja

hierbei eindeutig um ein inhaltliches Prinzip handelt. Inhaltliche Prinzipien aber sind in gewisser Weise kontingent, d. h. sie könnten als inhaltliche Prinzipien von allen Betroffenen zurückgewiesen werden. Ist diese Möglichkeit für M sinnvoll argumentierbar? Diese Frage läßt sich leicht dadurch überprüfen, daß man nach der Verträglichkeit der Negation von M (kein Unmündiger soll mündig werden) mit D fragt.

M ist ein kontingenter Imperativ. Der Prozeß des Mündigwerdens, des Erzogen- und Gebildetwerdens, des Sich-selbst-Bildens ist durchaus anstrengend, bisweilen schmerzhaft und mit Sicherheit reich an Frustrationen. Das Leben eines mündigen Erwachsenen fordert unter anderem Entsagung, die Last von Entscheidung und Verantwortung etc. Ein Leben, das anders als das Leben von mündigen Erwachsenen verläuft, ist eine reale Möglichkeit und widerspruchsfrei vorstellbar. Nun fordert D freilich, daß die negierte Norm M »kein Unmündiger soll mündig werden« von *allen Betroffenen* bestätigt werden soll. Zu dieser Gruppe gehören zweifelsfrei auch jene, die unter Umständen nie mündig werden. Damit sie dem advokatorischen Vorgriff auf ihre Unmündigkeit später zustimmen könnten, müßten sie aber zunächst mündig werden. Mit anderen Worten: Wenn M als kontingent gelten soll, muß der Universalitätsanspruch von D ermäßigt werden, die Gruppe der Betroffenen umfaßt dann lediglich die Gruppe der *derzeit betroffenen mündigen Menschen.* Die Trennung zwischen Moralität und Sittlichkeit ist also für die Universalpragmatik nur durch eine explizite Abschwächung ihres Universalitätsanspruches möglich.

Will sie diesen Preis der Ermäßigung nicht zahlen, so muß sie die Unverträglichkeit der Negation von M mit D und darüber hinaus die sinnkritische Implikation von M durch D behaupten, was aber nichts anderes bedeutet, als daß die Rettung des Universalitätsanspruches nur durch Aufgabe der Trennung von Moralität und Sittlichkeit möglich ist. Dies ist ein *erster symptomatischer Befund von höchster Bedeutung. Er besagt zunächst nicht weniger, als daß jede universalistische Diskursethik, die es mit ihren universalistischen Prämissen ernst meint, eine bestimmte Form der Sittlichkeit darstellt.* Ich werde im folgenden zeigen, daß es keineswegs nur ein zufälliger Umstand ist, daß universalistische Ethiken sittliche Implikationen haben, sondern daß es *vor allem und gerade ihr universalistischer Charakter ist, der eine eigene, sehr bestimmte Sittlichkeit impliziert.* Das Problem, das hier in Frage steht, wird durch den universalistischen, d. h. Unendlichkeit beanspruchenden Charakter der Diskursethik erzeugt. Es sind letzten Endes, wie sogleich zu zeigen sein wird, die Paradoxien des Unendlichen, die die Diskursethik in dieses Dilemma treiben.

IV

Es sind nicht nur die Schlagworte auf den Plakaten ökologisch orientierter Parteien, die auf die Bedeutsamkeit der heutigen Politik für künftige Generationen hinweisen. Ein Spruch wie »Wir haben die Erde von unseren Kindern nur geliehen« ist vielmehr typisch für ein Denken, das sich in politischer und philosophischer Hinsicht nicht mehr am »Prinzip Hoffnung«, sondern an Jonas' »Prinzip Verantwortung«[15] orientiert.

Fragen der Alterssicherung, des Umweltschutzes und der Bevölkerungsentwicklung werden mehr und mehr unter dem Gesichtspunkt irreversibler Entwicklungen bzw. derzeit nicht völlig absehbarer Fernwirkungen auf künftige Generationen beurteilt. Dabei spielt die Frage nach der Zumutbarkeit dieser Fernwirkungen und somit nach den Rechten der heute noch nicht Geborenen eine besondere Rolle. In Frage steht insbesondere, ob und in welchem Ausmaß wir künftigen Generationen verpflichtet sind. Sind wir nur denjenigen künftigen Menschen gegenüber zu etwas verpflichtet, von denen wir genau wissen, daß sie existieren werden? Bestehen besondere Verpflichtungen jenen gegenüber, die uns in zeitlicher Hinsicht relativ nahe stehen? Gibt es so etwas wie einen Verpflichtungsdiskont gegenüber jenen, die uns zeitlich fernstehen? Kann es überhaupt Verpflichtungen in bezug auf Personen geben, die noch nicht existieren? Setzt nicht jede Verpflichtung eine faktische Reziprozität voraus? Und nicht zuletzt: Welcher Art sind die Rechte, die die Ungeborenen und Ungezeugten haben? Handelt es sich dabei um hypothetische Rechte und Ansprüche, die dann und nur dann gelten, *wenn* diese Menschen einmal existieren werden? Oder gibt es auch quasi kategorische Rechte und Ansprüche, etwa darauf, gezeugt und geboren zu werden? Die neuere philosophische Literatur verhandelt gerade die letzte Frage allen Ernstes und gibt – zum Teil auf der Basis des klassischen Utilitarismus – die Antwort, daß es ein

Gut ist zu existieren und daß es mithin unter gegebenen Umständen geradezu geboten ist, weitere Menschen zu zeugen.[16] Unter welchen Bedingungen dies Gebot dann gilt, ist freilich eine Frage komplizierter Nutzenabwägungen, auf die ich hier nicht näher eingehen kann. Doch lohnt es sich, darauf hinzuweisen, daß diese Fragen bei einem bestimmten praktischen Problem auf ein auch für unsere Fragestellung bedeutsames Paradox hinauslaufen. Dieses Paradox entsteht, wenn man auf der Basis der Annahme der Rechte und Ansprüche möglicher Menschen Fragen der Bevölkerungsentwicklung untersucht. Es sei unterstellt, daß die Förderung und der Ausbau einer bestimmten Technologie den allgemeinen Wohlstand in einem ähnlichen Ausmaß fördert, wie er die Umwelt belastet. Es sei zudem unterstellt, daß das Einführen dieser Technologie die allgemeinen Lebensbedingungen so erleichtert, daß er eine Steigerung des Bevölkerungswachstums bewirkt. Die Folge des Einführens dieser Technologie wäre dann, daß später relativ mehr Menschen unter einer angebbaren Umweltbelastung leiden würden, als wenn diese Technologie nicht eingeführt würde. Wie läßt sich nun – unter Bezugnahme auf die Interessen künftiger Generationen – für oder wider die Einführung dieser Technologie argumentieren? *Ein* Gegenargument ist auf jeden Fall unzulässig: Nämlich, daß bei Einführung dieser Technologie mehr Menschen leiden würden. Wird dieses Argument nämlich als gültig akzeptiert, so folgt daraus, daß die nämliche Technologie erst gar nicht eingeführt wird, das Bevölkerungswachstum ausbleibt und mithin Schaden von jemandem abgewendet wird, den es gar nicht gegeben hätte. Mit anderen Worten: In dem Augenblick, in dem das Argument als gültig anerkannt wird, verliert es zugleich seine Gültigkeit, da es die zusätzliche Anzahl Menschen, deren Leiden es ins Feld führt, gar nicht mehr geben wird. Das Argument, es möge eine umweltbelastende Technologie vermieden werden, um das Leben einer wachsenden Anzahl künftiger Menschen nicht zu belasten, ist mithin nur dann gültig, wenn sichergestellt ist, daß diese Technologie in *keinem kausalen* Zusammenhang mit dem Bevölkerungswachstum steht.

Untersucht man nun in analoger Weise das Problem des Bevölkerungswachstums, so wird das in Frage stehende Paradox noch deutlicher: Es sei unterstellt, daß P ein Bündel bevölkerungspolitischer Maßnahmen darstellt, das das Bevölkerungswachstum langfristig senkt und mithin die durchschnittliche Lebensqualität des einzelnen Bürgers – bei gleichbleibenden sonstigen Gütern – erhöht. Das setzt umgekehrt voraus, daß bei gleichbleibendem Bevölkerungswachstum die durchschnittliche Lebensqualität künftiger Menschen sinken wird. Anhand welchen Kriteriums läßt sich nun wie beurteilen, ob dies Bündel bevölkerungspolitischer Maßnahmen ergriffen werden soll oder nicht? Unterbleiben die Maßnahmen, so wird es nicht mehr Menschen geben, womit auch das Argument des sinkenden Durchschnittsnutzens seine Kraft verliert.

Werden die Maßnahmen ergriffen, so wird es zwar mehr Menschen geben, das Argument des sinkenden Durchschnittsnutzens bleibt valide, muß sich dann aber der Frage stellen, ob und wie das Gut der Existenz künftiger Menschen selbst zu veranschlagen ist. Unter der durchaus verteidigbaren Annahme, daß es zwar *nicht besser ist zu existieren als nicht zu existieren*, es aber durchaus *gut sein kann zu existieren*,[17] stellt sich dann – wie Derek Parfit gezeigt hat – das Problem des Bevölkerungswachstums in einer ganz anderen Weise. Jetzt ist nämlich in allen utilitaristischen Kalkülen das Gut der Existenz als ein durchaus nicht niedrig anzusetzender Faktor einzubringen. Ich breche die Erörterung dieser Frage hier ab – ohnehin wird der kritische Leser vermutlich bereits gedacht haben, daß es sich bei diesen Erörterungen um eine typisch positivistische Melange von Planungswahn, Rechenhaftigkeit, ethischem Theoretizismus und einem über seine Grenzen nicht belehrten übersteigerten Philosophieren handelt, das nicht in der Lage ist, die professionstypischen, argumentationstypischen und wissenschafts-ethischen Limitationen der Philosophie gegenüber Politik und Wissenschaft einzuhalten. Daß dem nicht so ist und daß auch und gerade eine scheinbar bescheidener gewordene Diskursethik vor ähnlichen, wenn nicht gar schlimmeren Paradoxen steht, hoffe ich nun zu zeigen. Wie bereits im obigen Abschnitt behandle ich zunächst das transzendentalpragmatische Programm der Ethik der unbegrenzten Kommunikationsgemeinschaft und wende mich dann der Universalpragmatik zu.

In K.-O. Apels Beitrag zur Gedächtnisschrift für Wilhelm Kamlah, der im Jahre 1978 unter dem Titel »Ist der Tod eine Bedingung der Möglichkeit von Bedeutung?« erschien, heißt es abschließend:

»Aber das Prinzip der Sprache zwingt uns, unser Verstehen der Welt-Bedeutsamkeit von vornherein mit einem Geltungsanspruch zu verknüpfen, der im Prinzip durch keine endliche Kommunikationsgemeinschaft in einer endlichen Zeitspanne eingelöst werden kann. Mit anderen Worten: das zu postulierende transzendentale Subjekt des Verstehens intersubjektiv gültiger Bedeutung hat die Endlichkeit des individuellen menschlichen Daseins nicht außer sich, denn die intersubjektive Geltung von Bedeutung hat keinen anderen Inhalt als die sprachlich artikulierte Bedeutsamkeit der Lebenswelt endlicher Menschen. Aber zugleich gilt doch, daß das transzendentale Subjekt der intersubjektiven Gültigkeit von Bedeutung durch kein endliches Subjekt, weder durch ein Individuum noch durch eine bestimmte Sprachgemeinschaft noch selbst durch die menschliche Gattung hinreichend repräsentiert wäre. Der Geltungsanspruch unserer Aussagen zwingt uns dazu, als transzendentales Subjekt des Verstehens intersubjektiv gültiger Bedeutung in einer transzendentalen Sprachpragmatik eine unbegrenzte Kommunikationsgemeinschaft endlicher Wesen zu postulieren. (In ihr allein würde – wie Ch. S. Peirce meint – die Bedeutung von Zeichen hinreichend interpretiert und die Wahrheit durch Konsensbildung erreicht werden können.)«[18]

Nun muß sicherlich zwischen einer konstitutiven Theorie des Verstehens von Bedeutung und der Applikation dieser Bedeutungstheorie auf eine Ethik streng unterschieden werden. Gleichwohl ist nicht zu bezweifeln, daß auch die Gültigkeit bzw. die Bedeutung von in einer Ethik verwendeten Ausdrücken dem gleichen Grundsatz folgen müssen. Auch die Ethik folgt dem Prinzip der unbegrenzten Kommunikationsgemeinschaft. Dies gilt auch und gerade für die Situation des Menschen als ethisches Problem. Hier wird dann ein Spannungsverhältnis zwischen konsensualem Universalismus und strategischer Selbstbehauptung sichtbar, die zu eben dieser Grundsituation gehört und aus anthropologischen Gründen nicht aufhebbar ist. Doch soll auch hier gelten, daß aus der Spannung zwischen der Grundnorm der konsensualen Moral und der kontingenten conditio humana Verhältnisse folgen sollen, »die von der Grundnorm gefordert und im argumentativen Diskurs kontrafaktisch antizipiert werden müssen.«[19]

Diese Grundnorm aber lautet: »Ist er (ein Argumentierender) bereit, auf den impliziten Sinn seiner Argumentationsakte zu reflektieren, so muß er einsehen, daß er zugleich mit der Möglichkeit von sprachlichem Sinn und Wahrheit auch schon voraussetzt, daß alle Sinn- und Wahrheitsansprüche von Menschen im Prinzip in einer unbegrenzten Kommunikationsgemeinschaft durch Argumente – und nur durch Argumente – einlösbar sein müssen. Damit hat er aber auch bereits anerkannt, daß er als Argumentierender eine ideale Kommunikationsgemeinschaft aller Menschen als gleichberechtigte Partner voraussetzt, eine Kommunikationsgemeinschaft, in der alle Meinungsverschiedenheiten – auch solche, die praktische Normen betreffen – im Prinzip nur durch konsensfähige Argumente aufgelöst werden sollten. Die ethische Grundnorm, die jeder Argumentierende – und das heißt: jeder ernsthaft Denkende – notwendigerweise anerkannt hat, besteht also in der Verpflichtung auf die Metanorm der argumentativen Konsensbildung über situationsbezogene Normen.«[20]

Nun sind zwei Fragen zu klären:
1. Welchen Status hat der sinnkritische Vorgriff auf die unbegrenzte Kommunikationsgemeinschaft und was impliziert er?
2. Wie läßt sich nach Maßgabe dieses Metakriterium das Problem des menschlichen Bevölkerungswachstums angehen?

Die herkömmliche Möglichkeit zur Erläuterung des Status des sinnkritischen Vorgriffs auf die unbegrenzte Kommunikationsgemeinschaft besteht in einem Hinweis auf deren transzendentalen Status, genauer auf ihren Status als regulative Idee, d. h. als zwingende Implikation der Argumentation, die aber gleichwohl nie als wirklich ausgewiesen werden kann. Ich halte diese Deutung des Prinzips der unbegrenzten Kommunikationsgemeinschaft – mindestens dann, wenn man auf Peirceschen Voraussetzungen argumentiert – für unhaltbar. Wenn es sich bei diesem Vorgriff tatsächlich nur um eine argumentationsnotwendige Präsupposition handelte, wäre es im Prinzip egal, ob die Kommunikationsgemeinschaft selbst in Wirklichkeit endlich, d. h. begrenzt oder aber unendlich, d. h. unbegrenzt wäre.

Da die transzendentale Pragmatik Unbegrenztheit ohnehin behauptet, muß lediglich überprüft werden, ob der Gedanke einer ontologischen Endlichkeit der Kommunikationsgemeinschaft mit dem impliziten Geltungsanspruch auf unbegrenzte Zustimmung vereinbar ist. Lassen sich, wie für die Behauptung der transzendentalen Gültigkeit des Metakriteriums der Kommunikationsgemeinschaft auch notwendig, tatsächlich strenge Trennungen zwischen Anspruch und Wirklichkeit, zwischen regulativer Idee und ontologischem Substrat ziehen?

Es sei unterstellt, eine heute aufgestellte ethische Norm N erhebe

Gültigkeitsansprüche nach Maßgabe des Metakriteriums der Kommunikationsgemeinschaft, also nach Maßgabe der Behauptung, daß alle heute Widerstrebenden und alle möglichen zukünftigen Argumentationspartner ihr unter idealen Bedingungen zustimmen würden. Es sei zudem als gesichert unterstellt, daß die Menschheit bestenfalls noch dreihundert Jahre existiere. (Sei es aufgrund wachsender Wahrscheinlichkeit einer atomaren Katastrophe, ökologischer Zusammenbrüche, kosmischer Katastrophen wie Kometen etc.) Wie steht es dann um den antizipierenden Vorgriff? Spielt das Wissen um das sichere Ende der Kommunikationsgemeinschaft irgendeine Rolle? Das Beharren auf dem Prinzip der regulativen Idee würde diese Frage negieren und der transzendentale Pragmatiker könnte antworten: Die zukünftige Menschheit würde mir, so sie existieren würde, zustimmen. Auf diese Antwort kann dann aber zurückgefragt werden: Woher weiß der transzendentale Pragmatiker dies eigentlich – sofern er keine diskursungeprüfte Selbstprivilegierung seines Arguments beanspruchen will? Kraft welcher Einsicht läßt sich ein Argument als zustimmungsfähig auszeichnen, wenn bereits auch nur die Möglichkeit künftiger Zustimmung a limine ausscheidet? Und vor allem: Wenn doch bereits der einzelne, endliche Proponent antizipieren kann, was wahr und richtig ist, wozu bedarf es dann noch des Bezuges auf eine – gar unbegrenzte – Kommunikationsgemeinschaft? Das Beharren auf der transzendental regulativen Lesart des Prinzips der unbegrenzten Kommunikationsgemeinschaft unter Verzicht auf die auch nur erhoffte Wirklichkeit einer unbegrenzten Kommunikationsgemeinschaft impliziert notwendig die partikularistische Selbstprivilegierung des Proponenten und damit einen performativen Widerspruch zweiter Stufe. Soll das Prinzip der unendlichen Kommunikationsgemeinschaft widerspruchsfrei konzipiert werden, so impliziert es die praktisch-ethische Forderung, daß die menschliche Kommunikationsgemeinschaft in aller Zukunft weiterbestehen soll (was analog für alle Vernunftwesen gilt).

Dies stellt nun nichts anderes als eine transzendentalpragmatische Begründung des biblischen Gebotes »Seid fruchtbar und mehret euch!« dar. Der praktische Bezug auf eine unbegrenzte Kommunikationsgemeinschaft besteht dann darin, die Kommunikationsgemeinschaft nicht enden zu lassen; mit anderen Worten: zu den Sinnbedingungen unseres Redens und ethischen Argumentierens gehört, daß weiterhin Kinder geboren werden. Diese widerspruchsfreie Fassung des Prinzips der unbegrenzten Kommunikationsgemeinschaft hat freilich einen hohen Preis – den Preis der schlechten Unendlichkeit. Denn wie groß soll die unbegrenzte Kommunikationsgemeinschaft denn wirklich sein? Ist sie unendlich groß, so kann immer nur auf Wahrheit gehofft werden – dann allerdings ist nicht einsehbar, warum um der Hoffnung auf Wahrheit willen ein so substantialistisches Prinzip wie die biblische Fruchtbarkeitsforderung anerkannt werden soll. Wenn nämlich für jede Anzahl kommunizierender Menschen gilt, daß womöglich erst der $n+1$ Mensch ein wirklich wahres Argument bringen wird bzw. der $n+1$ Mensch den bis dahin antizipierten Konsens erfüllen wird, und schließlich dann auch für ihn gilt, daß erst seine Sukzessoren die Wahrheit seiner Argumente erfüllen oder überprüfen können, dann impliziert der Gedanke der unbegrenzten Kommunikationsgemeinschaft, daß die Menschen (Vernunftwesen) genau deshalb, weil sie auf Unendlichkeit als Sinnbedingung angewiesen sind, nie (im strengen Sinne!) der Wahrheit teilhaftig sein können. Das bedeutet umgekehrt nichts anderes, als daß nicht nur die Endlichkeit des Einzelwesens, sondern auch und gerade die Endlichkeit der Gattung eine Sinnbedingung für Wahrheit ist. Der Gedanke einer wirklichen, d. h. erfüllten Wahrheit und der Gedanke einer als unbegrenzt angesetzten Kommunikationsgemeinschaft sind mithin miteinander unverträglich. Man mag sich dann – natürlich nach Maßgabe von Argumenten – entweder für die Unendlichkeit von Sinn und Gattung oder aber für erfüllte Wahrheit und kontingente Endlichkeit der Menschheit entscheiden. Die erste Option würde freilich endlich ein *Eingeständnis der Unmöglichkeit von Wahrheit erfordern*, während die zweite Option *mindestens kein diskursethisches Argument gegen das Aussterben der Gattung anführen dürfte*. Ist Endlichkeit als Bedingung der Möglichkeit von Wahrheit anerkannt, gibt es keine sinnkritischen Argumente gegen das Ende der Gattung, gleichgültig, ob dies heute, morgen oder erst in dreihundert Jahren bevorsteht. Ich kann in diesem Zusammenhang, ohne ihm in der Sache zuzustimmen, Ulrich Horstmann zitieren:

»»Was geliebt werden kann am Menschen, das ist, daß er ein Übergang und ein Untergang ist‹ schreibt Nietzsche. Das anthropofugale Denken hat seinen Traum vom Übermenschen aufgekündigt und hält die Aussicht auf das Ende, den Untergang, an sich schon für tröstlich genug. Ziel der

Menschheitsentwicklung ist ihm nicht sein Nihilismus der Umwertung aller Werte, sondern der Annihilismus, d.h. die Selbstaufhebung des Untieres mit all seiner Gier nach Sinn und Wahrheit, nach jenem metaphysischen Opium, das ihn während Jahrtausenden der Vorbereitung so gnädig betäubte und unter glückverheißenden Halluzinationen hielt, derer wir Letztgeborene nun nicht mehr bedürfen.«[21]

Der universalpragmatische Versuch einer Begründung der Ethik scheint einmal mehr all dem zu entgehen. Indem er den Vorgriff auf allgemeine Zustimmung bzw. Argumentierbarkeit quasi naturalistisch als Disposition ansetzt und Wahrheit jeder Art nur noch als »for the time being«, d.h. als hypothetisch postuliert, scheint auch die Begründung einer Ethik unter wesentlich schwächeren Ansprüchen zu stehen. Wir müssen uns daher auch nicht mit einer Verträglichkeitsprüfung transzendentaler Implikationen dieses Modells abmühen, sondern können sofort die Konsistenz dieser Ethik an einem bestimmten Problem überprüfen. Auch hier sind wieder zwei Fragen zu stellen:

1. Wer sind »alle Betroffenen«, die im Grundsatz D erwähnt werden?
2. Wie läßt sich mit diesem Grundsatz das Problem des Bevölkerungswachstums regeln?

Auch in einer nicht-transzendentalistischen Lesart beharrt die Diskursethik auf strenger Universalität. Sie muß darum, spricht sie von »allen Betroffenen«, ein Prinzip namhaft machen können, gemäß dem auch in diesem Fall zwischen Betroffenen und Nicht-Betroffenen unterschieden werden kann.

Wer sind im Falle einer diskursethischen Behandlung bevölkerungspolitischer Fragen die Betroffenen? Betroffen sind auf jeden Fall all jene, die durch ihr generatives Verhalten heute Einfluß auf das Bevölkerungswachstum morgen haben. Betroffen sind aber auch alle, die aufgrund dieses generativen Verhaltens unter Umständen später einmal in einer übervölkerten Welt leben werden. Mithin müßten in einen idealen Diskurs die faktischen Interessen der heute Lebenden und advokatorisch die Interessen der künftig Lebenden aufgenommen werden.

Wie ist es aber um die advokatorische Behandlung jener bestellt, *deren künftige Existenz von dem ideal und advokatorisch geführten Diskurs abhängt*? Ist also, wer unter Umständen geboren werden könnte, aber dann doch nicht geboren wird, betroffen?

Kann man sinnvollerweise sagen, daß Sein oder Nichtsein, Existenz oder Nichtexistenz Güter sind, über die sich zu rechten lohnt? Jede Diskussion um die Todesstrafe und um die Unrechtmäßigkeit des Tötens bestätigt dies, oder zumindest: daß Existenz – so sie einmal besteht – für den Betreffenden ein Gut ist. Auch wir selbst sind, wenn wir unter gegebenen Bedingungen über unser Leben froh sind, damit implizit der Meinung, daß es gut war, gezeugt und geboren worden zu sein. Liegt dort, wo ein Gut *nicht* vorliegt, ein Übel vor? Kann man sagen, daß es zwar ein Gut ist, gezeugt und geboren worden zu sein, aber keineswegs ein Übel, nicht gezeugt und geboren worden zu sein? Und scheidet mithin dieser Problemkreis nicht überhaupt aus dem ethisch Belang- und Regelbaren aus? Aber wie dem auch sei: Wenn es auch kein Übel ist, nicht gezeugt und geboren zu werden, wohl aber ein Gut ist, gezeugt und geboren zu werden, und es zudem *ein Übel sein kann, unter bestimmten Umständen gezeugt und geboren zu werden*, dann scheint mir die Aufnahme dieser nur möglichen Personen in den Kreis der Betroffenen und damit advokatorisch zu Vertretenden unumgänglich zu sein.

Gegen die hier ausgeführte Argumentation könnte – wie bereits oben gegen das Mündigkeitspostulat – ein sinn- bzw. sprachkritischer Einwand erhoben werden, der allerdings sehr viel schwerwiegender ist, belastet er doch den Argumentationsgang nicht nur mit einem Trivialitäts- bzw. Redundanzverdacht, sondern mit dem Vorwurf des Unsinns, dem Vorwurf, die Regeln vernünftigen Redens willkürlich und systematisch zu verletzen.

Demnach ist es unzulässig, vom (möglichen) Interesse einer möglichen Person an ihrer Existenz zu sprechen, und zwar deshalb, weil das Haben von Interessen jemanden voraussetzt, der diese Interessen auch tatsächlich haben könnte. Mit anderen Worten: Das Reden von Interessen ist nur bei bereits unterstellter Existenz zulässig – von einem Interesse an Existenz selbst kann deshalb nicht gesprochen werden, weil dies seinerseits bereits jemand Existierenden voraussetzt, der ein Interesse an Existenz haben könnte etc. In der Tat: Unter der Bedingung, daß man von Interesse nur dann sprechen darf, wenn die Existenz des möglichen Interesseninhabers bereits unterstellt ist, führt die Rede von Interesse an Existenz in einen unendlichen Regreß. Die Frage ist freilich, ob man immer und in jedem Fall von *einem zeitlichen prius der Existenz vor dem Interesse an ihr, namentlich dem*

Interesse an ihr selbst ausgehen muß. Dies führt letztlich zu der Frage, ob Existenz ein Gut ist. Es scheint, daß diese Frage unzulässig ist, da sich die soeben betrachtete Problematik einfach zu wiederholen scheint: Wenn Existenz ein Gut ist, dann ist sie ein Gut für jemanden, der bereits existiert..., der mithin dies Gut bereits besitzt etc.... Hier zeigt sich aber eine entscheidende Differenz zum oben erörterten infiniten Regreß: Setzt die Rede vom Interesse an Existenz Existenz immer schon voraus, so impliziert die Rede von Existenz als Gut eben nur, daß Existenz *immer* dann ein Gut ist, wenn sie denn ein Gut *für* jemanden ist. Die schlechte Unendlichkeit des obigen Regresses kann hier zumindest nicht als Einwand gegen diese Redeweise gelten – was freilich noch kein Grund für die Legitimität dieser Redeweise ist. An dieser Stelle liegt nun zweierlei nahe:

a) Phänomenologisch jene Erfahrungen und Sprechweisen sowie Handlungen aufzuklären, die im Alltag Existenz, d. h. Leben, so behandeln, als sei es ein Gut: Die Dankbarkeit darüber zu leben, Lebensüberdruß, Todesangst, aber auch Schlagworte wie jenes, daß jedes Kind ein Recht auf ein glückliches Leben hat, sowie die Entscheidung, ein aller Wahrscheinlichkeit später krankes oder behindertes Kind erst gar nicht zu zeugen, um ihm also ein späteres Krüppeldasein zu ersparen.

b) Weiterhin zu überprüfen, ob überhaupt ein evaluatives Sprechen von Existenz als solcher sinnvoll ist, ob über Existenz als solche überhaupt sinnvoll etwas ausgesagt werden kann und ob sie evaluierbar ist.

Ich wähle im folgenden den zweiten Weg, weil die phänomenologische Erläuterung alltäglicher Sprech- und Handlungsweisen sich dem Vorwurf ausgesetzt sehen könnte, philosophisch unüberprüfte Vorurteile zu reproduzieren. Allerdings wird auch das Begehen des zweiten Weges zeigen, daß früher oder später derartige Grunderfahrungen ins Spiel kommen. Wir können in diesem Zusammenhang den Begriff »Existenz« mindestens dreifach erläutern: als Leben, als bewußtes Leben und als selbstbewußtes Leben. Man hat zur Überprüfung der Frage, ob Bewußtheit als solche einen Wert, also etwas, für das man sich als solches gegen ein Anderes entscheiden würde, besitzt, ein Gedankenexperiment vorgeschlagen. Wenn wir die Wahl hätten zwischen einem bewußten, mit durchschnittlichen Glücks- und Unglückserfahrungen geprägten Leben und der Möglichkeit, nach einer Gehirnoperation kein Selbstbewußtsein mehr zu besitzen, aber ununterbrochen mittels einer Sonde direkt in unseren Lustzentren stimuliert zu werden, so würden wir trotz der Verheißungen unendlicher Lust ein durchschnittliches, von Glück und Unglück geprägtes, bewußtes Leben vorziehen. Der Grund für diese Wahl scheint darin zu liegen, daß Bewußtheit als solche – jenseits aller Lustkalküle – ein höheres Ausmaß an Erfahrungs- und Befriedigungsmöglichkeiten bereitstellt als Unbewußtheit. Bewußtheit ermöglicht Referenzen, Hierarchisierungen und damit auch Entscheidungen, die eine Unterscheidung von Befriedigungsmöglichkeiten und damit auch eine Steigerung von möglichen Lusterfahrungen überhaupt mit sich bringen. Es soll hier nicht um Bewußtseinstheorie gehen, sondern lediglich um den Aufweis, daß ein bestimmter Modus von Existenz als solcher als ein in sich präferierbares Gut erläutert werden kann, und zwar genau deshalb, weil dieser Modus überhaupt erst weitere und höhere Präferenzen ermöglicht. Nun gibt es – und dies war eines der Ergebnisse des Gedankenexperiments – in diesem Fall immerhin die Wahl zwischen bewußtem und unbewußtem Leben; eine Wahl, die die intrinsische Güte von Bewußtheit aufwies.

Läßt sich eine ähnliche Wahl zwischen Leben an sich und Nichtleben aufstellen, zwischen unbewußtem Leben und Nichtleben? Daß die Wahl zwischen bewußtem Leben und Nichtleben in der Regel, d. h. im Alltag, meist zugunsten bewußten Lebens ausgeht, bzw. daß diese Wahl – wie im Falle eines Suizids – auch anders getroffen werden könnte, weist zumindest auf eines hin: daß hier oft genug ein echtes Problem, ein echtes Dilemma vorliegt. Aber wir können die Auseinandersetzung, ob Leben ein intrinsisches Gut ist, auf der Ebene der Frage nach der intrinsischen Güte bewußten Lebens belassen, und zwar deshalb, *weil menschliche Existenz als präferierbares Gut bewußtes Leben* ist: Ein menschliches Bewußtsein ohne Leben ist nicht denkbar, und bewußt zu leben ist intrinsisch besser als unbewußt zu leben.

Mithin ist die Bedingung des Habens und Erfahrens von Gütern selbst ein Gut – mit anderen Worten: *Wenn bewußtes Leben für die bewußt Lebenden ein intrinsisches Gut ist und Existenz als bewußtes Leben zureichend analysiert ist, dann ist Existenz für die Existierenden ein Gut in sich.*

Nun kann durchaus eingeräumt werden, daß sie dann natürlich

für die Nichtexistierenden kein intrinsisches Gut ist – aber: für die Existierenden gilt doch, daß ein intrinsisches Gut prima facie et ceterus paribus gemehrt werden soll. Dies ist zumindest plausibler als die anderen Möglichkeiten, daß nämlich ein intrinsisches Gut *nicht* vermehrt werden soll bzw. daß es *freigestellt* ist, es zu mehren oder nicht. Die Rede von intrinsischen Gütern impliziert einfach, daß sie eher gemehrt als verknappt bzw. konstant gehalten werden sollen. (Dies gilt freilich nur für solche intrinsische Güter, die per definitionem durch Mehrung keine inflationäre Minderung erfahren.)

Nun bedeutet die Mehrung des intrinsischen Gutes bewußten Lebens die Erzeugung von Personen, die zu den Umständen, unter denen sie leben würden, zustimmend oder ablehnend Stellung nehmen könnten, die also potentielle Betroffene sind, deren Belange mindestens advokatorisch zur Geltung gebracht werden müssen. Da nun, wie bereits im Falle von Mündigkeit, allgemein gilt, daß alle, die als potentiell Betroffene gelten, auch gehört werden sollen, folgt aus der verteidigbaren Annahme, daß bewußtes Leben prima facie ein intrinsisches Gut ist, *und* der universellen Betroffenenregel, daß bewußtes Leben, das gezeugt werden könnte, hierzu gehört und deswegen auch gezeugt werden sollte.

Damit zeichnen sich nun eine Reihe von Paradoxen ab: Wie lassen sich die Interessen von jemandem advokatorisch vertreten, von dem überhaupt nicht oder allenfalls hypothetisch bekannt ist, daß er an einem Diskurs teilnehmen würde? Unter diesen Bedingungen müßte ein idealer Diskurs zunächst doppelt geführt werden:

a) Der Diskurs wird inklusive der advokatorischen Wahrnehmung der Interessen der möglichen Person geführt.

b) Der Diskurs wird ohne die advokatorische Wahrnehmung der Interessen der möglichen Person geführt.

Im ersten Fall wird tentativ unterstellt, daß es die mögliche Person auch wirklich geben wird, im zweiten Fall wird dies negiert. Läßt sich ein Kriterium angeben, welche Form des Diskurses hier zu bevorzugen ist?

Wir unterstellen nun, daß es in diesem Diskurs darum und nur darum gehen soll, ob diese mögliche Person erzeugt und geboren werden soll oder nicht. Dann zeigt sich sofort, daß die zweite Möglichkeit, die von der Nichtexistenz der möglichen Person ausgeht, entfällt. Denn von wem sich mit Sicherheit sagen läßt, daß es ihn nicht geben wird, dessen Belange müssen auch nicht advokatorisch vertreten werden.

Denn es soll ja im Diskurs gerade um die Möglichkeit dieser Person gehen, weswegen sie auch advokatorisch an den Beratungen über ihre Existenz zu beteiligen ist. Nun ergeben sich wiederum – ungeachtet der oben benannten Schwierigkeiten eines jeden advokatorischen Argumentierens im Geltungsbereich des Diskursprinzips – drei Möglichkeiten:

a) Die mögliche Person würde für ihre Existenz optieren.
b) Die mögliche Person würde gegen ihre Existenz optieren.
c) Die mögliche Person enthält sich einer Meinung.

Wir können hier die letzte Möglichkeit vernachlässigen und überprüfen die Konsequenzen a) und b).

Dann zeigt sich, daß die philosophisch interessanten Fälle genau diejenigen sind, in denen die Interessen der Erzeuger und Gebärer und die Interessen der möglichen Person divergieren – sei es, daß z. B. die mögliche Person für Existenz optieren würde, Erzeuger und Gebärer aber dagegen votieren würden. Es scheint auf den ersten Blick, als ob ein solcher Konflikt rational, nach Maßgabe und Gewichtung von Interessen und Bedürfnissen entschieden werden könnte. Im Rahmen eines irgendwie gearteten utilitaristischen Kalküls dürfte dies auch – wenngleich unter erheblichen Schwierigkeiten – noch möglich sein. Unter Bedingungen der Gültigkeit einer sogar nur universalpragmatisch konzipierten Diskursethik wird dies unmöglich. Wir erinnern uns: Der Diskurs, der über die Existenz oder Nichtexistenz einer möglichen Person geführt wird, sei ein wirklicher, kein virtueller Diskurs. In diesem Diskurs werden freilich die Belange einer virtuellen Person von wirklichen Diskursteilnehmern vertreten. Kommt die Beratung nun nach Maßgabe aller Pro- und Contraargumente zu dem Schluß, daß die virtuelle Person keine wirkliche Person werden soll, dann wird deren virtuelle Betroffenheit in eine faktische Nichtbetroffenheit umgewandelt. Bzw.: die Klasse »aller Betroffenen« ist in diesem Fall ihrem Umfang nach vom Ergebnis der Beratung abhängig – ein Ausgang, der um so erstaunlicher ist, als doch herkömmlicherweise die Betroffenen vor der Beratung bekannt und benannt sein sollten. Oder anders: In diesem Fall legt der Diskurs selbst fest, wer die Betroffenen sind. Das ist im Falle, daß die virtuelle Person wirklich werden soll, nicht anders. Auch hier kooptiert der Diskurs kraft seiner Beratungen die von seinen Beratungen abhängigen Betroffenen, ja erzeugt sie geradezu.

Lehrreich ist auf jeden Fall das erste Beispiel, d. h. der Fall, daß sich das advokatorische Argument zwar für die Existenz der virtuellen Person ausspricht, die faktischen Interessen und Bedürfnisse jedoch über das advokatorisch-virtuelle Argument siegen. In diesem Fall liegt, obzwar die formalen Bedingungen eines Diskurses erfüllt sind, da ja alle möglichen Betroffenen gehört werden, ein schwerer Verstoß gegen die Diskursregel bzw. ein noch ungelöstes Problem vor. Denn: eine Bedingung der Möglichkeit des Führens von Diskursen scheint in einer quasi ontologischen Präsupposition zu liegen: nämlich der Existenz der Diskursteilnehmer. Das klingt zwar trivial, ist es aber genauso viel oder wenig wie die Behauptung, daß in jeder Rede Geltungsansprüche erhoben werden. Ohnehin hat es ja die Philosophie mit der Reflexion, Kritik und auch wiederum Affirmation des Trivialen zu tun.

Wenn nun aber die Existenz der (betroffenen) Diskursteilnehmer eine Bedingung der Möglichkeit des Sinns solcher Diskurse ist, dann muß der Diskurs bzw. müssen die Diskursteilnehmer auch dafür Sorge tragen, daß die von ihren Beratungen Betroffenen auch tatsächlich früher oder später am Diskurs teilnehmen können, womit sie sich auf eine *sittliche Norm des Generierens von Diskursteilnehmern qua umfassender Betroffenenregel verpflichten*. Das heißt aber in diesem Zusammenhang nichts anderes, als daß die Universalität der Diskursregel bzw. der Betroffenenregel im Falle einer ethisch verantworteten Bevölkerungspolitik zu gar keinem anderen Ergebnis kommen kann, als daß alle möglichen Betroffenen auch tatsächlich existieren sollen. Man mag dies mit guten Gründen ablehnen, ist dann aber logischerweise auch gezwungen, die universale Betroffenenregel und damit die Diskursethik selbst fahren zu lassen.

Ich erinnere daran, daß diese paradoxe Konsequenz auch für eine nicht transzendental, sondern naturalistisch begründete Universalpragmatik entsteht. Es ist also offensichtlich egal, wie eine mit universalistischem Anspruch operierende Diskursethik begründet wird – bei bestimmten moralischen Streitfragen, und das sind vorzüglich solche, die den Umfang der Klasse der Diskursteilnehmer betreffen, resultieren aus der diskursethisch angesetzten Moralität massive sittliche Konsequenzen. Es scheint sich hierbei um ein aus der Philosophie bekanntes Selbstbezüglichkeitsparadox zu handeln, das aber deshalb um nichts weniger gravierend ist. Selbstverständlich könnte hier eingewandt werden, daß es sich um Grenzfälle handelt, daß es derlei Grenzfälle immer gibt und daß eine tragfähige Begründung der Ethik nicht von untypischen Grenzfällen, sondern von typischen und vertrauten Normalfällen auszugehen habe, zu denen Selbstbezüglichkeiten gerade nicht gehören. Diesem Verharmlosungsargument steht nun freilich die gesellschaftliche und philosophiehistorische Evidenz entgegen, daß die gegenwärtige materiale Ethik sich angesichts neuer gesellschaftlicher Entwicklungen wie Gentechnologien, Reproduktionstechnologien etc. beziehungsweise angesichts globaler Herausforderungen wie dem weltweiten Hunger und einer drohenden Überbevölkerung mit diesen und genau diesen Fragen auseinandersetzt – mit Fragen also, ob und warum und in welchem Umfang es überhaupt jene Wesen geben soll, die Subjekt und Objekt ethischer Theorie sind.

Hier noch weiter davon zu sprechen, daß es sich nur um untypische Grenzfälle handelt, wäre nun in der Tat kontraintuitiv. *Wenn die Diskursethik sich bewähren will, so muß sie sich auch gerade angesichts solcher Phänomene behaupten können.* Und wenn sie sich angesichts solcher Phänomene bewährt, so führt sie, wie ich hoffe gezeigt zu haben, zu der paradoxalen Konsequenz, daß sie, die doch vor allem als formal-prozedurale Moralität angelegt war, denkt man sie nur stringent zu Ende, in eine normative Sittlichkeit umschlägt, die ihrer scheinbar demokratischen Offenheit ins Gesicht schlägt.

Die Quelle für diese paradoxalen Konsequenzen läßt sich schnell angeben. Sie besteht in der *eigentümlichen Verbindung von universalistischem Anspruch (den ja jede moderne Ethik erhebt) und demokratisch-diskursivem Betroffenen-Prinzip.* Für sich genommen würde weder das eine noch das andere zu derlei paradoxalen Konsequenzen führen: Erst ihre Verbindung schafft einen Inklusionszwang, der zutiefst sittlich, weil indisponibel normativ verbindlich ist. *Wenn die diskursive Ethik ihren Anspruch, alle möglichen Betroffenen zu berücksichtigen, ernst nimmt und zugleich feststeht, daß die derzeitige Existenz von Diskursteilnehmern in Zeit und Raum kontingent ist, daß also derzeitiges Leben als mündiger Mensch keine (ontologische) Privilegierung darstellen darf (Entfernung in der Zeit ist für ein moralisches Urteil ebenso unerheblich wie Entfernung im Raum),*[22] *dann wird die diskursive Ethik zunächst zwangsläufig advokatorisch, schließlich paradox und verliert dabei zudem Zug um Zug ihren nichtsittlichen, rein prozeduralen Charakter.*

Dieser scheinbar so erstaunliche, geradezu dialektische Umschlag der diskursethischen Moralität in eine Diskursteilnehmer generierende und sich selbst affirmierende Sittlichkeit verdankt sich m. E. einer ungenügenden Reflexion auf die Endlichkeit und Sterblichkeit auch und gerade der praktischen Vernunft. Das Operieren mit universalen Geltungsansprüchen und einer als unbegrenzt unterstellten Kommunikationsgemeinschaft will zwar eine Ethik für Menschen begründen, geht aber letztlich von einer idealiter unendlichen Gattung von Vernunftwesen aus, die zwar im Einzelnen endlich sein mögen, in ihrer Summe aber unendlich sein sollen – gerade so, als sei die Endlichkeit und Sterblichkeit der Menschen nur eine letzten Endes ungenügende Inkorporation von Vernunftwesen. Dem mag immerhin so sein, nur gelingt es auf der Basis dieser Voraussetzung gerade nicht, das durchzuhalten, was eine an Kant orientierte universalistische Ethik freier Vernunftwesen sein soll, nämlich eine mehr oder weniger *voraussetzungsfreie* Basis für das konsensuelle – und nur das konsensuelle – Festlegen von Normen. Mit anderen Worten: *Die demokratietheoretisch begründete Moralität übersieht, daß sie selbst auch nur der Ausdruck einer Lebensform ist.* Dem möchte ich eine abschließende Überlegung widmen.

V

Den Umstand, daß ein wahrhaft universalistischer und demokratietheoretischer Zugang zur Ethik mehr darstellt als eine bloße Prozedur, nämlich eine Lebensform, anders gesagt eine Form der Sittlichkeit, hat niemand genauer gesehen als der christliche, dem Pragmatismus verpflichtete Hegelianer Josiah Royce.
In seinem im Jahre 1918 erstmals erschienenen Werk ›The Problem of Christianity‹ führt Royce in dem zentralen Kapitel ›The World of Interpretation‹ folgendes aus:

»Any conversation with other men, any process of that inner conversation whereof, as we have seen, our individual selfconsiousness consists, any scientific investigation, is carried on under the influence of the generally subconscious belief that we all are members of a community of interpretation. When such enterprises are at once serious and reasonable and truth-loving, the general form of any such community, as we have already observed, is that of the ideal Pauline Church. For there is the member whose office it is to edify. There ist the brother who is to be edified. And there is the spirit of the community, who is in one aspect the interpreter, and in another aspect the being who is interpreted.«[23]

Josiah Royce hat das Geheimnis der Diskursethik avant la lettre ausgeplaudert. Ihr Telos ist die Paulinische Kirche, d. h. die Verkörperung des im Johannesevangelium verkündeten Geistes, in dem der Anspruch des griechischen Logos mit dem Geist der Gemeinde identifiziert wird.[24] Dieser Geist, der für Royce kein anderer als der den Menschen natürlich gegebene Gemeinschaftsgeist ist und der sich im Laufe der Geschichte je und je als solcher manifestiert, stellt, wenn er denn eine Gemeinschaft wahrhaft eint, eine außerordentlich konkrete und weniger geheimnisvolle Einheit dar als etwa die liebender Gatten. Die Kirche ist gemäß des Nicäanischen Bekenntnisses – una, sancta, catholica und apostolica – sie ist eine, sie ist heilig, allumfassend und mit einer Sendung beauftragt. Ähnliches gilt für die diskursive Ethik: Sie ist – qua anthropologisch vorausgesetzter Sprachkompetenz und universeller Kommunikationsgemeinschaft – eine und einig – sie bezieht sich ja auf die gesamte menschliche Gattung! Sie ist als mit werbenden Argumenten auftretende Theorie apostolisch und sie ist, insofern sie sich als transzendental unwiderlegbar bzw. in den aus ihr implizierten Lebensformen selbst affirmiert, in einem säkularisierten Sinne auch heilig. Hegel, von dem in einer Auseinandersetzung über das Verhältnis von Moralität und Sittlichkeit sehr viel mehr die Rede hätte sein müssen und dessen Ehrgeiz darauf ging, die Wahrheit der Religion ernst zu nehmen und sie zu erkennen, hat sich in der Religionsphilosophie zum Thema Kirche und Gemeinde ausgiebig geäußert.

»In der bestehenden Gemeinde ist nun die Kirche die Veranstaltung überhaupt, daß die Subjekte zu der Wahrheit kommen, die Wahrheit sich aneignen und dadurch der Heilige Geist in ihnen auch real, wirklich, gegenwärtig werde, in ihnen seine Stätte habe, daß die Wahrheit in ihnen sei und sie im Genusse, in der Betätigung der Wahrheit, des Geistes seien, daß sie als Subjekte die Betätigenden des Geistes seien.

Das Allgemeine der Kirche ist, daß die Wahrheit hier vorausgesetzt ist, nicht wie im Entstehen der Heilige Geist erst ausgegossen, erst erzeugt wird, sondern daß sie Wahrheit als *vorhandene Wahrheit* ist. Das ist ein verändertes Verhältnis des Anfangs für das Subjekt.«[25]

Die im folgenden nur angedeutete, erst noch zu entfaltende Einordnung des normativen Universalismus von Transzendentalpragmatik und Universalpragmatik in den Bereich der Religionsphilosophie geschieht ohne jede Häme und ohne jede denunziatorische Absicht, sondern in der festen Überzeugung, daß die Verortung des normativen Universalismus der Diskursethik im Spannungsfeld von Moralität und Sittlichkeit unangemessen plaziert ist und deshalb zu politischen Mißverständnissen Anlaß gibt.

Worum es dem normativen Universalismus meines Erachtens geht, ist eine der profanen Welt angemessene, vorpolitische, allgemein verbindliche und die Risse der Moderne überwindende Ethik, eine Einheit im Geiste – eine in Gottes Namen universalistische, aufklärerische Belange vertretende Zivilreligion. Nachzuweisen, daß auch diese Zivilreligion – wie alle anderen Religionen auch – schließlich stärkere Forderungen an das Subjekt stellt, als ihre zivile und moderne Form einzugestehen bereit ist, war Ziel der obigen Darlegungen.

Anmerkungen

1 Vgl. K. O. Apel, »Ist der Tod eine Bedingung der Möglichkeit von Bedeutung?«, in: J. Mittelstraß/M. Riedel (Hg.), *Vernünftiges Denken,* Berlin/New York 1978, 407-419.

2 J. Habermas, »Diskursethik – Notizen zu einem Begründungsprogramm«, in: ders., *Moralbewußtsein und kommunikatives Handeln,* Ffm. 1983, hier: 110.

3 Vgl. meinen Aufsatz »Vom Leiden der Tiere und vom Zwang zur Personwerdung. Zwei Kapitel advokatorischer Ethik«, in: H. U. v. Brachel/N. Mette (Hg.), *Kommunikation und Solidarität,* Münster 1985, 300-322.

4 So stellt G. Kavka fest: »The most obvious difference between present and future people is that the latter do not yet exist. Does this difference in temporal location in itself constitute a reason for favoring the interests of present over future persons? It does not seem so. Location in space is not a morally relevant feature of a person,

determining his worthiness for consideration or aid. Why should location in time be any different?« (G. Kavka, »The Futurity Problem«, in: R. I. Sikora/B. Barry (Hg.), *Obligations to future generations,* Philadelphia 1978, hier: 188.)
R. I. Sikora spricht sogar vom Problem einer »ontologischen Präferenz«. Räumt der Umstand, daß bestimmte Personen (ontologisch gesehen) bereits existieren, ihnen im Prinzip einen moralischen Vorteil gegenüber jenen ein, die nicht existieren? (R. I. Sikora, »Is it Wrong to Prevent the Existence of Future Generations?«, in: R. I. Sikora/B. Barry (Hg.), a.a.O., 112-166.)

5 K. O. Apel, »Sprechakttheorie und transzendentale Sprachpragmatik zur Frage ethischer Normen«, in: ders. (Hg.), *Sprachpragmatik und Philosophie,* Ffm. 1976, hier: 122.

6 J. Habermas, a.a.O., 103.

7 K. O. Apel, a.a.O., 126.

8 J. Habermas, a.a.O., 104.

9 K. O. Apel, a.a.O., 121 f.: »Da im Kontext der vorliegenden Untersuchung alles davon abhängt, daß tatsächlich eine zwingende Begründung der intersubjektiven Gültigkeit ethischer Normen als möglich erwiesen wird, so möchte ich an dieser Stelle noch einmal eigens die Frage aufwerfen, ob nicht die Berufung auf so etwas wie die ›kommunikative Kompetenz‹ des Menschen (bzw. aller mündigen Menschen) und das in ihr implizierte intuitive Kennen und faktische Anerkannthaben von ethischen Normen letzten Endes doch als Berufung auf eine Tatsache angesehen werden muß und insofern auch die universalpragmatische Begründung ethischer Normen auf eine ›naturalistic fallacy‹ hinausläuft.«

10 M. B. Scott/S. M. Lyman, »Praktische Erklärungen«, in: M. Auwärter u. a. (Hg.), *Seminar Kommunikation, Interaktion, Identität,* Ffm. 1977, 73-114.

11 P. A. Albrecht/C. Pfeiffer, *Die Kriminalisierung junger Ausländer,* München 1979, 93 ff.

12 »United Nations Declaration of the Rights of the Child«, in: W. Aiken/H. La Follette (Hg.), *Whose child, Childrens Rights, Parental Authority, and State Power,* Totowa 1980, 79 f.

13 J. Habermas, a.a.O., 103.

14 J. Habermas, a.a.O., 103.

15 H. Jonas, *Das Prinzip Verantwortung. Versuch einer Ethik für die technologische Zivilisation,* Ffm. 1984.

16 Vgl. D. Parfit, *Reasons and Persons,* Oxford 1984, 487-490; W. Anglin, in: »Defense of the Potentiality Principle«, in: R. I. Sikora/B. Barry (Hg.), a.a.O., 31-37.

17 D. Parfit, a.a.O.

18 K. O. Apel (1978), 418 f.

19 K. O. Apel, »Die Situation des Menschen als ethisches Problem«, in: *Zeitschrift für Pädagogik*, 5/1982, 692.

20 K. O. Apel, a.a.O., 679 f.

21 U. Horstmann, *Das Untier. Konturen einer Philosophie der Menschenflucht*, Wien/Berlin 1983, 58.

22 Vgl. Anmerkung 4.

23 J. Royce, *The Problem of Christianity – With a new introduction by John E. Smith*, Chicago 1968, 333.

24 A.a.O., 234 f.

25 G. W. F. Hegel, *Vorlesungen über die Philosophie der Religion II*, Ffm. 1969, 320.